해커스공무원

# 이명호 무역학

## 이론 + 기출문제

2권 기출문제

KB214990

해커스

## 이명호

**약력**

관세사
서울대학교 졸업
고려대학교 경영전문대학원 MBA 석사 졸업
제18회 관세사 자격시험 수석 합격

현 | 해커스공무원 관세법, 무역학, 한국사 강의
전 | 아모르이그잼 관세법 강의
전 | 국제무역사 시험 출제위원
전 | 이의신청 심의위원, 과세전적부심 심사위원

**저서**

해커스공무원 이명호 무역학 이론+기출문제
해커스공무원 이명호 올인원 관세법
해커스공무원 이명호 관세법 뻥령집
해커스공무원 이명호 관세법 단원별 기출문제집
해커스공무원 이명호 관세법 핵심요약집
해커스공무원 이명호 한국사 기본서
해커스공무원 이명호 한국사 암기강화 프로젝트 워크북
해커스공무원 이명호 한국사 기출로 적중

여러분의 합격을 응원하는

# 해커스공무원의 특별 혜택

## FREE 공무원 무역학 **특강**

해커스공무원(gosi.Hackers.com) 접속 후 로그인 ▶ 상단의 [무료강좌] 클릭하여 이동

## 해커스공무원 온라인 단과강의 **20% 할인쿠폰**

**7C735638649788UH**

해커스공무원(gosi.Hackers.com) 접속 후 로그인 ▶ 상단의 [나의 강의실] 클릭 ▶
좌측의 [쿠폰등록] 클릭 ▶ 위 쿠폰번호 입력 후 이용

* 등록 후 7일간 사용 가능(ID당 1회에 한해 등록 가능)

## 합격예측 **온라인 모의고사 응시권 + 해설강의 수강권**

**86779642B2DD9F64**

해커스공무원(gosi.Hackers.com) 접속 후 로그인 ▶ 상단의 [나의 강의실] 클릭 ▶
좌측의 [쿠폰등록] 클릭 ▶ 위 쿠폰번호 입력 후 이용

* ID당 1회에 한해 등록 가능

쿠폰 이용 관련 문의 **1588-4055**

# 서문

무역학은 국제경영학과 국제경제학에 그 기반을 두고 있어 출제범위가 매우 넓습니다. 게다가 새롭게 등장한 무역 이론이 출제되기도 하고, 경영 이론이나 외환 실무가 출제되기도 합니다. 따라서 넓은 출제범위와 이론 및 실무 내용들이 수험생들에겐 큰 부담이 됩니다.

그래도 '자주 출제되는 문제'가 있다는 것은 우리에게 다행스러운 일입니다. 무역학의 범위가 넓기 때문에 학습의 포인트를 잡으려면 다른 어떤 과목보다도 기출문제 분석을 철저히 해야 합니다.

지난 19년간 출제된 무역학 문제를 통해 시험의 전반적인 분위기를 파악할 수 있도록 이 책을 구성하였습니다. 2권 기출문제집의 순서는 1권 기본서의 순서와 동일합니다. 즉, PART별로 구성된 이 기출문제집을 통해 어느 PART가 시험에 많이 출제되고 있는지도 알게 될 것입니다.

더불어, 공무원 시험 전문 사이트 해커스공무원(gosi.Hackers.com)에서 교재 학습 중 궁금한 점을 나누고 다양한 무료 학습 자료를 함께 이용하여 학습 효과를 극대화할 수 있습니다.

이제까지 관세직 7급 무역학을 준비하는 수험생들을 위한 기출문제집이 없었습니다. 아무쪼록 『해커스공무원 이명호 무역학 이론 + 기출문제』 교재가 관세직 7급을 준비하는 수험생들에게 큰 도움이 되기를 바랍니다.

**이명호**

# 목차

## PART 1 무역이론

### CHAPTER 1 무역의 기본개념



### CHAPTER 2 국제무역이론의 전개



### CHAPTER 3 무역정책과 경제통합



## PART 2 무역실무

### CHAPTER 1 무역계약의 체결



### CHAPTER 2 대금결제



### CHAPTER 3 국제운송과 해상보험



### CHAPTER 4 수출입 통관 및 원산지 판정



### CHAPTER 5 무역분쟁 해결



### CHAPTER 6 전자무역

## PART 3 국제금융



## PART 4 국제경영



## PART 5 최신 기출문제

# PART 1

# 무역이론

CHAPTER 1

# 무역의 기본개념

## 1 | 무역의 의의

**01** □□□

**서비스무역에 대한 설명으로 옳은 것은?** 2014. 관세직 7급

① 저소득 국가들이 고소득 국가들에 비해 서비스무역 규모가 더 크다.
② 세계무역에 있어 서비스무역은 점차 줄어들고 있다.
③ 회계·법률 서비스와 같은 기업 서비스도 서비스무역의 대상에 포함된다.
④ 우리나라는 무역 비중에서 서비스무역 비중이 가장 크다.

답 ③

대외무역법상 '무역'이란 물품, 대통령령으로 정하는 용역, 대통령령으로 정하는 전자적 형태의 무체물(無體物)을 말한다(대외무역법 제2조). 즉, 문제에 제시된 '서비스 무역'이란 대외무역법상 표현으로는 '대통령령으로 정하는 용역'으로서 무역 거래 대상이 된다. 여기에서 '대통령령으로 정하는 용역'이란 다음 중 어느 하나에 해당하는 용역을 말한다(대외무역법 시행령 제3조).

1. 다음 각 목의 어느 하나에 해당하는 업종의 사업을 영위하는 자가 제공하는 용역
   가. 경영 상담업
   나. 법무 관련 서비스업
   다. 회계 및 세무 관련 서비스업 → ③
   라. 엔지니어링 서비스업
   마. 디자인
   바. 컴퓨터시스템 설계 및 자문업
   사. 문화산업에 해당하는 업종
   아. 운수업
   자. 관광사업에 해당하는 업종
   차. 그 밖에 지식기반용역 등 수출유망산업으로서 산업통상자원부장관이 정하여 고시하는 업종
2. 국내의 법령 또는 대한민국이 당사자인 조약에 따라 보호되는 특허권·실용신안권·디자인권·상표권·저작권·저작인접권·프로그램저작권·반도체집적회로의 배치설계권의 양도(讓渡), 전용실시권(專用實施權)의 설정 또는 통상실시권(通常實施權)의 허락

**선지분석**

① '고소득 국가'의 서비스무역 규모가 저소득 국가에 비해 크다. 저소득 국가는 1차 산업과 2차 산업의 비중이 높지만, 소득이 높은 국가일수록 양질의 용역을 수출하고 수입하는 일이 많아진다.
② 세계무역에 있어 서비스무역은 점차 늘어나고 있다. 각국의 소득 규모가 커지면서, 국가 간 법률·회계 등의 용역 거래도 늘어나고 있기 때문이다.
④ 우리나라는 무역 비중에서 '물품'의 무역 비중이 가장 크다. 국제수지표의 경상수지 항목을 보더라도 상품수지의 규모가 서비스수지의 규모보다 월등히 크다는 것을 알 수 있다.

## 02 □□□

**대외무역법상 전자적 형태의 무체물에 대한 설명으로 옳지 않은 것은?** 2012. 관세직 7급

① 전자적 형태의 무체물이란 부호, 문자, 음성, 음향, 이미지, 영상 등을 디지털 방식으로 제작하거나 처리한 자료 또는 정보 등으로서 산업통상자원부장관이 정하여 고시하는 것을 말한다.

② 전자적 형태의 무체물은 컴퓨터와 통신기기의 자동화 등의 장비와 그 주변장치에 대하여 명령, 제어, 입력, 처리, 저장, 출력, 상호작용이 가능하도록 하는 지시명령의 집합과 자료 등을 포함한다.

③ 전자적 형태의 무체물의 수출실적 인정금액은 한국무역협회장 또는 한국소프트웨어산업협회장이 입금확인한 금액이다.

④ 전자적 형태의 무체물을 온라인으로 수출하는 기업도 수출 실적으로 인정받아 무역금융, 벤처기업지정, 수출포상 등의 혜택을 받을 수 있다.

답 ③

수출실적이란 산업통상자원부장관이 정하여 고시하는 기준에 해당하는 수출통관액 · 입금액, 가득액(稼得額)과 수출에 제공되는 외화획득용 원료 · 기재의 국내공급액을 말한다. 수출실적은 일반적으로 수출통관액(FOB가격 기준)으로 하지만, 전자적 형태의 무체물의 수출의 경우에는 한국무역협회장 또는 한국소프트웨어산업협회장이 '외국환은행을 통해' 입금확인한 금액으로 한다(대외무역관리규정 제26조).

**선지분석**

① 대외무역법상 '무역'이란 물품, 대통령령으로 정하는 용역, 대통령령으로 정하는 전자적 형태의 무체물(無體物)을 수출하거나 수입하는 것을 말한다(대외무역법 제2조). 즉, 문제에 제시된 '전자적 형태의 무체물'이란 무역 거래의 대상 중 하나이다. 여기에서 '대통령령으로 정하는 전자적 형태의 무체물'이란 다음 중 어느 하나에 해당하는 것을 말한다(대외무역법 시행령 제4조).

1. 소프트웨어 진흥법 제2조 제1호에 따른 소프트웨어
2. 부호 · 문자 · 음성 · 음향 · 이미지 · 영상 등을 디지털 방식으로 제작하거나 처리한 자료 또는 정보 등으로서 산업통상자원부장관이 정하여 고시하는 것 → ①
3. 제1호와 제2호의 집합체와 그밖에 이와 유사한 전자적 형태의 무체물로서 산업통상자원부장관이 정하여 고시하는 것

②, ④ 전자적 형태의 무체물이란 컴퓨터와 통신기기에서 작용하는 영상, 음향 등을 말하며, 온라인으로 거래되는 경우가 대부분이다. 그러므로 온라인 거래도 수출실적으로 인정받아 무역 금융 등의 혜택을 받을 수 있다.

## 2 | 무역의 종류

**01** □□□ **특수무역의 일종으로 각종 공장건설을 위한 중요 설비, 기계 및 부품뿐만 아니라 선박, 철도, 차량 등의 자본재를 수출하는 해외 시장 진출 방식은?** 2011. 관세직 7급

① 플랜트수출 ② 계약생산
③ 프랜차이징 ④ 국제라이센싱

답 ①

| | |
|---|---|
| 플랜트수출 | 각종 공장 건설을 위한 중요 설비, 기계, 부품 및 선박, 철도, 차량 등의 자본재 수출(주로 턴키베이스 형태)을 말한다. 하드웨어와 소프트웨어가 결합된 생산단위체의 종합수출이라고 표현하기도 한다. |
| 계약생산 (CM, Contract Manufacturing) | 라이센싱과 직접투자의 중간적 성격을 띠고 있지만 지분 참여가 없다는 점에서는 직접투자와 확실히 구분된다. 대개의 경우 원하는 명세에 따른 제품을 얻기 위해 현지의 생산업체에게는 기술제공이나 기술적 지원이 이루어진다. 계약 생산은 통상 해외고객에게 자사가 제품을 직접 공급할 수 있는 생산 여력이 미치지 못하거나 현지시장이 협소하여 직접투자형태 진출이 타당하지 않은 경우에 이용된다. |
| 국제프랜차이징 | 사업본사인 프랜차이저(franchisor)가 해외에 있는 다른 기업, 즉 프랜차이지(franchisee)에게 상표의 사용권, 제품의 판매권, 기술 등을 제공하고 그 대가로 가맹금, 보증금, 프랜차이징 수수료 등을 받는 계약방식이다. |
| 국제라이센싱 (licensing) | 다국적 기업의 해외진출방식의 1차적인 방법으로서, 한 국가의 기업(라이센서)이 다른 국가의 기업(라이센시)에게 특허, 노하우, 등록상표 기타 무형자산을 공여하고 그 대가로 로열티를 받는 계약방식이다. |

**02** □□□ **물물교환 무역과 유사하지만 환거래가 발생할 수 있고 대응수입 의무를 제3국에 전가할 수 있는 형태의 무역은?** 2014. 관세직 7급

① 구상무역 ② 통과무역
③ 중개무역 ④ 플랜트 수출

답 ①

구상무역(compensation trade)이란 수출입에 따른 물품대금을 그에 상응하는 수출 또는 수입으로 상계하는 거래방식으로, 양국간 수출액과 수입액의 불균형을 시정할 수 있도록 양국간의 조약이나 협정에 의하여 행해지는 무역형태이다. 물물교환의 방식으로 환거래가 없을 수도 있으나, 유환 구상무역에서는 환거래가 발생한다. 구상무역에서는 수출을 할 때, 대응수입의무가 생기는데, 이 의무는 제3국에 전가할 수도 있다.

**선지분석**

② 통과무역(transit trade)이란 수출물품이 수출국으로부터 수입국으로 직송되지 않고 부득이하게 제3국을 통과하는 경우, 제3국의 입장에서 본 무역형태이다.
③ 중개무역(merchandising trade)이란 제3국의 중개업자가 개입하여 계약이 체결되며, 중개업자는 중개수수료를 취득하는 무역형태로서, 이러한 형태를 제3국의 입장에서 본 무역형태이다.
④ 플랜트 수출이란 각종 공장 건설을 위한 중요 설비, 기계, 부품 및 선박, 철도, 차량 등의 자본재를 수출하는 형태를 말한다.



**03** □□□

**다음 무역 형태 중 부분품이나 반제품 형태로 수출하여 실수요지에서 제품을 완성하는 현지조립 방식의 거래형태는?**

2015. 관세직 7급

① 주문자상표부착방식(OEM)
② 제조자개발생산방식(ODM)
③ 녹다운(Knock - Down) 방식
④ 대응구매(Counter Purchase)

답 ③

완제품을 수출하는 것이 아니라, 조립할 수 있는 시설과 능력을 가진 거래처에 부분품이나 반제품으로 수출하고 실수요지에서 제품을 완성하는 '현지 조립방식'의 수출을 녹다운(Knock Down) 방식 또는 KD 방식이라고 한다. 수출하는 부분품의 조립 정도에 따라 SKD(Semi Knock Down) 또는 CKD(Complete Knock Down)로 구분된다.

**선지분석**

① 주문자상표부착방식(OEM, original equipment manufacturing): 하청생산 기업이 주문자의 상표를 부착하여 주문자에게 납품하는 방식
② 제조자개발생산방식(ODM, original development manufacturing): 설계와 개발 능력을 갖춘 제조업체에 제품의 생산을 위탁하면 제조업체가 제품을 개발 및 생산하여 주문자에게 납품하는 방식
④ 대응구매(Counter Purchase): 수출자가 수출계약과 함께 일정기간 안에 수입국의 상품을 구매하겠다는 별개의 구매계약을 체결하여 대금을 상호 지급하는 방식

**04** □□□

**연계무역에 대한 설명으로 옳지 않은 것은?** 2019. 관세직 7급

① 구상무역은 수출입 균형을 유지하기 위하여 수출입물품대금을 그에 상응하는 수입 또는 수출로 상계하는 무역거래를 말한다.

② 물물교환은 외환거래 없이 물품을 서로 교환하는 무역거래를 말한다.

③ 대응구매는 수출액의 일정비율만큼을 반드시 수입하겠다는 별도의 계약서를 체결하고 수출하는 무역거래를 말한다.

④ 제품환매는 국교가 없는 두 나라 사이에서 행하여지는 준정부 차원의 무역거래를 말한다.

답 ④

연계무역(counter trade)이란 수출과 수입이 연계된 무역으로, 물물교환, 대응구매, 선구매, 제품환매, 상계무역 등이 있다. 제품환매(product buy-back)란 수출자가 플랜트, 장비 등의 기계설비를 수출하고 수출대금의 전부 또는 일부를 제공한 기계설비에서 생산되는 제품으로 회수하는 거래형태를 말한다. '국교가 없는 두 나라 사이에서 행하여지는 준정부 차원의 무역거래'란 두 나라의 민간단체 상호간에 교환된 각서(覺書)에 따라 무역거래가 이루어지는 '각서무역(覺書貿易)'을 말한다. 각서무역도 각서의 내용에 따라 연계무역에 포함될 수도 있다.

**05** □□□

**무역거래방식에 대한 설명으로 옳은 것은?** 2021. 관세직 7급

① 위탁가공무역은 수출자가 물품의 소유권을 수입자에게 이전하지 않고 자기책임 하에 수입국에 물품을 수출한 후 판매된 범위 내에서만 대금을 영수하고, 판매 잔량에 대하여는 계약기간 만료 후 수출자에게 반송하거나 제3자에게 판매하는 거래를 말한다.

② 외국인도수출은 국내에서 수출통관된 물품을 외국으로 인도하여 매각하고 그 대금을 해외에서 영수하는 거래방식을 말한다.

③ 위탁판매수출은 가공임을 지급하는 조건으로 가공할 원자재의 전부 또는 일부를 통상 무상으로 외국의 거래상대방에게 수출하여 이를 가공한 후 가공물품을 국내에 재수입하거나 제3국에 판매하는 수출을 말한다.

④ 중계무역은 수출할 것을 목적으로 물품을 수입하여 이를 제3국으로 수출하는 수출입거래방식으로서, 수입한 상품을 원상태 그대로 수출하여 수출대금 영수액과 수입대금 지급액과의 차액에 해당하는 가득액을 취하는 거래방식을 말한다.

답 ④

중계무역이란 수출할 것을 목적으로 물품 등을 수입하여 관세법 제154조에 따른 보세구역 및 같은 법 제156조에 따라 보세구역외 장치의 허가를 받은 장소 또는 자유무역지역의 지정 등에 관한 법률 제4조에 따른 자유무역지역 이외의 국내에 반입하지 아니하고 수출하는 수출입을 말한다(대외무역관리규정 제2조). 중계무역에 의한 수출의 경우에는 수출금액(FOB가격)에서 수입금액(CIF가격)을 공제한 가득액을 수출실적 인정금액으로 하며(대외무역관리규정 제26조), 이것이 곧 중계무역업자의 이익이 된다.

**선지분석**

① 물품의 소유권을 수입자에게 이전하지 않았고, 수출자가 '자기 책임'하에 물품을 수출하였으며, 판매된 범위 내에서만 대금을 영수한다면 '위탁판매수출'이다.
② 외국인도수출은 수출대금은 국내에서 영수하지만, 국내에서 통관되지 아니한 수출물품 등을 외국으로 인도하거나 제공하는 수출이다. '수출통관된 물품', '대금을 해외에서 영수'라는 표현이 잘못되었다.
③ 가공임을 지급하여 가공을 위탁하는 거래이므로 '위탁가공무역'이다.





**06** □□□ **독자적인 개발력과 생산기술을 갖춘 제조업자가 연구개발, 설계, 디자인까지 담당하여 생산한 제품을 주문자의 상표로 수출하는 방식은?** 2017. 관세직 7급

① Turn Key Contract ② Franchise
③ Original Development Manufacturing ④ Licensing

답 ③

ODM(Original Development Manufacturing)이란 제조업자가 독자적인 개발력과 생산기술을 갖추고 연구개발, 설계, 디자인까지 완료하여 주문자에게 공급하는 방식을 말한다. 이 경우 주문자의 상표가 부착될 수 있지만, 제조업체가 연구개발 및 설계를 통해 제품 생산을 주도하기 때문에 단순하청 방식인 OEM(Original Equipment Manufacturing)과 구별된다.

| 방식 | 우리말 표현 | 차이점 |
|---|---|---|
| ODM | 제조업자 개발·생산 | 주문자의 요구에 따라 제조업체가 주도적으로 제품 생산 |
| OEM | 주문자 상표 부착 | 주문자가 제공한 설계도에 따라 생산 |

## 3 | 무역관련 지표

**01** □□□

**수출과 수입이 경제에 미치는 효과에 대한 설명으로 옳지 않은 것은?** 2021. 관세직 7급

① 수출은 해당 생산품의 생산을 유발할 뿐만 아니라 관련 산업의 다른 생산물 생산도 촉진하는 효과가 있다.
② 수출산업 원료의 수입의존도가 높아지면 수출에 의한 소득유발 효과는 증가하게 된다.
③ 수입물품에 부과되는 관세는 국가 재정수입을 증대시키는 중요한 원천이 된다.
④ 수입품과 유사한 상품을 생산하는 국내 기업들은 생산성 향상과 기술혁신을 통해 경쟁력을 향상시킬 수 있다.

답 ②

'수출산업 원료의 수입의존도'가 높다는 것은 수출 상품을 제조하는 데 투입되는 원료를 대부분 해외 시장에 의존하고 있다는 말이다. 이런 경우 수출이 늘어나도, 해외에서 공급되는 원료의 가격이 높아지면 교역 조건이 악화될 수가 있고, 수출에 의한 소득유발효과도 증가하지 않는다.

**02** □□□

**무역 통계 용어에 대한 설명으로 옳지 않은 것은?** 2021. 관세직 7급

① 무역의존도는 한 나라의 국민경제가 무역에 의존하는 정도를 나타내는 지표이다.
② 외화가득률은 한 나라가 수출을 통해 어느 정도의 외화를 실질적으로 벌어들이는가를 측정하는 지표이다.
③ 수입자유화율은 한 국가에서 아무런 제약을 받지 않고 자유롭게 수입할 수 있는 상품의 수가 해당 국가의 총수입품목 중에서 차지하는 비율을 의미한다.
④ 교역조건 지수는 일국의 무역이 세계무역에서 어느 정도 비율을 나타내고 있는가를 측정하는 지표이다.

답 ④

교역조건(terms of trade)은 1단위의 상품을 수출하여 획득한 외화로 얼마나 많은 상품을 수입할 수 있는지를 나타내는 지표이다. 이것은 교역 상대국간 수출품과 수입품 사이의 수량적인 교환비율로, 특정 국가의 무역이익을 나타내는 지표로 사용된다. 교역 조건에는 순교역조건(상품교역조건), 총교역조건, 소득교역조건, 요소교역조건이 있다. '일국의 무역이 세계무역에서 어느 정도 비율을 나타내고 있는가를 측정하는 지표'에 가장 가까운 무역 통계 용어는 무역결합도(intensity of trade)이다. 무역결합도는 타국에 대한 일국의 무역이 세계무역에서 어느 정도 비율을 나타내고 있는가를 측정하는 지표로, 상대국에 대한 한 나라의 무역 의존 관계를 나타낸다.

**03** □□□ **다음과 같은 공식으로 구할 수 있는 무역지표는?** 2015. 관세직 7급

$$\frac{\text{연간무역액 총액}}{\text{연간 국내 총생산액(GDP)}} \times 100$$

① 무역의존도　② 무역결합도
③ 산업 내 무역지수　④ 무역자유화율

답 ①

무역의존도(dependence on foreign trade)란 한 나라의 경제가 무역 활동에 얼마나 의존하고 있는지에 대한 지표로서, 수출의존도와 수입의존도를 합한 개념이다. 무역의존도는 1년간 국내총생산(GDP) 대비 1년간 무역액 총액을 백분율로 나타낸 지수이다.

**04** □□□ **다음 중 교역조건 또는 그 변동을 의미하지 않는 것은?** 2007. 관세직 7급

① $\frac{\text{한 품목의 수입 비중}}{\text{한 품목의 수출 비중}}$　② $\frac{\text{수입상품수량}}{\text{수출상품수량}}$

③ $\frac{\text{수출상품 물가지수}}{\text{수입상품 물가지수}}$　④ $\frac{\text{수출상품가격}}{\text{수입상품가격}}$

답 ①

교역조건(terms of trade)이란 1단위의 상품을 수출하여 획득한 외화로 얼마나 많은 상품을 수입할 수 있는지를 나타내는 지표이다. 여기에는 상품교역조건(순교역조건), 총교역조건, 소득교역조건, 요소교역조건이 있다.

**선지분석**

② 수출물품과 수입물품의 교환량을 통해 무역이익을 판단한 것으로 총교역조건에 해당한다.
③, ④ 수입가격과 수출가격의 변화율을 통해 무역이익을 판단한 것으로 상품교역조건에 해당한다.

**05** □□□

다음 공식으로 구할 수 있는 무역 지표는? 2017. 관세직 7급

$$\frac{\text{수출상품가격지수}}{\text{수입상품가격지수}} \times 100$$

① 수출특화지수 ② 현시비교우위지수
③ 산업내무역지수 ④ 상품교역조건지수

답 ④

상품교역조건(commodity terms of trade)이란 수입가격과 수출가격의 변화율을 통해 무역이익을 판단하는 교역조건으로, 순교역조건(net terms of trade)이라고도 한다. 다음 산출식에서 N은 상품교역조건을, '$P_{X1}$ / $P_{X0}$'은 수출가격변화율을, '$P_{M1}$ / $P_{M0}$'은 수입가격변화율을 의미한다. 수출가격이 상승하거나 수입가격이 하락하면 수출국의 교역조건이 개선되며, 수출가격변화율이 수입가격변화율을 초과할 때에도 수출국의 교역조건은 개선된다.

$$N = \frac{P_X}{P_M} = \frac{(P_{X1}/P_{X0})}{(P_{M1}/P_{M0})} \times 100$$

$P_X$ : 수출가격지수, $P_M$ : 수입가격지수
$P_{X0}$: 기준연도의 수출가격, $P_{M0}$: 기준연도의 수입가격
$P_{X1}$: 비교연도의 수출가격, $P_{M1}$: 비교연도의 수입가격

## 4 | 무역과 경제성장

**01** □□□ **바그와티(J. Bhagwati)의 궁핍화 성장(immiserizing growth)이 현실적으로 발생하기 위한 가능성을 설명한 것으로 옳지 않은 것은?** 2009. 국제통상직 7급

① 수출산업이 국가 경제에서 차지하는 비중이 커야 한다.
② 국내에서는 수출재와 수입 경쟁재 간 대체성이 희박하여야 한다.
③ 수출편향적 국가의 교역조건이 악화되어야 한다.
④ 수출재에 대한 외국의 수입 수요가 매우 탄력적이어야 한다.

답 ④

대국의 경제성장은 세계 전체 공급량에 영향을 미쳐 국제시장가격을 변화시킨다. 대국에서 수출재 부문이 성장하면, 수출공급량이 증가하여 수출재의 국제시장가격이 하락한다. 이와 같은 교역조건 악화로 경제성장에도 불구하고 후생수준이 떨어질 수 있는데 이를 바그와티(J. Bhagwati)는 궁핍화 성장(immiserizing growth)이라고 한다. 궁핍화 성장이 나타나기 위해서는 그 국가가 국제시장가격에 영향을 미칠 수 있는 대국(大國)이어야 한다. 또한 수출산업이 그 국가의 경제에서 차지하는 비중이 커야 하며, 국내에서는 수출재와 수입 경쟁재 간 대체성이 희박하여야 한다. 대국의 수출편향적 교역조건이 악화될 때 궁핍화 성장이 나타나게 된다.

**02** □□□ **바그와티(J. Bhagwati)의 궁핍화성장(immiserizing growth)에 대한 설명으로 옳은 것은?**

2016. 관세직 7급

① 현실세계에서 자주 나타나는 현상이며 농산품보다 공산품 교역에서 많이 나타난다.

② 대국(大國)의 수출재 부문에서 경제성장이 이루어져 교역조건이 악화될 경우 일어날 가능성이 높다.

③ 일국이 수출하는 재화에 대한 수요가 탄력적일 경우 일어날 가능성이 높다.

④ 수출재 가격하락에 의한 후생감소효과보다 생산증가에 의한 후생증가효과가 더 클 경우 일어날 가능성이 높다.

답 ②

궁핍화성장이 나타나기 위해서는 그 국가가 국제시장가격에 영향을 미칠 수 있는 대국(大國)이어야 한다. 대국에서 수출재 부문이 성장하면 수출공급량이 증가하여 오히려 수출재의 국제시장가격이 하락하고, 이런 경우 교역조건이 악화된다.

**선지분석**

① 궁핍화 성장은 현실 세계에서 자주 나타나는 현상은 아니다. 어떤 국가의 시장 점유율이 국제시장 가격을 조정할 수 있을 만큼 큰 경우가 많지 않기 때문이다. 또한 수요탄력성이 낮은 농산품 교역에서 궁핍화 성장 현상이 많이 나타난다. 예를 들어 브라질이 커피에 과도하게 특화하여 세계시장에 수출하는 경우에 세계시장에서 커피 가격이 하락하면 브라질의 경제성장은 오히려 저해될 수도 있다.

③ 수출재 가격이 하락해도 교역상대국의 수요는 크게 증가하지 않아야 궁핍화성장이 발생하므로, 수요탄력성이 '비탄력적이어야 한다'고 표현해야 한다.

④ 수출재 가격하락에 의한 후생감소효과보다 생산증가에 의한 후생증가효과가 더 클 경우 궁핍화성장이 발생하지 않을 수 있다. 국내 생산 증가로 고용이 창출되는 등 후생이 증가하면 '궁핍'하지 않을 수 있기 때문이다.

CHAPTER 2

# 국제무역이론의 전개



## 1 | 고전적 무역이론

**01** □□□

**리카도(D. Ricardo)의 비교우위이론 한계에 대한 설명으로 옳지 않은 것은?** 2021. 관세직 7급

① 노동가치설에 기초하여 노동의 투입량으로 설명하였는데, 생산에서 모든 노동은 동질적인 것이 아니다.

② 양국이 무역을 전제로 완전 특화 생산을 한다고 본 것은 현실과 부합되지 않는다.

③ 한 나라가 다른 나라에 비해 두 재화 모두 생산비 우위가 있을 경우에는 무역이 발생하지 않는다고 본 이론적 결함이 있다.

④ 무역을 통해 무역 당사국 모두가 이득을 얻을 수 있다고 하였으나, 무역 당사국 경제 주체들에게 어떻게 분배되는지는 설명하지 못하였다.

답 ③

③은 리카도의 비교우위이론의 한계가 아니라, '아담스미스의 절대우위이론의 한계'이다. 절대우위론에 따르면, 하나의 국가가 모든 재화의 생산에 있어 모두 절대우위 또는 절대열위를 가지는 경우 무역이 발생하지 않게 된다. 그러나 실제로는 모두 절대우위 또는 절대열위를 가지는 경우에도 무역이 발생하고 있다. 절대우위론은 이 점을 설명하지 못하고 있다.

**선지분석**

① 리카도의 비교우위론은 노동가치설에 기초하여 노동의 투입량으로 설명하였다. 그리고 생산요소의 노동의 질(質)은 같다고 가정하였는데, 실제로 생산에서 모든 노동은 동질적인 것이 아니다.

② 비교우위론은 오직 무역을 위하여(국가 간 분업을 위하여) 특정 물품 생산을 완전 특화한다고 보았지만, 현실은 꼭 무역을 전제로 하여 완전 특화 생산을 하는 것은 아니다.

④ 비교우위론은 무역을 통해 무역 당사국 모두가 이득을 얻을 수 있다고 하였다(그리고 맞다). 그러나 무역 당사국 경제 주체들에게 어떻게 분배되는지는 설명하지 못하였다. 밀의 상호수요설이 이 한계를 극복하려고 노력은 하였다.

**02** □□□ **다음 표는 A국과 B국이 X재와 Y재를 각각 1단위 생산하는데 필요한 노동투입량을 나타내고 있다. 이에 대한 설명으로 옳지 않은 것은?** 2008. 관세직 7급

| 구분 | X재 | Y재 |
|---|---|---|
| A국 | 10 | 20 |
| B국 | 30 | 40 |

① A국은 X재에 절대 우위와 비교 우위를 동시에 갖는다.
② A국은 X재 및 Y재 모두에 절대 우위를 갖는다.
③ B국은 X재에 비교 우위를 가져 이를 수출한다.
④ B국은 Y재에 절대 열위와 비교 우위를 동시에 갖는다.

답 ③

A국과 B국이 X재와 Y재를 생산하는데 필요한 노동투입량이 많다는 것은 그만큼 생산을 위한 비용이 크다는 것이므로, 경쟁우위가 부족하다는 의미이다. 먼저 절대 우위를 따져보면, X재의 경우 A국이, Y재의 경우에도 A국이 노동투입량이 B국에 비하여 적으므로 우위를 갖는다. 즉, A국은 X재 및 Y재 모두에 절대 우위를 갖는다. 그러나 비교 우위는 위와 다르다. X재 1단위를 생산하기 위해서 B국과 비교한 A국의 노동투입량은 10/30이고, Y재의 경우 20/40이므로 A국은 B국과 비교하여 상대적으로 X재 생산에 비교 우위가 있으며, 이를 특화하여 수출하게 된다. 반대로 B국은 Y재에 비교 우위를 갖는다.

**03** □□□ **다음은 한국과 일본에 있어서 섬유제품과 철강제품의 단위당 생산비를 나타내고 있다. 리카도의 비교생산비설에 의하면 양국의 무역패턴은 어떻게 이루어지겠는가?** 2007. 관세직 7급

| 국가/제품 | 섬유제품 | 철강제품 |
|---|---|---|
| 한국 | 90 | 110 |
| 일본 | 80 | 90 |

① 한국은 일본으로부터 두 재화 모두 수입한다.
② 한국은 일본으로 두 재화 모두 수출한다.
③ 한국은 일본으로 섬유제품을 수출하고, 일본은 한국으로 철강제품을 수출한다.
④ 한국은 일본으로부터 섬유제품을 수입하고, 일본은 한국으로부터 철강제품을 수입한다.

답 ③

한국은 일본에 비하여 볼 때, 각 제품에 투입되는 노동 투입량(단위당 생산비)이 섬유(90/80 = 약 1.1), 철강(110/90 = 약 1.2)이므로, 섬유제품 생산에 비교 우위가 있다. 그러므로 한국은 일본으로 섬유제품을 수출하고, 일본은 한국으로 철강제품을 수출한다.

**04** □□□ **다음 표는 A, B 두 국가가 재화 X, Y를 1단위씩 생산하는 데 필요한 노동투입량을 나타내고 있다. 이들 국가 간에 자유무역이 이루어질 때, 각 국가의 비교우위와 세계시장에서의 X재의 상대가격($P^W$)의 범위로 옳은 것은? (단, 노동이 유일한 생산요소라고 가정한다)** 2017. 관세직 7급

| 구분 | A국 | B국 |
|---|---|---|
| X재 | 2 | 1 |
| Y재 | 3 | 2 |

① A국은 Y재에 비교우위가 있고, $\frac{1}{2} \leq P^w \leq \frac{2}{3}$이다.

② B국은 Y재에 비교우위가 있고, $P^w \geq \frac{2}{3}$이다.

③ A국은 X재에 비교우위가 있고, $P^w \geq \frac{3}{2}$이다.

④ B국은 X재에 비교우위가 있고, $P^w \leq \frac{1}{2}$이다.

답 ①

B국과 비교한 A국의 노동투입량(생산비) 비율을 보면, X재는 2/1이고, Y재는 3/2이다. 그러므로 A국은 Y재에 비교우위를 가지고, 반대로 B국은 X재에 비교우위를 가진다. 즉 A국은 Y재를 특화생산하고, B국은 X재를 특화생산하여 무역거래를 할 때, 양 국가 모두에게 이익이 돌아간다. 이것은 리카도의 비교생산비설(비교우위론)에 의해 설명될 수 있다. 그러나 실제 양국 간에 자유무역이 이루어질 때, 실제 교역조건은 밀(John Stuart Mill)의 상호수요설에 의해 설명될 수 있다. 밀의 상호수요설(상호수요균등의 법칙)에 따르면 두 상품의 국내교환비율이 양국 사이의 교역 가능성을 결정하며, 국제교환비율에 따라 교역당사국 사이에 무역이익이 배분된다. '세계시장에서의 X재의 상대가격($P^W$)의 범위'는 B국이 X재를 특화생산하여 수출할 때, 양국의 X재 국내교환비율 사이에서 결정된다. Y재에 투입된 노동투입량을 기준으로 하여 표시한 A국의 X재 국내교환비율은 2/3이고, B국의 X재 국내교환비율은 1/2이다. 그러므로 '세계시장에서의 X재의 상대가격($P^W$)'은 이 두 국내교환비율 사이에서 결정된다. 즉, $\frac{1}{2} \leq P^w \leq \frac{2}{3}$이다.

**05** □□□

**다음 오퍼곡선(offer curve)에 대한 설명으로 옳지 않은 것은? [단, $p_0 = (P_x/P_y)_0$, $p_1 = (P_x/P_y)_1$, $p_2 = (P_x/P_y)_2$는 X재의 상대가격으로 교역조건을 나타낸다]** 2019. 관세직 7급

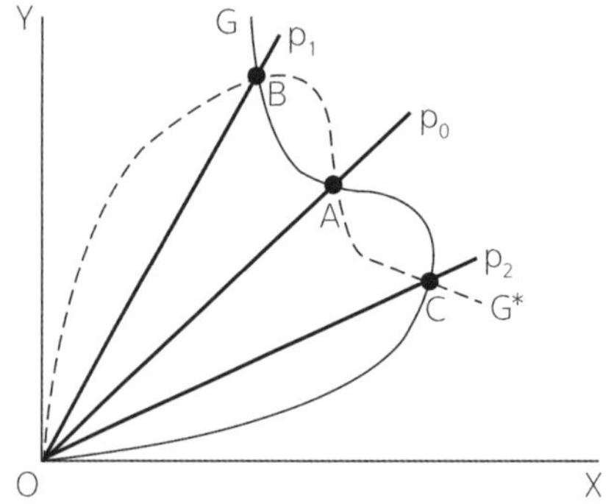


① G는 X재를 수출하는 국가의 오퍼곡선이고, G*는 Y재를 수출하는 국가의 오퍼곡선이다.

② A, B, C점에서 무역균형이 달성되고 있다.

③ A는 안정적 균형이고, B와 C는 불안정적 균형이다.

④ X재의 국제상대가격이 $p_0$보다 크고 $p_1$보다 작은 경우 X재 시장에서는 초과수요가, Y재 시장에서는 초과공급이 나타나게 된다.

답 ③

양국의 오퍼곡선이 만나는 점인 A, B, C는 그 교환비율(교역조건)이 다를 뿐, 모두 안정적 균형점을 나타내는 점이다.

**06** □□□ **오퍼곡선에 관한 설명으로 옳지 않은 것은?** 2007. 관세직 7급

① 주어진 국제상대가격에서 생산하고자 하는 양과 소비하고자 하는 양을 나타낸다.
② 체증기회비용의 생산가능곡선이 주어진 경우에 수출재 수량을 표시하는 축에 대해 볼록한 모양을 갖는다.
③ 양국의 오퍼곡선이 교차하는 점에서 무역균형을 이룬다.
④ 해당 국가의 수요측면과 공급측면을 동시에 반영하고 있다.

답 ①

오퍼곡선이란 국제 무역에 관한 상호수요의 법칙을 도표로 설명하는 경우에, 상대국의 상품에 대한 수요의 강도를 자국에서 제공하려는 상품의 양으로 표시한 곡선이다. 생산량과 소비량의 관계가 아니다.

**선지분석**

② 체증기회비용의 생산가능곡선이 주어진 경우에 수출재 수량을 표시하는 축에 대해 볼록한 모양을 갖는다. 즉, 수출재인 X재 수량을 표시하는 축에 대해 오퍼곡선 G가 볼록한 모양을 갖는다.
③ 2개국의 오퍼곡선 G와 G*가 교차하는 경우, 그 교차점인 A, B, C에서 무역균형이 이루어진다. $p_0$, $p_1$, $p_2$가 균형교역조건선이 되며, 이 선의 기울기가 교역조건(국제교환비율)이 된다.
④ 오퍼곡선은 국제교환비율의 변화에 대응하는 한 나라의 무역 지향에 관한 변화를 나타내는 것으로, 해당 국가의 수요측면과 공급측면을 동시에 반영하고 있다.

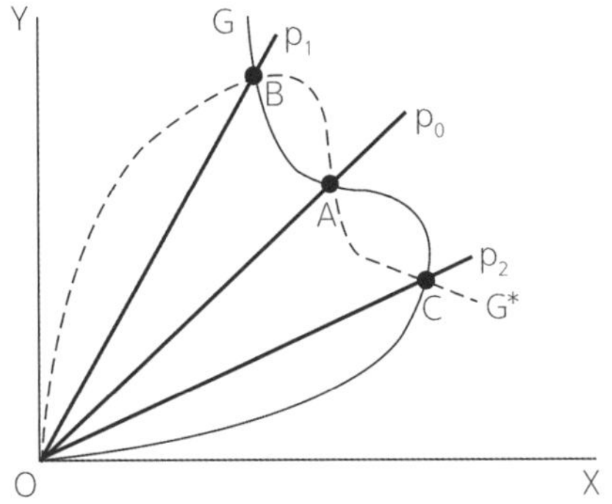




PART 1 해커스공무원 이명호 무역학 이론+기출문제

## 2 | 근대무역이론

**01** □□□

**근대적 무역이론에 대한 설명으로 옳은 것은?** 2021. 관세직 7급

① 한 국가는 그 국가에 상대적으로 풍부하게 부존되어 있는 생산요소를 집약적으로 사용하는 상품을 상대적으로 저렴하게 생산할 수 있기 때문에 이 상품의 생산에 비교우위를 갖게 되어 수출하게 된다.

② 국가 간에 생산요소의 부존상태가 다르고 각 상품에 투입되는 생산요소의 비율이 달라 국가 간에 비교생산비 차가 발생하여 무역이 이루어지게 되면, 국제 간에 생산요소의 직접적인 이동이 있어야만 국가 간에 생산요소의 가격이 균등화된다.

③ 스톨퍼-새뮤엘슨(Stolper-Samuelson)의 정리는 전 세계에서 자본이 가장 풍부한 미국이 오히려 노동집약적 상품을 수출하고 자본집약적 상품을 수입하고 있다는 것을 말한다.

④ 두 상품과 두 생산요소로 이루어진 시장에서 국내의 각 생산요소는 한쪽 상품의 가격이 상승하면 그 상품의 생산을 위해 집약적으로 이용된 생산요소의 가격이 하락하는 한편 다른 생산요소의 가격은 상승한다는 것을 밝혀냈다.

답 ①

근대적 무역이론에는 하벌러의 기회비용이론, 헥셔-오린의 요소부존이론, 사무엘슨의 요소가격 균등화이론이 있다. '한 국가는 그 국가에 상대적으로 풍부하게 부존되어 있는 생산요소를 집약적으로 사용하는 상품을 상대적으로 저렴하게 생산할 수 있기 때문에 이 상품의 생산에 비교우위를 갖게 되어 수출하게 된다'는 것은 헥셔-오린의 요소부존이론이다.

**선지분석**

② 사무엘슨의 요소가격 균등화이론에 따르면, 국가간 생산요소의 이동이 '불가능'하더라도 자유무역을 하게 되면 국가간 생산요소의 가격이 장기적으로는 같아진다는 이론이다. '국제 간에 생산요소의 직접적인 이동이 있어야만'이라는 표현이 틀렸다.

③ 스톨퍼-새뮤엘슨(Stolper-Samuelson)의 정리란 '사무엘슨의 요소가격 균등화이론'을 말한다. '전 세계에서 자본이 가장 풍부한 미국이 오히려 노동집약적 상품을 수출하고 자본집약적 상품을 수입하고 있다는 것'을 말하는 것은 헥셔-오린의 요소부존이론이 현실에서는 맞지 않는다는 '레온티에프 역설(Leontief's Paradox)'이다.

④ 근대적 무역이론 중 어느 이론에도 맞지 않는 설명이다.

## 02 □□□

**근대무역이론에 대한 설명으로 옳지 않은 것은?** 2020. 관세직 7급

① 국가 간에 교환되는 재화의 가치는 노동생산성이 같을 때 그 재화의 생산에 투입된 노동의 양에 의해 결정된다는 이론이다.

② 레온티에프(Leontief)는 헥셔 - 오린(Heckscher - Ohlin)정리의 제1명제인 요소부존이론을 검증하였다.

③ 하벌러(Haberler)는 노동가치설 대신 기회비용의 개념을 도입하여 무역의 발생 원인을 설명하였다.

④ 스톨퍼 - 사뮤엘슨(Stolper - Samuelson)은 헥셔 - 오린정리의 제2명제인 요소가격균등화이론에 입각하여 고임금국가와 저임금국가가 자유무역을 할 경우 두 국가의 임금수준이 균등화된다고 하였다.

답 ①

'국가 간에 교환되는 재화의 가치는 노동생산성이 같을 때 그 재화의 생산에 투입된 노동의 양에 의해 결정된다'는 노동가치설은 고전적 무역이론인 아담스미스의 절대우위론이나 리카도의 비교우위론이 전제로 하고 있는 주장이다. 이것은 근대무역이론이 아니다.

**선지분석**

② 레온티에프(Leontief)는 헥셔 - 오린(Heckscher - Ohlin) 정리의 제1명제인 요소부존이론을 검증하였다. 헥셔 - 오린 제1명제에 따르면, 자본이 풍부한 미국은 당연히 자본집약재를 수출하고 노동집약재를 수입하였을 것이다. 그러나 레온티에프의 통계적인 검증 결과 미국은 오히려 노동집약재를 수출하고 자본집약재를 수입하는 정반대의 현상이 나타났다.

③ 하벌러(Haberler)는 노동가치설 대신 기회비용의 개념을 도입하여 무역의 발생 원인을 설명하였다. 기회비용(opportunity cost)이란 특정 제품 일정량의 생산량 증대를 위해 감소시켜야 하는 다른 제품의 수량을 말한다. 각국은 상대적으로 기회비용이 적은 제품에 비교우위가 있으므로 그 제품의 생산에 특화하게 된다.

④ 스톨퍼 - 사뮤엘슨(Stolper - Samuelson)은 헥셔 - 오린정리의 제2명제인 요소가격균등화이론에 입각하여 고임금국가와 저임금국가가 자유무역을 할 경우 두 국가의 임금수준이 균등화된다고 하였다. 이것을 사무엘슨(또는 스톨퍼 - 사무엘슨)의 요소가격 균등화이론이라고 한다.

**03** □□□ 다음 중 리카도(D. Ricardo) 비교우위이론과 헥셔-올린(Heckscher-Ohlin) 이론에 대한 설명으로 옳지 않은 것만을 모두 고르면? 2018. 관세직 7급

> ㄱ. 두 이론 모두 불변생산비하의 완전특화를 가정한다.
> ㄴ. 두 이론 모두 국가 간 수요의 차이는 없다고 가정한다.
> ㄷ. 두 이론 모두 노동을 유일한 생산요소로 가정한다.
> ㄹ. 리카도 이론은 생산기술의 상대적 차이를, 헥셔-올린 이론은 요소부존도의 상대적 차이를 중시한다.

① ㄱ, ㄴ
② ㄱ, ㄷ
③ ㄴ, ㄷ
④ ㄴ, ㄹ

답 ②

리카도의 비교우위론은 두 재화를 생산할 수 있는 국가가 다른 나라에 비하여 상대적으로 더 효율적으로 생산할 수 있는 재화에 특화하여 서로 교환할 때 양 국가 모두에게 이익이 돌아간다는 고전적 무역이론이다. 반면에 헥셔-오린(올린)의 요소부존이론은 노동이 풍부한 국가는 노동집약적 상품에 비교우위가 있고, 자본이 풍부한 국가는 자본집약적 상품에 비교우위가 있으므로, 그 비교우위가 있는 재화를 특화하여 서로 교환할 때 양 국가 모두에게 이익이 돌아간다는 근대무역이론이다.

ㄱ. 리카도의 비교우위론은 생산규모에 관계없이 생산성이 동일하다고 주장한다. 즉 규모에 대한 수확불변을 가정한다. 그리고 하나의 재화를 특화해서, 그 재화만 생산한다. 그러므로 리카도의 비교우위론은 '불변생산비 하의 완전특화를 가정한다'고 말할 수 있다. 그러나 헥셔-오린 이론은 수확체감을 가정하고, 어느 한 상품의 생산에 완전히 특화하지 않는다. 즉, 불완전특화를 가정한다.

ㄷ. 리카도의 비교우위론은 노동을 유일한 생산요소로 가정하지만, 헥셔-오린 이론은 노동 뿐만 아니라 자본도 생산요소로 가정한다.

**선지분석**

ㄴ. 두 이론 모두 국가 간 수요의 차이는 없다고 가정한다. 실제 교역조건은 교역상품에 대한 상대국의 수요, 즉 상호수요에 의해 결정된다고 본 이론은 밀의 상호수요설이다.

ㄹ. 리카도 이론은 생산기술의 상대적 차이를 중시한다. 노동투입량이 같더라도 노동생산성에는 국가간, 산업간 차이가 난다는 것을 가정하는 것으로, 국가 간 기술의 차이를 강조한다. 반면에 헥셔-오린 이론은 요소부존도의 상대적 차이를 중시한다. 해당 국가가 생산요소 중 노동이 풍부한지 자본이 풍부한지를 따진다.

## 04 □□□

**헥셔-올린(Heckscher-Ohlin) 이론과 리카도(D. Ricardo) 비교우위 이론의 가정에 대한 설명으로 옳은 것은?** 2016. 관세직 7급

① 두 이론 모두 생산요소의 국가 간 이동은 불가능함을 가정한다.
② 두 이론 모두 국가 간 요소부존도의 차이가 있음을 가정한다.
③ 두 이론 모두 교역 국가 간 노동생산성에 차이가 없음을 가정한다.
④ 두 이론 모두 불완전경쟁 시장을 가정한다.

답 ①

헥셔-올린 이론과 리카도의 비교우위 이론은 모두 생산요소의 국가 간 이동이 불가능하다고 가정한다. 노동이나 자본의 국가 간 이동이 불가능하다는 의미이다.

**선지분석**

② 국가 간 요소부존도의 차이를 말하는 이론은 헥셔-올린 이론이다. 리카도의 비교우위론은 요소부존도의 차이를 언급하지 않는다.
③ 두 이론 모두 교역 국가 간 노동생산성에 차이가 '있음'을 가정한다.
④ 두 이론 모두 '완전경쟁 시장'을 가정한다.

## 05 □□□

**2개의 상품과 2개의 생산요소가 존재하는 경우 각국은 자국에 상대적으로 풍부한 생산요소를 집약적으로 사용하는 재화를 수출하고, 상대적으로 희소한 생산요소를 집약적으로 사용하는 재화를 수입하게 된다는 무역이론은?** 2015. 관세직 7급

① 요소가격 균등화의 정리
② 레온티에프의 역설
③ 요소 부존 이론
④ 대표적 수요이론

답 ③

헥셔(Eli Heckscher)와 오린(Bertil Ohlin)의 요소 부존 이론에 따르면 노동이 풍부하게 부존된 국가는 노동을 집약적으로 사용하는 제품 생산에 비교 우위가 있어 노동집약적 제품을 수출하게 된다. 또 자본이 풍부한 나라는 자본을 집약적으로 사용하는 제품 생산에 비교 우위가 있어 자본집약적 제품을 수출하게 된다.

**선지분석**

① 사무엘슨(Samuelson)의 요소가격 균등화 이론은 국가 간 생산요소의 이동이 불가능하더라도 자유무역을 하게 되면 국가 간에 생산요소의 가격이 장기적으로 같아진다는 이론이다.
② 헥셔-오린의 요소 부존 이론의 결과와는 달리 레온티에프의 통계적인 검증 결과 미국은 오히려 노동집약재를 수출하고 자본집약재를 수입하는 정반대의 현상이 나타났다. 이를 레온티에프의 역설이라 한다.
④ 린더(Linder)의 대표적 수요이론(수요선호유사이론)은 수요의 국가 간 동질성 정도가 클수록 무역의 기회가 크다고 주장하는 이론이다.

## 06 □□□

**헥셔 - 오린(Heckscher - Ohlin) 이론에서 주장하는 국가 간 무역발생 원인은?** 2010. 관세직 7급

① 기술력의 차이 ② 부존 생산요소의 차이
③ 시장 크기의 차이 ④ 선호체계의 차이

답 ②

리카도는 무역 전 노동투입량의 차이가 국가 간 비교 우위를 결정하고 이에 따라 무역의 패턴이 결정된다고 보았다. 그러나 이 이론은 비교 우위가 궁극적으로 왜 발생하는가의 문제, 즉 비교 우위의 기초가 되는 노동투입량의 차이가 애초부터 왜 발생되었는지의 문제를 확실하게 규명하지 못하는 한계점을 가진다. 이 문제에 대해 스웨덴 경제학자들인 헥셔(Eli Heckscher)와 오린(Bertil Ohlin)은 요소부존도(factor endowment)의 차이로 설명하고 있다. 여기에서 요소부존도란 한 국가가 노동, 자본, 토지 등의 생산요소가 어느 정도 풍부하게 또는 희소하게 주어지는가의 개념이다. 이것은 요소부존량이 아닌 요소 부존비율을 의미하는 것으로서, 절대적인 개념이 아니라 상대국에 대한 상대적인 개념이다.

## 07 □□□

**헥셔 - 오린(Heckscher - Ohlin)의 이론에 대한 설명으로 옳지 않은 것은?** 2010. 국제통상직 7급

① 각국의 생산비 차이가 생산요소의 부존도 차이에 기인한다고 보았다.
② 상품에 따라 1단위의 생산에 필요한 요소의 투입비율이 다르다.
③ 노동풍부국은 노동집약재를, 자본풍부국은 자본집약재를 생산하여 수출한다.
④ 각국의 생산기술은 다르다고 가정한다.

답 ④

헥셔 - 오린의 이론은 각국의 비교 우위는 요소부존도에 따라 결정된다는 이론이다. 해당 국가가 노동이 풍부한 국가인지 자본이 풍부한 국가인지에 따라 각 재화 생산에 있어서의 우위가 확보된다. 다만, 그 생산기술에서의 차이는 없다고 가정한다.

## 08 □□□

**헥셔 - 오린(Heckscher - Ohlin)의 정리와 관련된 설명으로 옳지 않은 것은?** 2008. 관세직 7급

① 요소부존도 차이가 무역을 발생시키는 원인이다.
② 노동이 상대적으로 풍부한 국가는 노동집약재를 수출한다.
③ 무역의 결과 자본풍부국에서는 노동의 가격이 상대적으로 비싸진다.
④ 무역을 통해 양국의 요소가격비율이 같아진다.

답 ③

무역의 결과 자본풍부국에서는 자본집약재의 수출이 증가하여 국내에서의 생산요소가 제한되어 있는 상황에서 노동집약재의 생산에 사용되는 자원을 감소시켜야만 한다. 이는 자본의 부족과 노동의 과다라는 상황을 가져와 자본의 가격을 상승시키고, 노동의 가격을 하락시키는 결과를 가져온다.

**선지분석**

① 헥셔-오린(Heckscher-Ohlin)의 정리는 각국의 요소부존도 차이가 무역을 발생시킨다고 설명한다.
② 요소 부존 이론에 따르면 기본적으로 노동이 풍부하게 부존된 국가는 노동을 집약적으로 사용하는 제품 생산에 비교 우위가 있어 노동집약적 제품을 수출하게 된다. 또 자본이 풍부하게 부존된 나라는 자본을 집약적으로 사용하는 제품 생산에 비교 우위가 있어 자본집약적 제품을 수출하게 된다고 주장하고 있다.
④ 무역을 통해 양국의 요소가격비율이 같아진다는 것은 사무엘슨의 요소가격 균등화 이론으로서 헥셔-오린(H-O) 제2명제 또는 헥셔-오린-사무엘슨(H-O-S) 정리라고 한다.

**09** □□□ **헥셔-오린(Heckscher-Ohlin)의 이론을 검증하기 위해 1947년도 미국의 산업연관 표를 이용하여 분석한 결과 예상과 다르게 자본 풍부국인 미국이 노동집약재를 수출하고 자본집약재를 수입한다는 사실을 밝힌 이론은?** 2010. 국제통상직 7급

① 기펜의 역설
② 레온티에프의 역설
③ 스미스의 모순
④ 메츨러의 역설

답 ②

1940년대 미국은 일반적으로 다른 국가에 비해 자본이 풍부하고 상대적으로 노동이 부족한 국가로 인식되었으므로, 헥셔-오린 제1명제에 따르면 미국은 당연히 자본집약재를 수출하고 노동집약재를 수입했을 것이다. 그러나 레온티에프의 통계적인 검증 결과 미국은 오히려 노동집약재를 수출하고 자본집약재를 수입하는 정반대의 현상이 나타났다. 이를 레온티에프의 역설이라 한다.

**10** □□□ **레온티에프(Leontief)의 역설에 관한 설명 중 옳지 않은 것은?** 2009. 관세직 7급

① 미국의 투입산출표를 이용하여 미국의 수출산업과 수입대체산업의 생산에 투입된 자본/노동의 비율을 측정하였다.
② 헥셔-오린 이론의 제2명제인 요소가격균등화 이론을 검증하였다.
③ 미국이 자본집약재를 수출하고 노동집약재를 수입할 것이라는 일반적인 예상과 달리 자본집약재를 수입하고 노동집약재를 수출하는 정반대의 현상이 나타났다.
④ 검증방법이나 통계상의 문제 등이 제기되어 여러 경제학자들에 의해 추가적으로 검증이 시도되었다.

답 ②

레온티에프의 역설은 헥셔 - 오린 이론의 제2명제인 요소가격 균등화 이론을 검증한 것이 아니라, 헥셔 - 오린 이론의 제1명제인 요소부존 이론을 검증한 것이다. 1940년대 미국은 일반적으로 다른 국가에 비해 자본이 풍부하고 상대적으로 노동이 부족한 국가로 인식되었으므로, 헥셔 - 오린 제1명제에 따르면 미국은 당연히 자본집약재를 수출하고 노동집약재를 수입했을 것이다. 그러나 레온티에프의 통계적인 검증 결과 미국은 오히려 노동집약재를 수출하고 자본집약재를 수입하는 정반대의 현상이 나타났다. 이를 레온티에프의 역설이라 한다.

**11** □□□

**다음 설명에 해당하는 것은?** 2017. 관세직 7급

> 장기적으로 모든 생산요소의 이동이 자유로운 상황에서 어느 한 재화의 상대가격이 상승하면 그 재화의 생산에 집약적으로 사용되는 생산요소의 실질보수가 증가하는 반면 다른 생산요소의 실질보수는 감소한다.

① 헥셔 - 올린(Heckscher - Ohlin) 제1정리
② 스톨퍼 - 사무엘슨(Stolper - Samuelson) 정리
③ 립진스키(Rybczynski) 정리
④ 레온티에프(Leontief) 역설

답 ②

사무엘슨(Samuelson)의 '헥셔 - 오린 제2명제(요소가격균등화 이론)'는 국가 간 생산요소의 이동이 불가능하더라도 자유무역을 하게 되면 국가 간에 생산요소의 가격이 장기적으로 같아진다는 이론이다. 이후 스톨퍼(Stolper)와 사무엘슨(Samuelson)은 헥셔 - 오린 제2명제에 입각하여 높은 임금을 지불하는 미국이 낮은 임금밖에 지불하지 못하는 나라와 자유무역을 실시함에 따라, 미국 노동자의 실질 임금수준이 저하되는 경향을 파악하고 이를 방지하기 위하여 그 나라로부터 수입되는 상품에 보호관세를 부과해야 한다고 주장하였다. 예를 들어 고임금 국가인 미국과 저임금 국가인 중국이 교역을 할 경우, 미국은 자본집약재 생산에 집중하게 됨으로써 자본의 수요는 증가하고 노동의 수요는 감소하게 된다. 반대로 중국은 노동집약재의 생산에 집중하고 자본집약재의 생산은 감소하면서, 양국의 노동 가격은 시간이 지나면서 마침내 균형상태에 이르게 된다. 이 경우 미국은 무역으로 인해 소득분배 악화가 초래되는데, 이때 피해를 보는 노동자 집단의 손실을 방지하기 위해 관세부과가 필요하다는 것이다. '스톨퍼 - 사무엘슨 정리'는 1941년 스톨퍼와 사무엘슨이 '보호무역과 실질임금'이라는 논문을 통해 주장한 핵심내용으로, 자유무역이 소득배분에 미치는 영향을 명확하게 밝힘으로써 헥셔 - 오린 무역 이론을 더욱 발전시키는데 공헌하였다는 평가를 받는다.

## 3 | 현대무역이론

**01** □□□ **무역이론에 대한 설명으로 옳지 않은 것은?** 2022. 관세직 7급

① 린더(Linder)의 대표적수요이론은 공산품의 무역패턴을 설명하는 데 적합한 이론으로서 수요구조에 의하여 무역이 발생한다는 것이다.

② 리카도(Ricardo)의 비교우위론은 한 국가가 다른 국가에 비해 두 재화 생산에 모두 절대우위가 있더라도 양국이 서로 다른 재화에 비교우위가 있다면 양국은 무역을 통해 상호 이익을 얻을 수 있다는 것이다.

③ 스톨퍼 – 사뮤엘슨(Stolper – Samuelson)은 헥셔 – 오린(Heckscher – Ohlin)의 요소부존정리를 검증하여 동일한 결과를 도출하면서 헥셔 – 오린이 주장한 명제의 타당성을 확인하였다.

④ 크루그만(Krugman)과 란카스터(Lancaster)의 산업 내 무역이론은 주로 규모의 경제와 제품차별화 개념을 이용하여 동종산업 간에 발생하는 무역을 설명하고 있다.

답 ③

'스톨퍼 – 사뮤엘슨' 정리(사무엘슨의 요소가격 균등화이론)는 헥셔 – 오린 제2명제라고도 한다. 이 이론은 헥셔 – 오린 제1명제를 전제로 하고 있지만, 자유무역을 하게 되면 국가 간 생산요소의 가격이 장기적으로 같아진다는 결론에 이르렀다. 그러므로 '동일한 결과 도출'이나 '헥셔 – 오린이 주장한 명제의 타당성 확인'이라고 표현하기에는 무리가 있다.

**02** □□□ **다음 내용을 가장 잘 설명하고 있는 무역이론은?** 2009. 관세직 7급

- 공산품의 무역형태를 설명하는데 유용하다.
- 국내에서 상당한 크기의 시장이 형성된 재화일수록 수출상품이 되기 쉽다.
- 소득 수준이 비슷한 국가 간의 무역 발생 원인을 설명하고 있다.
- 무역패턴의 결정을 수요의 측면에서 찾고 있다.

① 기술격차 이론 ② 입수 가능성 이론
③ 대표적 수요이론 ④ 제품 수명주기 이론

답 ③

린더(S. B. Linder)의 수요선호유사이론(대표적 수요이론)은 수요의 국가 간 동질성 정도가 클수록 무역의 기회가 크다고 주장하고 있다. 무역은 생산요인보다는 수요요인에 좌우되는데 기업은 대량생산이 가능하고 국내수요가 큰 소위 대중적 선호제품을 국내와 유사한 소비선호를 갖고 있는 해외시장에 진출하게 된다는 설명이다. 수요 선호 유사이론은 공산품에만 적용이 가능한 것으로, 공산품의 무역형태를 설명하고 무역의 잠재적인 가능성을 규명하는 데는 성공하였으나, 실제의 무역패턴을 설명하기에는 한계가 있다. 이 이론에 의하면 국내에서 상당한 크기의 시장이 형성된 재화일수록 수출상품이 될 가능성이 높다.

## 03 □□□

**제품수명주기이론에 대한 설명으로 옳지 않은 것은?** 2021. 관세직 7급

① 도입기에는 제품이 가지는 독점적 성격으로 인해 수요의 가격 탄력성이 낮다.
② 성장기에는 제품수요가 급격하게 증가하며 생산시설의 고정화와 규모의 경제가 가능하게 되고 대량생산방법이 도입된다.
③ 성숙기 단계에서 생산안정화가 진행되면 시장진입 기업들의 수가 감소하여 국내시장에서 사업기회가 확대되는 시기이다.
④ 쇠퇴기에는 제품에 대한 비교우위가 후진국으로 넘어가 제품의 생산이 대부분 후진국에서 이루어진다.

답 ③

성숙기(mature stage)에는 시장에서 기업간 가격 경쟁이 격화되어 마케팅 노력이 급격히 증가하는 단계이다. 기술이 완전히 표준화되면서 생산이 안정화될 수는 있어도, 이로 인해 시장진입 기업들의 수가 감소하거나 국내시장에서 사업기회가 확대되지는 않는다.

| 구분 | 도입기 | 성장기 | 성숙기 | 쇠퇴기 |
|---|---|---|---|---|
| 기술 | 신제품 개발 | 모방 | 기술 완전 표준화 | 기술 가치 하락 |
| 가격 | 높은 가격 | 대규모 생산체제로 가격 점차 인하 | 가격 경쟁 격화로 가격이 더욱 낮아짐 | 원가수준으로 낮아짐 |
| 경쟁 | 독과점 | 경쟁 증가 | 경쟁 가속화 | 경쟁 서서히 약화 |
| 소비 | 기술선진국에서 소비 | 기술경쟁국으로 확대 | 개발도상국까지 확대 | 수요 감소 |
| 무역 | 무역이 발생하지 않음 | 개발도상국으로 수출 | 개발도상국에서 역수입 | 역수입 |

## 04 □□□

**제품 수명주기 이론에 대한 설명으로 옳지 않은 것은?** 2014. 관세직 7급

① 버논(Vernon)은 시간의 흐름에 따라 국가 간 무역 및 직접투자가 발생하는 현상과 패턴을 설명하고 있다.
② 도입기 단계에서는 아직 제품의 표준화가 이루어지지 않은 상태이다.
③ 성장기 단계에서는 제품의 표준화가 진전되면서 대량생산이 이루어져 시장에서 제품의 판매량이 정체되는 현상을 보인다.
④ 성숙기 단계에서는 기술이 완전히 표준화되어 기술상의 우위가 감소하고 저임금 국가로 제품생산의 비교 우위가 이전된다.

답 ③

버논(Vernon)의 국제 제품 수명주기론에 따르면, 성장기 단계(growth stage, growing stage)에서는 제품의 표준화가 진전되고 대량생산이 이루어진다. 그러면서 제품의 판매량도 급격하게 증가한다. 제품의 판매량이 '정체'되는 현상은 성숙기 단계(mature stage)에 나타난다.

**05** □□□

**버논(R. Vernon)의 제품 수명주기 이론(product life cycle theory)에 대한 설명으로 옳지 않은 것은?**

2012. 관세직 7급

① 도입기(new phase stage)에는 제품의 가격탄력성이 낮기 때문에 독점가격전략에 따라 높은 가격으로 판매된다.
② 성장기(growing stage)에는 개발도상국에 대한 본격적인 투자 및 생산기지 이전이 발생한다.
③ 성숙기(mature stage)에는 시장에서 기업 간 가격경쟁이 격화되어 가격수준은 낮아지게 된다.
④ 쇠퇴기(decline stage)에는 선진국 시장에서 동제품산업이 사양화되면서 더 이상 기술개발이나 마케팅투자가 이루어지지 않게 된다.

답 ②

개발도상국에 대한 본격적인 투자 및 생산기지 이전이 발생하는 단계는 성숙기(mature stage)이다.

**06** □□□

**마이클 포터(M. E. Porter)가 주장하는 국가경쟁력 결정모형인 다이아몬드 모형에서 국가경쟁력의 원천으로 옳지 않은 것은?**

2010. 국제통상직 7급

① 부존생산요소 ② 국제조달
③ 수요조건 ④ 관련 보조산업

답 ②

글로벌 경쟁우위 모델에 따른 국가경쟁 우위의 요인은 다음과 같다. 부존생산요소란 '요소조건'을 의미하는 것이며, 관련 보조산업은 '연관산업'을 의미하는 말이다.

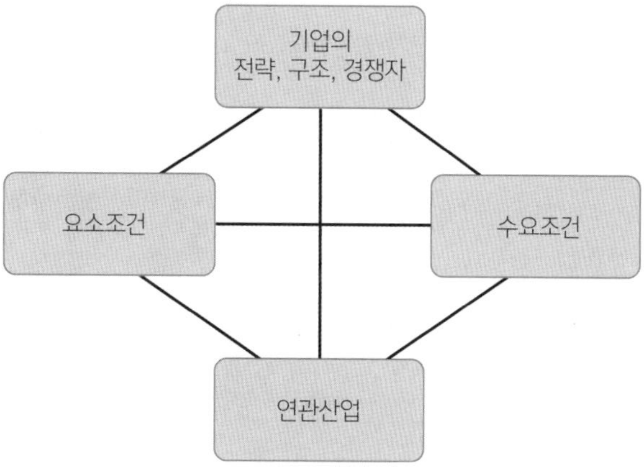


PART 1 해커스공무원 이명호 무역학 이론+기출문제

**07** □□□ **기업의 국제경쟁력을 설명한 포터(Porter)의 다이아몬드 모형에서 국제경쟁력의 결정요인에 해당하지 않는 것은?** 2008. 관세직 7급

① 요소 조건
② 환율
③ 국내수요 조건
④ 기업전략

답 ②

포터의 글로벌 경쟁우위 모델(다이아몬드 모형)에 따르면 한 국가는 요소부존도(요소조건), 수요조건, 관련 산업의 경쟁력, 기업의 전략 및 구조 등 네 핵심요소에 가장 유리한 제품을 수출하고 반대로 가장 불리한 산업제품을 수입하는 무역패턴을 보이게 된다고 주장하였다.

**08** □□□ **마이클 포터(M.E.Porter)가 제시한 가치사슬기법에서는 기업의 활동은 보조활동부문(support activities)과 주활동부문(primary activities)으로 나누어진다. 주활동부문의 가치사슬을 순서대로 바르게 나열한 것은?** 2012. 관세직 7급

① 내향로지스틱(inbound logistics) → 생산 → 디자인 → 판매 및 마케팅 → 외향로지스틱(outbound logistics)
② 하부조직활동 → 기술개발 → 생산 → 판매 및 마케팅 → 고객서비스
③ 내향로지스틱(inbound logistics) → 생산 → 외향로지스틱(outbound logistics) → 판매 및 마케팅 → 고객서비스
④ 기술개발 → 내향로지스틱(inbound logistics) → 생산 → 판매 및 마케팅 → 고객서비스

답 ③

마이클 포터는 기업의 활동을 크게 기본활동(primary activities)과 지원활동(support activities)으로 구분하였다.

| | |
|---|---|
| 기본활동<br>(주활동, 본원적 활동) | ① Inbound logistics: 내부물류(구매물류, 내향로지스틱)<br>② Operations: 생산활동<br>③ Outbound logistics: 외부물류(출하물류, 외향로지스틱)<br>④ Marketing and Sales: 마케팅 및 판매<br>⑤ Service: 고객 서비스 |
| 지원활동<br>(보조활동) | ① Infrastructure: 기업의 하부구조<br>② Human Resource Management: 인적자원관리<br>③ Technology Development: 기술개발<br>④ Procurement: 구매활동 |

## 09 □□□

**경쟁우위의 원천 중 마이클 포터(M. E. Porter)가 제시한 가치사슬(value chain)의 가치활동은 크게 기본활동(primary activities)과 지원활동(support activities)으로 구분된다. 다음 중 기본활동에 해당하지 않는 것은?** 2009. 관세직 7급

① inbound logistics
② marketing and sales
③ services
④ procurement

답 ④

포터가 제시한 가치사슬의 가치활동은 크게 기본활동(primary activities)과 지원활동(support activities)으로 구분된다. procurement(구매활동)는 지원활동에 속한다.

## 10 □□□

**다음 중 포터(M. E. Porter)의 가치사슬(Value Chain) 모형에서 기업이 행하는 전반적 경영활동에 대한 지원 활동(supporting activity)만을 모두 고르면?** 2018. 관세직 7급

ㄱ. 판매
ㄴ. 법무팀의 법무 서비스
ㄷ. 마케팅 강화를 위한 해외 전시회 참가
ㄹ. 생산 공정 개선을 위한 기술 개발

① ㄱ, ㄴ
② ㄱ, ㄷ
③ ㄴ, ㄷ
④ ㄴ, ㄹ

답 ④

'판매', '마케팅 강화를 위한 해외 전시회 참가' 등 마케팅 및 판매(Marketing and Sales)는 기본 활동(primary activity)에 포함된다. 그러나 '법무팀의 법무 서비스', '생산 공정 개선을 위한 기술 개발' 등 기업의 하부구조(Infrastructure), 기술 개발(Technology Development)은 지원 활동(supporting activity, support activity)에 포함된다.

**11** □□□ **다음 중 포터(M. E. Porter)가 제시한 기업 가치사슬(value chain) 모형의 세계적 배치활동에서 본원적 활동(primary activity)만을 모두 고르면?** 2016. 관세직 7급

> ㄱ. 외국으로부터 원자재와 부품 조달(in-bound logistics)
> ㄴ. 외국기업과 공동 기술 개발
> ㄷ. 해외지사를 통한 마케팅 및 제품 판매
> ㄹ. 해외지사를 통한 우수한 인적자원의 채용 및 교육·훈련

① ㄱ, ㄴ ② ㄱ, ㄷ
③ ㄴ, ㄷ ④ ㄴ, ㄹ

답 ②

ㄱ. '외국으로부터 원자재와 부품 조달'은 Inbound logistics(내부물류, 구매물류, 내향로지스틱)에 해당되므로 본원적 활동(primary activity, 기본활동, 주활동)이다.
ㄷ. '해외지사를 통한 마케팅 및 제품 판매'는 Marketing and Sales(마케팅 및 판매)에 해당되므로 본원적 활동(primary activity, 기본활동, 주활동)이다.

**선지분석**

ㄴ. '외국기업과 공동 기술 개발'은 Technology and Development(기술 개발)에 해당되므로 지원 활동(support activity, 보조활동)이다.
ㄹ. '해외지사를 통한 우수한 인적자원의 채용 및 교육·훈련'은 Human Resource Management(인적자원관리)에 해당되므로 지원 활동(support activity, 보조활동)이다.

**12** □□□ **포터(M. Porter)가 제시한 본원적 경쟁전략에 대한 설명으로 옳지 않은 것은?** 2017. 관세직 7급 하반기

① 전략을 수립할 때 경쟁범위와 경쟁우위요소를 고려하도록 하고 있다.
② 원가우위 전략은 타사보다 낮은 가격에 제품을 공급하는 전략이다.
③ 차별화 전략은 경쟁기업이 쉽게 대응할 수 없는 차별화된 제품이나 서비스를 제공하는 전략이다.
④ 집중화 전략은 기업의 조달·생산·유통 등의 기능을 단일 소유권하에 결합해서 집중화하는 전략이다.

답 ④

마이클 포터의 본원적 경쟁전략(Porter's Generic Competitive Strategies)은 기업이 선택한 시장 범위 내에서 어떤 전략을 취해야 경쟁 우위를 추구할 수 있는지를 설명하는 이론이다.

| | | 경쟁 우위 | |
|---|---|---|---|
| 경쟁 범위 | (산업전체) | 원가우위 전략 | 차별화 전략 |
| | (특정산업) | 원가우위 집중전략 | 차별화우위 집중전략 |

집중화 전략(원가우위 집중전략, 차별화우위 집중전략)은 산업전체가 아닌 특정산업에 적용되는 전략이다. 집중화 전략은 기업의 조달, 생산, 유통 등의 기능을 집중시키는 것이 아니라, 제품이나 서비스, 고객에 경영자원을 집중시켜서 다른 경쟁사가 끼어들지 못하게 하는 전략이다.

**13** □□□ **다음 마이클 포터(M.Porter)의 글로벌 전략 유형에서 차별화를 추구하는 기업 활동에 대한 설명으로 옳지 않은 것은?** 2013. 관세직 7급

| | | 기업활동의 배치: 분산 | 기업활동의 배치: 집중 |
|---|---|---|---|
| 기업 활동의 조정 | 고 | ㉠ | ㉡ |
| | 저 | ㉢ | ㉣ |

① ㉠-세계 여러 지역에 직접투자를 통해 자회사를 설립한 후 하나의 기업으로 묶는 방법을 취한다.
② ㉡-전세계 주요 지역에 다수의 자회사를 설치하고, 본사가 자회사를 직접 조정·통제한다.
③ ㉢-각국에 자회사를 설치해 두고 자회사의 운영은 자회사에 일임하는 방법을 취한다.
④ ㉣-과거 수출지향적인 한국기업이 사용했던 수출위주의 마케팅전략을 취한다.

답 ②

마이클 포터는 글로벌 전략 유형을 원가우위 전략, 차별화 전략, 집중화 전략으로 구분한다. 이 중 차별화 전략은 품질이나 서비스, 혁신적 디자인, 기술력, 브랜드 이미지 등으로 다른 경쟁기업들과 차별화하는 전략이다.

**14** □□□

**산업 내 무역(intra industry trade)과 산업 간 무역(inter industry trade)의 특성에 대한 설명으로 옳지 않은 것은?** 2014. 관세직 7급

① 비교 우위 산업의 제품을 수출하고 비교 열위 산업의 제품을 수입하는 것을 산업 간 무역이라 한다.
② 산업 내 무역은 같은 산업 내에서 차별화된 제품 간에 이루어진다.
③ 두 국가의 요소 부존 비율이 유사할수록 산업 간 무역의 비중이 증가하게 된다.
④ 원자재나 중간재에 비해 최종 소비재의 산업 내 무역이 많이 이루어진다.

답 ③

노동생산성이나 요소 부존 비율이 국가 간에 차이가 날 때, 비교 우위가 다른 두 국가 간에 발생하는 무역을 '산업 간 무역'이라 한다. 그러나 실제로는 요소 부존 비율이 유사한 국가, 즉 선진국과 선진국 사이에 많은 무역이 발생하고 있는데, 이 또한 동종산업에서의 제품차별화, 규모의 경제 등에 의한 '산업 내 무역'의 형태를 띠고 있다.

**15** □□□

**산업 내 무역이 발생하는 원인으로 주장되지 않는 것은?** 2007. 관세직 7급

① 제품의 차별화
② 부품무역 활성화
③ 생산요소의 상대적 부존도 차이
④ 규모의 경제

답 ③

그루벨(H. Grubel), 로이드(P. J. Lloyd)에 의해 제기된 산업 내 무역(intra-industry trade) 이론은 서로 다른 산업 간에 이루어지는 산업 간 무역과는 달리 동종 산업에서의 제품차별화, 규모의 경제에 의해 무역이 발생한다는 이론이다. 산업 내 무역이 발생하는 이유는 다음과 같다.

| | |
|---|---|
| 규모의 경제<br>(economies of scale) | 규모의 경제란 요소투입량을 2배 증가시킬 때 산출량이 2배 이상 증가하는 경우를 말한다. 즉, 생산량이 증가함에 따라 단위당 평균비용이 하락하는 경우 규모의 경제가 있다고 말한다. |
| 제품차별화<br>(product differentiation) | 제품차별화란 소비자의 선호도가 다양하므로 이에 맞추어 같은 종류의 제품이라도 기업마다 서로 차별화된 제품을 생산하여 시장에 공급하는 것을 말한다. 제품차별화가 이루어진 시장은 불완전경쟁시장의 특성을 가지고 있으며, 제품차별이 강화되면 규모의 경제가 축소될 수 있다. |
| 부품무역 활성화 | 선진국 중심으로 해외에 생산기지를 두고 원료, 부품 등을 공급하여 가공 후 다시 수입하거나 제3국으로 수출하는 형태가 증가하면서, 즉 부품무역이 활성화되면서 산업 내 무역도 증가하고 있다. |
| 시간 차별화 | 포도의 출하기인 여름에는 포도를 수출하였으나, 겨울에는 오히려 포도를 수입하는 등의 주기성 무역도 산업 내 무역을 발생시킨다. |
| 기술 격차 | 한 국가가 기술을 개발하여 수출하고, 수준이 다른 기술로 개발된 물품은 수입할 때에도 산업 내 무역이 발생한다. 예를 들면 기술 수준이 낮은 음향기기를 수출하고, 기술 수준이 높은 음향기기는 수입하는 경우이다. |

## 16 □□□

**산업내 무역이론에 대한 설명으로 옳지 않은 것은?** 2018. 관세직 7급

① 산업내 무역은 요소부존도와 비교우위의 차이에 관계없이 발생한다.
② 산업내 무역은 무역상대국 간의 기술수준이 상이할수록 산업간 무역에 비해 발생 가능성이 높다.
③ 산업내 무역에서는 무역패턴을 예측하기 어렵다.
④ 산업내 무역은 제품차별화와 생산의 규모의 경제(economic of scale)가 존재하는 경우에 발생한다.

답 ②

국가간 기술격차가 산업내 무역을 발생시키는 이유가 되기는 하지만, 기술수준이 상이할수록 선진국과 후진국 간에 산업간 무역이 발생할 가능성이 높아진다.

## 17 □□□

**국제무역이론에 대한 설명으로 옳지 않은 것은?** 2019. 관세직 7급

① 리카도의 비교우위론(Comparative Advantage Theory)은 비록 교역 상대국 가운데 한 나라가 두 재화의 생산에 모두 절대우위(열위)를 가진다고 할지라도 각 국은 상대적으로 더 싸게 생산가능한 재화에 특화하여 무역을 하는 것이 상호이익이 된다는 것을 설명하는 이론이다.
② 제품 수명주기(Product Life Cycle) 이론은 제품의 수명주기에 따라 국가 간 무역 및 직접투자가 발생하는 현상을 설명하는 이론이다.
③ 산업내 무역(Intra-Industry Trade) 이론은 동일 산업 내에서 수출과 수입이 동시에 일어나지 않는다고 보는 고전적 무역이론과는 달리 동일 산업 내의 무역현상을 설명하는 이론이다.
④ 헥셔-오린의 요소가격균등화 이론은 양국 간 생산요소의 이동과 완전한 자유무역이 이루어지면 양국에서 생산요소가격의 균등화가 실현된다는 것을 설명하는 이론이다.

답 ④

요소가격균등화 이론(헥셔-오린 제2명제)은 국가 간 생산요소의 이동이 불가능하더라도 자유무역을 하게 되면 국가 간에 생산요소의 가격이 장기적으로 같아진다는 이론이다. '생산요소의 이동'을 전제하는 이론이 아니다.

**18** □□□

**다음은 무역이론에 대한 설명이다. ㉠ ~ ㉢에 들어갈 말을 바르게 연결한 것은?**

2017. 관세직 7급 하반기

> 한국과 미국은 서로 간에 상대국에게 자동차를 수출하면서도 동시에 상대국의 자동차를 수입하고 있는 것을 볼 수 있다. 이러한 무역현상을 ( ㉠ )이라 하고, 이 이론은 주로 ( ㉡ )와 ( ㉢ )라는 개념을 사용하여 설명하고 있다.

| | ㉠ | ㉡ | ㉢ |
|---|---|---|---|
| ① | 산업 내 무역 | 범위의 경제 | 제품차별화 |
| ② | 산업 간 무역 | 규모의 경제 | 요소부존도 |
| ③ | 산업 내 무역 | 규모의 경제 | 제품차별화 |
| ④ | 산업 간 무역 | 범위의 경제 | 요소부존도 |

답 ③

한국과 미국은 자동차 산업에 있어 '선진국'의 위치에 있다. 선진국과 선진국 사이에 동종 산업 내 무역이 이루어질 때 이것을 '산업 내 무역'이라고 한다. 산업 내 무역이 발생하는 가장 큰 이유는 규모의 경제와 제품차별화이다.

**19** □□□

**무역이론에 대한 설명으로 적절한 것은?**

2012. 관세직 7급

① 아담 스미스(A. Smith)는 1817년 저술한 『정치경제와 과세의 원리』라는 저서를 통해 절대 우위설을 제시함으로써 자유무역의 이론적 토대를 마련하였다.

② 밀(J. S. Mill)은 기회비용의 개념을 도입하여 무역의 방향과 이익을 밝힘으로써 고전파 무역이론의 비현실적 가정에서 벗어나 비교 우위설을 정립하였다.

③ 핵셔 - 오린(Heckscher - Ohlin)은 재화 간 생산비용의 상대비가 국가 간에 차이가 나는 이유를 국가마다 생산요소의 부존도가 다르고 재화마다 생산에 필요로 하는 요소비율이 다르기 때문으로 보았다.

④ 그루벨(H. G. Grubel)과 로이드(P. J. Lloyd)는 산업 간 무역(inter - industry trade)은 규모의 경제와 제품차별화 등에 의해 발생이 가능하다고 주장하였다.

답 ③

**선지분석**

① 아담 스미스(A. Smith)는 '1776년 저술한 『국부론』'이라는 저서를 통해 절대 우위설을 제시함으로써 자유무역의 이론적 토대를 마련하였다.

② '하벌러(Haberler)'는 기회비용의 개념을 도입하여 무역의 방향과 이익을 밝힘으로써 고전파 무역이론의 비현실적 가정에서 벗어나 비교 우위설을 정립하였다.

④ 그루벨(H. G. Grubel)과 로이드(P. J. Lloyd)는 '산업 내 무역(intra-industry trade)'은 규모의 경제와 제품차별화 등에 의해 발생이 가능하다고 주장하였다.



**20** □□□ **무역이론에 대한 설명 중 옳지 않은 것은?** 2017. 관세직 7급 하반기

① 밀의 상호수요이론에서는 두 국가 간의 상호수요의 크기와 탄력성의 변화가 양국의 교역조건을 결정한다고 하였다.

② 스톨퍼-사무엘슨의 정리는 고임금 국가와 저임금 국가 간에 자유무역을 할 경우 두 국가의 임금수준의 균등화가 실현된다고 하며, 그 결과 정부의 개입이 없어도 무역자유화에 의해 사회후생의 증대를 보장한다고 하였다.

③ 버논의 제품수명주기이론에서는 제품이 도입기·성장기·성숙기·쇠퇴기의 4단계를 거치며 발생하는 공산품의 국제무역 패턴 변화를 설명하고 있다.

④ 린더의 대표수요이론은 한 상품이 수출상품이 되기 위해서는 우선 국내에서 충분한 수요가 있어야 한다는 이론으로, 이는 특히 공산품의 무역원인을 설명하는 데 유용하다.

답 ②

'스톨퍼-사무엘슨의 정리'(사무엘슨의 요소가격 균등화이론)는 국가 간 생산요소의 이동이 불가능하더라도 자유무역을 하게 되면 국가 간에 생산요소의 가격이 장기적으로 같아진다는 이론이다. 스톨퍼-사무엘슨 정리는 '사회후생의 증대 보장'을 언급하지 않는다.

CHAPTER 3

# 무역정책과 경제통합

## 1 | 무역정책

**01** □□□ **자유무역에 대한 설명 중 옳지 않은 것은?** 2009. 관세직 7급

① 자유무역은 비교 우위가 있는 산업을 특화 생산하고 교환할 수 있는 기회를 제공하기 때문에 자원의 효율적 배분에 유리하다.

② 자유무역은 소비자의 선택범위를 넓혀줌으로써 소비자가 일정한 소득으로 최대의 혜택을 누릴 수 있게 해 준다.

③ 자유무역은 시장경쟁을 촉진시킴으로써 기업들로 하여금 신기술을 개발하고 경영혁신을 유발하게 하는 등 혁신의 유인을 제공한다.

④ 자유무역은 개발도상국의 유치산업이 세계 시장을 대상으로 경쟁할 수 있는 기회를 제공하므로 개발도상국의 유치산업 발전에 기여한다.

답 ④

자유무역은 시장개방을 통해 국제교역을 확대하고 생산성의 증가를 유도하는 측면이 있으나, 국제경쟁력이 취약한 개발도상국의 유치산업의 경우 경쟁력을 갖추기 전에 경쟁에서 밀려날 수 있다. 그러므로 자유무역이 유치산업 발전에 기여한다는 말은 설득력이 떨어진다.

**02** □□□ **유치산업 보호론이 정당화되기 위한 요건으로 옳지 않은 것은?** 2009. 관세직 7급

① 보호는 어디까지나 한시적인 것이어야 한다.

② 일정 기간 보호 후에는 보호를 해제하더라도 그 산업이 비교 우위를 가져야 한다.

③ 보호기간 동안 유치산업 보호를 위해 경제가 부담한 비용보다 보호로 인한 이익이 더 커야 한다.

④ 시장실패(market failure)가 없어야 한다.

답 ④

유치산업이란 산업발전단계의 초기에 발생하는 미숙한 산업이지만, 미래의 전망은 밝아서 보호의 필요성이 있는 산업을 말한다. 외부경제(한 경제 주체의 경제적 행위가 다른 경제주체에 이익을 주는 것)가 있는 경우 시장실패(market failure)가 발생할 수 있는데 이런 경우 생산량의 확대를 위해 보호무역을 하자는 정책이 정당화될 수 있다.

**03** □□□ **자국의 산업을 보호하기 위한 대책으로 보호주의 무역을 주장한 경제학자는?** 2019. 관세직 7급

① Friedrich List
② T. M. Rybczynski
③ E. F. Heckscher and B. Ohlin
④ David Ricardo

답 ①

리스트(Friedrich List)는 무역정책은 경제발전 단계에 따라 달라야 하며, 아직 공업화를 달성하지 못한 후진국은 공업부문이 일정 수준으로 성장할 때까지 공업부문을 보호해야 한다고 주장하였다. 이를 유치산업보호론(infant industry argument)이라 한다.

**선지분석**

② 립진스키(T. M. Rybczynski)는 경제성장의 요인 중 요소공급의 변화에 의한 경제성장의 결과가 국제무역의 패턴을 어떻게 변화시키는가를 규명하였다. 그가 체계화한 이론을 립진스키 정리라고 하는데, 그의 주장에 따르면 상품의 가격이 일정하게 유지되는 상황에서, 하나의 생산요소의 양이 증가하는 경우에 그 생산요소를 집약적으로 사용하는 상품의 생산량은 증가하는 반면, 다른 상품의 생산량은 감소한다.
③ 헥셔와 오린(E. F. Heckscher and B. Ohlin)은 비교우위의 기초가 되는 노동투입량의 차이가 왜 발생하는지에 대해 규명하였다. 헥셔와 오린은 이 문제를 요소부존도(factor endowment)의 차이로 설명한다.
④ 리카도(David Ricardo)는 비교우위론을 주장한 학자이다. 비교우위론은 선진국이나 강대국에 비해 내놓을만한 절대우위 제품이나 산업이 없는 후진국이나 약소국의 경우에도 무역을 통해 이익을 얻을 수 있다는 이론적인 근거를 제시하고 있다.

## 2 | 국제기구와 경제통합

**01** □□□

GATT와 WTO에 대한 설명으로 옳은 것은? 2014. 관세직 7급

① 무역 거래 시 회원국들을 차별하는 행위를 방지하기 위한 최혜국대우원칙은 GATT 체제에서는 없었다.
② WTO는 국가 간 무역 분쟁을 해결할 수 있는 강제적 권한을 가지고 있다.
③ GATT 체제에서의 의사 결정은 역만장일치제를 따랐으나, WTO 체제에서는 만장일치제로 바뀌었다.
④ GATT와 WTO의 무역 규범들은 상품 무역에 국한하여 적용되고 있다.

답 ②

세계무역기구(World Trade Organization: WTO)는 다자 간 무역체제의 확립을 통해 전세계의 자유무역을 확대하고 국가 간의 공정무역질서를 확립하기 위해 GATT 제8차 다자 간 협상인 우루과이라운드 협상의 결과에 따라 1995년 1월 1일 출범하였다. WTO는 국가 간 무역 분쟁을 해결할 수 있는 강제적 권한을 가지고 있다.

**선지분석**

① GATT의 기본 원칙은 ㉠ 자유무역 원칙, ㉡ 최혜국대우 원칙이다. WTO의 기본원칙은 ㉠ 최혜국대우 원칙, ㉡ 내국민대우 원칙, ㉢ 시장접근보장의 원칙, ㉣ 투명성의 원칙, ㉤ 공정무역의 원칙이다. 즉, '최혜국대우 원칙'은 GATT와 WTO 체제의 공통점이다.
③ GATT 체제에서의 의사 결정은 '만장일치제'였다. 그러나 의사결정 과정이 지연되는 문제를 보완하기 위해 WTO 체제에서는 '만장일치제'를 채택하되, 회원국 간 합의가 이루어지지 못할 경우 '다수결(과반수 찬성)'에 근거하여 의사결정을 한다. 또한 WTO에서는 '역만장일치제'를 채택하였는데, 역만장일치제(Reverse Consensus System)란 WTO의 분쟁해결기구에서 만장일치로 패널(panel)을 설치하지 '않기로' 결정했을 때, 패널을 설치하지 않아도 되는 것을 말한다.
④ GATT가 주로 공산품을 중심으로 하는 상품을 무역규율 대상으로 삼았다면, WTO에서는 농산물, 서비스, 지식재산권, 무역관련 투자 등 새로운 분야가 다수 포함되었다.

**02** □□□

GATT와 WTO에 대한 설명으로 옳지 않은 것은? 2020. 관세직 7급

① GATT와 WTO는 법적 구속력을 가진 국제기구이다.
② WTO는 분쟁해결기구(DSB)를 신설하여 GATT 체제에 비해 신속하고 효율적인 분쟁해결능력을 갖추게 되었다.
③ GATT 체제는 주로 관세인하에 주력하였으나, WTO는 관세 인하뿐만 아니라 비관세장벽을 완화하기 위해 노력하였다.
④ GATT 체제는 공산품을 중심으로 한 상품무역에 주력하였으나, WTO는 상품뿐만 아니라 서비스무역, 지식재산권무역 등으로까지 그 대상을 확대하였다.

답 ①

WTO는 법적 구속력을 가진 국제기구이며, 국가 간 무역분쟁을 해결할 수 있는 강제적 권한을 가지고 있다. 그러나 이전의 GATT는 법적인 구속력을 발휘하지 못했다.

**선지분석**

② WTO는 WTO 협정 부속서 2의 '분쟁해결 규칙 및 절차에 관한 양해(DSU)'에 근거하여 분쟁해결기구(DSB, Dispute Settlement Body)를 신설하여 신속하고 효율적인 분쟁해결능력을 갖추게 되었다.

③ GATT 체제는 수입할당제 등의 비관세장벽보다 장기적인 폐해가 적은 관세 제도를 선호하였다. 비관세장벽은 수입물량을 규제함으로써 장기적으로 기술진보에 의한 효율성 증가의 가능성을 없애기 때문이다. 그러나 WTO는 관세 인하뿐만 아니라 비관세장벽을 완화하기 위해 노력하였다. WTO는 무역에 대한 기술장벽에 관한 협정(TBT 협정), 선적전 검사에 관한 협정(PSI 협정), 원산지 규정에 관한 협정 등 비관세장벽에 관한 협정을 두고 있다.

④ GATT 체제는 공산품을 중심으로 한 상품무역에 주력하였으나, WTO는 상품뿐만 아니라 서비스무역, 지식재산권무역 등으로까지 그 대상을 확대하였다. WTO 협정에는 농업에 관한 협정(Agreement on Agriculture), 서비스무역에 관한 일반협정(GATS), 무역관련 지식재산권에 관한 협정(TRIPs)도 있다.

**03** □□□

**WTO의 기본 설립 목적과 협정의 주요 원칙으로 볼 수 없는 것은?** 2009. 국제통상직 7급

① 무차별 원칙(non - discrimination principle)

② 비관세화 원칙(non - tariffication principle)

③ 공정무역 원칙(fair trade principle)

④ 개발도상국 우대 원칙(developing countries preference principle)

답 ②

WTO 협정의 주요 원칙은 다음과 같다.

| | |
|---|---|
| 최혜국대우 원칙 | 특정국가에 대하여 다른 국가보다 불리한 교역조건을 부여해서는 안 된다는 원칙으로, 세계무역기구체제의 모든 분야에서 요구되는 핵심 원칙이다. |
| 내국민대우 원칙 | 외국인과 내국인을 동일하게 대우해야 한다는 원칙이다.<br>[참고] 무차별 원칙(Non - discrimination principle): 최혜국대우와 내국민대우를 근간으로 한다. |
| 시장접근보장의 원칙 | 관세나 조세를 제외한 재화용역의 공급에 대한 일체의 제한을 철폐해야 한다는 원칙으로 내국민대우 원칙과 함께 시장개방의 양대 요소를 이루고 있다. |
| 투명성의 원칙 | 각국의 행정·사법기관의 의사결정이나 법령의 적용, 제도의 운용이 합리적이며 예측 가능하여야 하고, 결정에 관한 이유가 고지되어야 하며, 그러한 결정의 기초가 되는 모든 법령 및 자료가 공개되어야 한다는 원칙으로 개방의 실질적인 요소라 할 수 있다. |
| 공정무역 원칙 | 자유로운 무역과 함께 공정한 무역도 강조되고 있다. 공정한 경쟁을 촉진하고, 불공정한 무역행위를 방지하기 위해서 덤핑수출과 같은 불공정무역행위에 대하여 규제를 강화하고 있다. |

**04** □□□

GATT의 기본원칙에 새롭게 추가된 WTO의 기본원칙만으로 짝지어진 것은? 2010. 관세직 7급

① 최혜국대우 원칙 - 내국민대우 원칙
② 상호주의 원칙 - 최혜국대우 원칙
③ 내국민대우 원칙 - 비관세장벽철폐 원칙
④ 시장접근보장 원칙 - 투명성 원칙

답 ④

GATT의 기본원칙에는 자유무역 원칙과 최혜국대우 원칙이 있다. WTO에서는 시장접근보장의 원칙, 투명성의 원칙, 공정무역 원칙을 추가하였다.

**05** □□□

WTO의 주요 원칙과 관세 제도에 대한 설명으로 옳지 않은 것은? 2021. 관세직 7급

① 최혜국 대우(Most - Favored Nation Treatment) 원칙에 의하면 어느 국가에 관세를 낮춰 주면 다른 모든 WTO 회원국에게도 관세를 낮춰 주어야 한다.
② 내국민 대우(National Treatment) 원칙에 의하면 수입상품이 국내에 수입된 후에는 수입품과 동종의 국내생산품은 차별없이 동등하게 취급되어야 한다.
③ 양허 관세율이란 WTO 회원국이 어느 상품에 대하여 특정 수준 이상의 관세를 부과하지 않기로 약속한 관세율이다.
④ 관세할당(Tariff Quota) 제도란 쿼터 내 수입량에 대해서는 높은 관세율을 부과하고, 쿼터 밖 수입량에 대해서는 낮은 관세율을 부과하는 제도이다.

답 ④

관세할당(Tariff Quota) 제도란 쿼터 내 수입량에 대해서는 '낮은' 관세율을 부과하고, 쿼터 밖 수입량에 대해서는 '높은' 관세율을 부과하는 제도이다.

**06** □□□

WTO에 대한 설명으로 옳지 않은 것은? 2022. 관세직 7급

① 무역정책검토기구(TPRB)를 설치하여 회원국들의 무역정책 관련 제도를 정기적으로 평가함으로써 투명성을 제고하고 있다.
② 각료회의는 무역분야별 대표로 구성된 심의기구로서 필요에 따라 수시로 개최된다.
③ 분쟁해결기구(DSB)의 결정사항이 용이하게 집행될 수 있도록 교차보복(Cross - Sector Retaliation)을 허용하고 있다.
④ 일반이사회 산하에는 상품교역이사회, 서비스교역이사회, 무역관련지적재산권이사회가 있다.

답 ②

WTO는 각료회의(Ministerial Conference)와 일반이사회(General Council)로 구성된다. 각료회의는 WTO의 모든 회원국으로 구성되며, 최소한 2년에 1회 이상 개최된다. '수시로 개최'되는 것은 아니다. 일반이사회는 각료회의가 비회기 중일 때 개최되는 회의로서, 그 산하에 상품교역이사회, 서비스교역이사회, 무역관련지적재산권이사회를 두고 있다.

**07** □□□

**WTO 협정에 대한 설명으로 옳지 않은 것은?** 2015. 관세직 7급

① 관세 및 무역에 관한 일반협정(GATT)이 WTO 협정문의 기초적인 틀과 원칙을 제공하였다.
② GATS는 서비스 무역에 영향을 미치는 회원국들의 조치에 적용되는 협정으로 '서비스 무역에 관한 일반협정'이다.
③ TRIPs는 저작권, 상표권, 특허권 등 무역관련 지식재산권을 규율한다.
④ TPRM은 WTO의 분쟁해결 절차 및 능력을 강화하기 위해서 도입되었다.

답 ④

TPRM은 WTO 협정 부속서 3의 '무역정책검토제도(TRDAE POLICY REVIEW MECHANISM)'이다. WTO의 분쟁해결 절차 및 능력을 강화하기 위해 도입한 것은 부속서 2의 '분쟁해결규칙 및 절차에 관한 양해(UNDERSTANDING ON RULES AND PROCEDURES GOVERNING THE SETTLEMENT OF DISPUTES)', 즉 DSU이다.

**08** □□□

**최근 WTO의 상소기구(Appellate Body)는 방사능 오염 가능성이 높은 일본 후쿠시마현 주변 8개 현의 수산물을 수입금지하는 한국의 조치에 대해 승소 판정을 내렸다. 여기서 수산물 등 식품안전규제와 밀접한 관련이 있는 WTO 협정은?** 2019. 관세직 7급

① MFA협정
② PSI협정
③ TRIMs협정
④ SPS협정

답 ④

SPS협정: 식품동식물 검역규제 협정(Sanitary and Phytosanitary Measures)이란 식품첨가물, 오염물질, 병원성 미생물, 독소 등에 관한 기준치와 규격을 국제적으로 정한 협정이다. 이 협정은 수산물 등 식품안전 규제와 관련되어 있다.

**선지분석**

① MFA협정: 다자간 섬유 협정(Multi Fiber Arrangement)이란 섬유무역의 확대와 자유화를 위한 협정이다.
② PSI협정: 선적전 검사에 관한 협정(Agreement on Preshipment Inspection)이란 정부당국의 위임을 받은 민간 선적전 검사기관의 검사 수행을 규정한 협정을 말한다.
③ TRIMs협정: 무역관련 투자조치에 관한 협정(Agreement on Trade-Related Investment Measures)이란 상품무역과 관련된 점진적 자유화, 투자촉진을 위한 자유경쟁의 촉진, 개발도상국 경제성장의 촉진을 위한 협정을 말한다.

**09** □□□

**WTO 협정의 일부로서 WTO 회원국 모두에 적용되는 다자간 무역협정이 아닌 것은?**

2019. 관세직 7급

① 관세 및 무역에 관한 일반 협정(GATT 1994)
② 정부조달 협정(GPA)
③ 서비스무역에 관한 일반 협정(GATS)
④ 무역 관련 지적재산권 협정(TRIPs)

답 ②

정부조달에 관한 협정(Agreement on Government Procurement)은 1994년 4월 15일 모로코의 마라케쉬에서 서명된 WTO 협정에 부속된 복수국 간 무역협정(Plurilateral Trade Agreement, PTA) 중의 하나이다. 즉, WTO 회원국 모두에 적용되는 다자간 무역협정이 아니다.

**10** □□□

**지적재산권(Intellectual Property Rights)에 대한 설명으로 옳지 않은 것은?** 2014. 관세직 7급

① 우루과이 라운드(Uruguay Round)에서 지적재산권이 의제로 논의되었다.
② 지적재산권의 종류에 따라 보호되는 기간이 다르다.
③ 특허권, 실용신안권, 상표권, 의장권, 저작권 등이 포함된다.
④ WTO 체제하의 교역관련지적재산권(TRIPs) 협정은 지적 재산권과 관련된 기존의 조약들을 폐기하고 새로운 규정들을 제정하였다.

답 ④

WTO 협정 '부속서 1다'의 교역관련지적재산권(TRIPs) 협정은 저작권, 상표권, 특허권, 지리적 표시 등 무역관련 지식재산권을 규율하는 협정이다. 기존의 지적재산권 관련 협정과는 달리 TRIPs 협정을 위반한 경우 WTO 분쟁해결기구에 제소할 수 있다. 그러나 이 협정으로 인하여 기존의 지식재산권(지적재산권) 관련 협정이 폐기된 것은 아니다.

**11** □□□ **무역관련 지식재산권협정(TRIPs)이 보호대상으로 정하고 있는 지식재산권(Intellectual Property Rights)에 해당하는 것만을 모두 고르면?** 2020. 관세직 7급

ㄱ. 상표권(trademarks)
ㄴ. 지리적표시권(geographical indications)
ㄷ. 디자인권(industrial designs)
ㄹ. 특허권(patents)

① ㄱ, ㄹ
② ㄴ, ㄷ
③ ㄱ, ㄷ, ㄹ
④ ㄱ, ㄴ, ㄷ, ㄹ

답 ④

TRIPs가 보호대상으로 정하고 있는 지식재산권은 특허권, 실용신안권, 상표권, 디자인권(의장권), 저작권, 지리적 표시권 등이다.

**12** □□□ **세계무역기구 설립을 위한 마라케쉬협정 부속서 중 전체 회원국에 적용되지 않고 일부 회원국에만 적용되는 복수국 간 무역협정에 해당되는 것은?** 2009. 관세직 7급

① 1994년도 관세 및 무역에 관한 일반협정(GATT 1994)
② 농업에 관한 협정
③ 정부조달에 관한 협정
④ 서비스 무역에 관한 협정

답 ③

정부조달에 관한 협정(Agreement on Government Procurement)은 1994년 4월 15일 모로코의 마라케쉬에서 서명된 WTO 협정에 부속된 복수국 간 무역협정(Plurilateral Trade Agreement, PTA) 중의 하나이다. 복수국 간 무역협정은 모든 회원국을 구속하는 기타 부속협정과는 달리 이를 수락한 일부 회원국에만 적용된다. 복수국 간 무역협정은 민간항공기 무역에 관한 협정(Agreement on Trade in Civil Aircraft), 정부조달에 관한 협정(Agreement on Government Procurement), 국제낙농협정(International Dairy Arrangement), 우육협정(Arrangement regarding Bovine Meat) 등 4개 개별협정으로 구성되어 있다.

## 13 □□□

WTO의 서비스무역협정(GATS)에서 규정된 서비스 공급의 형태와 정의를 옳게 짝지은 것은?

2017. 관세직 7급

| 구분 | 형태 | 정의 |
| --- | --- | --- |
| ㉠ | 해외 소비<br>(consumption abroad) | 서비스 수입국 내에 서비스 공급인력이 주재하는 경우 (상업적 주재와의 관련 여부를 불문함) |
| ㉡ | 상업적 주재<br>(commercial presence) | 서비스 소비자의 본국 이외의 영역에서 소비행위가 완성되는 경우 |
| ㉢ | 자연인의 주재<br>(presence of natural persons) | 서비스 수입국 내에 서비스 공급체를 설립하여 서비스를 생산·판매하는 경우 |
| ㉣ | 국경간 공급<br>(cross-border supply) | 인력이나 자본 등 생산요소의 이동이 수반되지 않고 서비스 자체가 국경을 넘어 이동하는 경우 |

① ㉠
② ㉡
③ ㉢
④ ㉣

답 ④

WTO 서비스 무역에 관한 일반협정(GATS, General Agreement on Trade in Services) 제1조 제2항에 규정된 서비스무역의 유형은 다음의 네 가지이다.

| | |
| --- | --- |
| 서비스의 국경 간 공급 | 서비스 자체의 국경간 공급(cross-border supply)에는 노동이나 자본의 이동이 이루어지지 않고 서비스만 국경을 넘어 공급되는 것을 의미한다. 이러한 국경간 공급에는 국제전화, 온라인 콘텐츠 구입, 통신수단에 의한 지식 및 자문의 제공(원격 교육 및 원격진료 등), 금융서비스의 제공, 방송프로그램의 공급 등이 해당된다.<br>→ ㉣ '인력이나 자본 등 생산요소의 이동이 수반되지 않고 서비스 자체가 국경을 넘어 이동하는 경우'는 국경간 공급에 해당한다. |
| 서비스의 해외소비 | 서비스의 해외소비(consumption abroad)는 외국의 소비자가 서비스를 공급하는 국가에 가서 서비스를 구매하거나 사용하는 것을 의미한다. 외국인관광객에 대한 관광서비스, 외국환자에 대한 의료서비스, 외국학생에 대한 교육서비스, 외국의 선박이나 항공기에 대한 수리서비스 등이 여기에 해당된다.<br>→ ㉡ '서비스 소비자의 본국 이외의 영역에서 소비행위가 완성되는 경우'는 해외소비에 해당된다. |
| 상업적 주재 | 상업적 주재(commercial presence)란 서비스를 공급할 목적으로 어느 회원국의 영토 내에서 법인의 설립, 인수 또는 유지, 지사나 대표사무소의 창설 또는 유지 등을 통한 영업형태를 의미한다.<br>→ ㉢ '서비스 수입국 내에 서비스 공급체를 설립하여 서비스를 생산·판매하는 경우'는 상업적 주재에 해당한다. |
| 자연인의 주재<br>(자연인의 이동) | 자연인의 주재(presence of natural persons)는 서비스를 공급하는 국가의 인력이 수입국의 영토 내에 가서 서비스를 공급하는 것을 의미한다. 서비스 공급기업 직원의 주재, 상업적 주재의 설립을 위한 직원파견, 개인근로자의 일시적 주재, 모델의 외국광고 출연 등이 여기에 해당한다.<br>→ ㉠ '서비스 수입국 내에 서비스 공급인력이 주재하는 경우(상업적 주재와의 관련 여부를 불문함)'는 자연인의 주재에 해당한다. |

| 공급자 주재여부 | 공급형태 | 특징 |
| --- | --- | --- |
| 서비스 공급자가 서비스 수입국 영토내에서 주재하지 않는 경우 | 국경 간 공급 | 서비스자체의 이동(생산물 이동) |
| | 해외소비 | 소비자의 이동(수요주체 이동) |
| 서비스 공급자가 서비스 수입국 영토 내에 주재하는 경우 | 상업적 주재 | 자본의 이동(공급주체 이동) |
| | 자연인의 주재 | 노동의 이동(생산요소 이동) |





**14** □□□ **서비스무역에 관한 일반협정(GATS)에서 규정하는 서비스 공급형태가 아닌 것은?**

2022. 관세직 7급

① Cross Border Supply ② Consumption Domestic
③ Commercial Presence ④ Presence of Natural Persons

답 ②

상품은 수출국에서 수입국으로 이동하여, 그 공급형태가 다양하지 않다. 그러나 서비스 공급 형태는 다양하므로 GATS 협정에서 그 공급형태를 네 가지로 구분하였다.

| 모드 | 공급 형태 | 내용 |
| --- | --- | --- |
| mode 1 | Cross Border Supply(국경 간 공급) | 수출자와 수입자가 각자 자기 나라에 머물면서 인터넷, 팩스 등으로 서비스만 국경을 넘어 공급하는 형태 |
| mode 2 | Consumption Abroad(해외 소비) | 수입자가 수출자가 머무르는 국가로 이동하여 서비스를 공급받는 형태 |
| mode 3 | Commercial Presence(상업적 주재) | 수출자가 수입자가 있는 국가에 투자 방식으로 주재하면서 서비스를 공급하는 형태 |
| mode 4 | Presence of Natural Person(자연인의 주재) | 수출자가 수입자가 있는 국가로 이동(출장)하여 서비스를 공급하는 형태 |

Consumption Domestic이 아니라 Consumption Abroad(해외 소비)라고 해야 한다.

**15** □□□ **해외직접투자(외국지점설치 · 해외건설공사)와 같이 해외주재를 통해 제공되는 서비스는 WTO의 GATS가 규정한 4가지 서비스 중 어느 형태에 해당되는가?**

2009. 국제통상직 7급

① 초국경공급(cross border supply) ② 해외소비(consumption abroad)
③ 상업적 주재(commercial presence) ④ 자연인 주재(presence of natural persons)

답 ③

WTO의 GATS(General Agreement on Trade in Services, 서비스무역에 관한 일반협정)가 규정한 4가지 서비스는 GATS의 PART I SCOPE AND DEFINITION에 나타나 있다. 아래의 (a)는 국경을 넘어선 공급, 즉 초국경공급(cross border supply)을 의미하며, (b)는 해외소비(consumption abroad), (c)는 상업적 주재(commercial presence), (d)는 자연인 주재(presence of natural persons)를 의미한다.

2. For the purposes of this Agreement, trade in services is defined as the supply of a service:
   (a) from the territory of one Member into the territory of any other Member;
   (b) in the territory of one Member to the service consumer of any other Member;
   (c) by a service supplier of one Member, through commercial presence in the territory of any other Member;
   (d) by a service supplier of one Member, through presence of natural persons of a Member in the territory of any other Member.

상업적 주재(commercial presence)에 대해서는 GATS의 Article XXVIII Definitions에 명시되어 있다. 아래에서 보는 바와 같이 해외지점의 설치나 해외건설공사 등은 상업적 주재에 해당한다.

(d) "commercial presence" means any type of business or professional establishment, including through
   (i) the constitution, acquisition or maintenance of a juridical person, or
   (ii) the creation or maintenance of a branch or a representative office, within the territory of a Member for the purpose of supplying a service ;

**16** □□□

**WTO 분쟁해결절차 및 내용에 대한 설명으로 옳지 않은 것은?** 2016. 관세직 7급

① 패널 및 항소보고서의 채택 시 역만장일치제(reverse consensus system)가 적용된다.
② 분쟁심사를 위한 패널은 보통 3인으로 구성되나, 분쟁당사국들이 패널설치일로부터 10일 이내에 합의하는 경우 5인의 패널을 구성할 수 있다.
③ 중재판정은 분쟁당사국들에 대해 기속력을 가지지 않는다.
④ 패널보고서에 대한 항소는 분쟁당사국만이 할 수 있다.

답 ③

무역 거래에 분쟁이 생긴 경우, 일차적으로 분쟁당사국이 상대국에 대해 협의를 요청하고 이를 WTO에 통보하면 공식적으로 분쟁해결 절차가 개시된다. 제소국이 협의를 요청하면 10일 내에 피제소국이 이에 응해 30일 내에 협의를 개시하여 60일 내 협의를 통해 분쟁을 해결해야 한다. 만약 협의로 해결되지 못한 경우, 제소국은 '패널 설치'를 요청한다. 패널보고서에 대한 항소는 분쟁당사국만이 할 수 있다. 중재판정은 분쟁당사국들에 대해 기속력을 가진다.

**선지분석**

① 패널 및 항소보고서의 채택 시 역만장일치제(reverse consensus system)가 적용된다. 역만장일치제는 WTO 분쟁해결 제도의 특징인데, 패널 설치 등에 '만장일치로 반대'하지만 않으면 자동적으로 채택하는 방식이다. 네거티브 컨센서스(negative consensus)라고도 한다.
② WTO 패널은 일반적으로 분쟁해결기구(DSB)에 설치되며, 해당 분야 권위자, 통상전문관료, 교수 등 3인으로 구성된다. 그러나 분쟁당사국들이 패널설치일로부터 10일 이내에 합의하는 경우 5인의 패널을 구성할 수 있다.

**17** □□□ **신라운드(New Round) 중 국제기준보다 낮은 노동기준하에서 생산된 제품의 수출국에 대해 무역제재조치를 취할 수 있도록 하는 등 노동이나 근로조건을 국제무역과 연계시키는 것을 논의한 라운드는?** 2020. 관세직 7급

① Green Round ② Blue Round
③ Competition Round ④ Technology Round

답 ②

Blue Round(블루 라운드)란 세계 각국의 근로조건을 국제적으로 표준화할 목적으로 추진되는 다자간 무역협상이다. 노동 기준과 무역을 연계하려는 선진국들의 무역정책 중 하나로, 각국의 근로조건을 표준화하여 이 기준에 미치지 못하는 개발도상국들의 상품에 대해서는 무역 제재 조치를 취하기 위한 것이다.

**18** □□□ **WTO 세이프가드 조치에 대한 설명으로 옳지 않은 것은?** 2021. 관세직 7급

① 세이프가드 조치를 취하기 위해서 조사당국은 수입증가, 국내산업에 심각한 피해유발 또는 피해 우려, 그리고 수입증가와 심각한 피해 간의 인과 관계를 증명하여야 한다.
② 세이프가드 조치는 수입되는 상품에 대하여 출처에 관계없이 적용된다.
③ 잠정 세이프가드 조치는 200일을 초과할 수 없으며, 추후 조사결과 수입의 증가가 국내산업에 심각한 피해나 피해의 위협을 초래하지 않았다는 최종판정이 있을 경우 신속히 해결될 수 있도록 '관세인상', '수량제한', '양허의 철회 및 수정' 중에 필요한 조치를 선택할 수 있다.
④ 회원국은 심각한 피해를 방지하거나 구제하고 조정을 촉진하는 데 '필요한 범위에서만' 세이프가드 조치를 적용한다.

답 ③

세이프가드(safeguard)란 특정 품목의 수입이 급증하여 국내 업체에 심각한 피해 발생 우려가 있을 경우, 수입국이 관세인상이나 수입량 제한 등을 통하여 수입품에 대한 규제를 할 수 있는 무역장벽의 하나이다. 세이프가드 조치는 4년을 초과할 수 없다(The period shall not exceed four years. 세이프가드에 대한 협정 제7조). 잠정조치 기간을 포함하여 보호조치의 총 적용 기간은 최초 적용기간 및 해당 기간의 연장 기간을 포함하여 8년을 초과할 수 없다(The total period of application of a safeguard measure including the period of application of any provisional measure, the period of initial application and any extension thereof, shall not exceed eight years. 세이프가드에 대한 협정 제7조).

③ 잠정 세이프가드 조치는 200일을 초과할 수 없다(The duration of the provisional measure shall not exceed 200 days. 세이프가드에 대한 협정 제6조). 추후 조사결과 수입의 증가가 국내산업에 심각한 피해나 피해의 위협을 초래하지 않았다는 최종판정이 있을 경우 즉시 환급될 수 있는 관세인상의 형태로 이루어져야 한다(Such measures should take the form of tariff increases to be promptly refunded if the subsequent investigation referred to in paragraph 2 of Article 4 does not determine that increased imports have caused or threatened to cause serious injury to a domestic industry. 세이프가드에 대한 협정 제6조). 수량제한, 양허의 철회 및 수정 등은 잠정조치로 적당하지 않다.

**선지분석**

① 세이프가드 조치를 취하기 위해서 조사당국은 조사를 통하여 수입증가, 국내산업에 심각한 피해유발 또는 피해 우려, 그리고 수입증가와 심각한 피해 간의 인과 관계를 증명하여야 한다(A Member may apply a safeguard measure only following an investigation by the competent authorities of that Member pursuant to procedures previously established and made public in consonance with Article X of GATT 1994. 세이프가드에 대한 협정 제3조).

② 세이프가드 조치는 수입되는 상품에 대하여 출처에 관계없이 적용된다(Safeguard measures shall be applied to a product being imported irrespective of its source. 세이프가드에 대한 협정 제2조).

④ 회원국은 심각한 피해를 방지하거나 구제하고 조정을 촉진하는 데 '필요한 범위에서만' 세이프가드 조치를 적용한다(A Member shall apply safeguard measures only to the extent necessary to prevent or remedy serious injury and to facilitate adjustment. 세이프가드에 대한 협정 제5조).

## 19 □□□

**선진국이 개발도상국을 지원하기 위하여 특정 개발도상국의 특정 물품에 대하여 기본관세율보다 낮은 세율을 부과하는 관세는?** 2017. 관세직 7급

① 덤핑방지관세 ② 상계관세
③ 일반특혜관세 ④ 할당관세

답 ③

선진국이 개발도상국을 지원하기 위하여 특정 개발도상국의 특정 물품에 대하여 기본 관세율보다 낮은 세율을 부과하는 관세를 일반특혜관세(GSP)라 한다. 일반특혜관세는 UNCTAD(UN 무역개발회의)에서 남북문제 해결의 일환으로 1971년부터 실시하고 있는 특혜관세이다. 우리나라의 관세법에서도 '대통령령으로 정하는 개발도상국가를 원산지로 하는 물품 중 대통령령으로 정하는 물품에 대해서는 기본세율보다 낮은 세율의 관세를 부과할 수 있다(관세법 제76조)'고 하여 일반특혜관세를 규정하고 있다.

## 20 □□□

**지역경제통합의 형태 중 국가 간 경제적 장벽 제거수준과 내부 결속의 정도가 가장 약한 것부터 강한 것의 순서대로 바르게 나열한 것은?** 2013. 관세직 7급

㉠ 자유무역지역(Free Trade Area)
㉡ 관세동맹(Customs Union)
㉢ 경제동맹(Economics Union)
㉣ 공동시장(Common Market)
㉤ 완전경제통합(Complete Economic Integration)

① ㉠ - ㉡ - ㉣ - ㉢ - ㉤ ② ㉠ - ㉡ - ㉤ - ㉢ - ㉣
③ ㉡ - ㉢ - ㉠ - ㉣ - ㉤ ④ ㉡ - ㉠ - ㉣ - ㉢ - ㉤

답 ①

경제통합의 단계는 자유무역지역, 관세동맹, 공동시장, 경제동맹, 완전경제통합으로 구분된다.

| 구분 | 자유무역지역 | 관세동맹 | 공동시장 | 경제동맹 | 완전경제통합 |
|---|---|---|---|---|---|
| 역내관세 폐지 | ○ | ○ | ○ | ○ | ○ |
| 공동 대외관세 | × | ○ | ○ | ○ | ○ |
| 생산요소 이동 | × | × | ○ | ○ | ○ |
| 경제정책 조정 | × | × | × | ○ | ○ |
| 초국가기구 설립 | × | × | × | × | ○ |

**21** □□□ **발라샤(B. Balassa)가 제시한 경제통합단계가 낮은 단계에서 높은 단계로 바르게 나열된 것은?**

2010. 국제통상직 7급

① 자유무역지역 - 경제동맹 - 공동시장 - 관세동맹 - 완전경제통합
② 자유무역지역 - 공동시장 - 관세동맹 - 경제동맹 - 완전경제통합
③ 자유무역지역 - 관세동맹 - 공동시장 - 경제동맹 - 완전경제통합
④ 자유무역지역 - 경제동맹 - 관세동맹 - 공동시장 - 완전경제통합

답 ③

발라사는 경제통합 단계가 '자유무역지역, 관세동맹, 공동시장, 관세동맹, 완전경제통합' 순으로 높아진다고 주장하였다.

**22** □□□ **발라사(Balassa)가 분류한 경제통합의 유형을 발전단계에 따라 낮은 단계부터 순서대로 바르게 나열한 것은?**

2020. 관세직 7급

① 자유무역지역 - 공동시장 - 관세동맹 - 경제동맹 - 완전경제통합
② 자유무역지역 - 공동시장 - 경제동맹 - 관세동맹 - 완전경제통합
③ 자유무역지역 - 관세동맹 - 공동시장 - 경제동맹 - 완전경제통합
④ 자유무역지역 - 관세동맹 - 경제동맹 - 공동시장 - 완전경제통합

답 ③

발라사는 경제통합 단계가 '자유무역지역, 관세동맹, 공동시장, 관세동맹, 완전경제통합' 순으로 높아진다고 주장하였다.

**23** □□□ **경제통합에 대한 설명으로 옳지 않은 것은?** 2022. 관세직 7급

① 경제통합의 실례로는 EU, MERCOSUR, USMCA, ASEAN, CPTPP, RCEP 등이 있다.
② 바이너(Viner)는 관세동맹에 따라 나타나는 경제적 효과를 무역창출효과와 무역전환효과로 설명하고 있다.
③ 관세동맹을 체결하는 국가의 후생이 증가하기 위해서는 무역전환효과가 무역창출효과보다 커야 한다.
④ 경제통합의 동태적 효과로는 역내시장이 확대되면 역내경제에 규모의 경제가 나타나는 것이다.

답 ③

관세동맹이란 동맹국 사이에 모든 관세를 폐지하고 비동맹국의 상품에 대해서만 관세를 부과하기로 하는 협정이다. 자유무역을 주장하는 이들은 모든 국가에서 관세가 제거된 자유무역을 최적의 상황으로 보았고, 일부 국가들끼리 관세동맹을 맺을 경우 관세동맹을 맺기 이전에 비해 자유무역의 상황에 근접하는 것이므로, 관세동맹은 항상 세계 경제의 효율성을 증대시킬 것이라고 주장해왔다. 그러나 바이너는 관세동맹이 세계 경제의 효율성을 떨어뜨릴 수 있음을 지적하였다. 바이너는 관세동맹의 효과를 무역창출과 무역전환으로 구분하고 있다. 전자는 동맹국 사이에 새롭게 교역이 창출되는 것을 말하고 후자는 비동맹국들과의 교역이 동맹국과의 교역으로 전환되는 것을 의미한다. 무역창출은 상품의 공급원을 생산비용이 높은 국가에서 생산비용이 낮은 국가로 바꾸는 것이기 때문에 효율이 증대되지만, 무역전환은 공급원을 생산비용이 낮은 국가에서 생산비용이 높은 국가로 바꾸는 것이므로 효율이 감소한다. 관세동맹이 세계 경제의 효율성을 증가시키는가의 여부는 무역창출 효과와 무역전환 효과 중 어느 것이 더 큰가에 달려 있다. 무역전환 효과가 더 크다면 일부 국가들 사이의 관세동맹은 세계 경제의 효율성을 떨어뜨리게 된다. 즉, 관세동맹을 체결하는 국가의 후생이 증가하기 위해서는 '무역창출효과'가 '무역전환효과'보다 커야 한다.

**24** □□□ **발라사(B. Balassa)가 제시한 경제통합의 형태에 대한 설명으로 옳지 않은 것은?** 2017. 관세직 7급 하반기

① 자유무역지역은 역내국에 대해서는 각종 무역장벽을 없애고 역외국에 대해서는 각 나라마다 독자적인 무역규제를 실시하는 형태의 경제통합이다.
② 관세동맹은 역내국 간에 자유무역을 실시함은 물론, 역외국에 대해 공동의 관세정책을 실시하며, 노동, 자본 등 생산요소의 자유로운 이동을 허용하는 형태의 경제통합이다.
③ 경제동맹은 역내국 간 자유무역의 실시로 상품 및 생산요소의 자유로운 이동과 역외국들에 대한 공동의 관세정책의 실시는 물론, 역내국 상호간 경제정책의 협력 및 공동경제정책을 추진하는 형태의 경제통합이다.
④ 완전경제통합은 경제정책의 조정은 물론 초국가적 기구를 설립하여 각 역내국의 경제정책과 사회정책 등을 조정·통합·관리하는 형태의 경제통합이다.

답 ②

관세동맹 단계는 '역내 관세 폐지', '공동 대외 관세'를 특징으로 한다. 생산요소의 이동이나 경제정책의 조정, 초국가기구 설립은 하지 않는다. 그러므로 ②에서 '역내국 간에 자유무역을 실시'는 맞는 표현이고, '역외국에 대해 공동의 관세정책을 실시'도 맞는 표현이다. 그러나 '노동, 자본 등 생산요소의 자유로운 이동'은 허용되지 않는다. 생산요소의 이동까지 가능한 경제통합의 형태는 '공동 시장'이다.



**25** □□□

**경제통합에 대한 설명 중 옳지 않은 것은?** 2017. 관세직 7급 하반기

① 무역의 굴절효과(trade deflection effect)는 관세동맹 형태의 경제통합에서 발생될 수 있으며 관세동맹의 효과를 반감하는 결과를 초래할 수 있다.

② 경제통합의 경제적 효과 중 무역창출효과에는 비교우위원리가 적용되고, 무역전환효과는 비교우위원리에 역행되는 것을 설명하고 있다.

③ 관세동맹으로 무역자유화를 시행하는 국가가 많아진다 해도 세계 전체의 후생수준이 반드시 향상된다고 할 수는 없다.

④ 경제통합의 동태적 효과로는 시장 확대, 경쟁 촉진, 생산효용 증대, 거래비용 감소 등이 있다.



답 ①

발라사가 제시한 경제통합 단계는 다음과 같다. 경제통합으로 인해 무역 굴절 효과(trade deflection effect)가 생겨날 수 있다. 이것은 경제통합의 첫 단계인 자유무역지역에서 나타날 수 있는 효과이다.

| 구분 | 자유무역지역 | 관세동맹 | 공동시장 | 경제동맹 | 완전경제통합 |
|---|---|---|---|---|---|
| 역내관세 폐지 | ○ | ○ | ○ | ○ | ○ |
| 공동 대외관세 | × | ○ | ○ | ○ | ○ |
| 생산요소 이동 | × | × | ○ | ○ | ○ |
| 경제정책 조정 | × | × | × | ○ | ○ |
| 초국가기구 설립 | × | × | × | × | ○ |

자유무역지역이 형성되면 역내국 간에는 관세가 철폐되지만, 역외국으로부터 수입할 때에는 경제통합 회원국 간에 다른 관세율이 적용된다. 이에 따라 역외 제품이 역내 저관세국을 통해 수입되어, 다시 역내 고관세국으로 이동하는 현상이 나타날 수 있는데, 이것을 무역 굴절 효과(trade deflection effect)라고 한다. 무역 굴절 현상을 방지하려면, 엄격한 원산지 규정을 두어 '원산지국으로부터 수입되는 원산지 상품일 때에만 관세 인하 혜택을 준다'는 조건이 붙어야 한다.

**26** □□□ **경제통합의 형태에 관한 설명으로 옳지 않은 것은?** 2010. 관세직 7급

① 자유무역지역은 역내국 간에는 재화의 자유무역을 보장하지만, 역외국에 대해서는 역내국들이 독자적으로 관세 및 무역제한조치를 시행하는 형태이다.
② 경제동맹은 회원국 상호간에 재정, 금융 등 경제정책을 상호조정하여 공동경제정책을 시행하는 형태이다.
③ 공동시장은 가맹국 상호간에 초국가적 기구를 설치하여 경제통합 뿐만 아니라 정치, 사회 등 모든 면에서의 통합을 시행하는 형태이다.
④ 관세동맹은 역내국 간에는 무역장벽 철폐를 통해 자유무역을 보장하고, 역외국에 대해서는 공동의 관세 및 무역정책을 시행하는 형태이다.

답 ③

공동시장(common market)은 가맹국 상호간에 상품 뿐만이 아니라 노동과 자본 등 생산요소의 이동까지 보장되는 경제통합의 단계이다. 가맹국 상호간에 초국가적 기구를 설치하여 경제 통합 뿐만 아니라 정치, 사회 등 모든 면에서의 통합을 시행하는 형태는 완전경제통합(complete economic integration)이라 한다.

**27** □□□ **경제통합 효과에 대한 설명으로 옳지 않은 것은?** 2018. 관세직 7급

① 무역창출효과는 관세동맹으로 인해 회원국 간에 관세가 철폐됨에 따라 역내국 간 무역이 창출되는 효과를 말한다.
② 무역전환효과는 관세동맹 성립 전에는 역외국으로부터 수입되던 상품이 관세동맹 성립 후에는 그 제품의 수입선이 역내 타 회원국으로 전환되는 효과를 말한다.
③ 무역창출효과와 무역전환효과는 역내 및 역외국 모두에게 자원을 효율적으로 배분하고 후생을 증대시키는 역할을 한다.
④ 무역창출효과와 무역전환효과는 경제통합의 동태적 효과보다는 정태적 효과를 설명하는 데 많이 사용된다.

답 ③

무역창출효과는 경제통합으로 인해 무역이 새로 나타나는 효과이므로, 전세계적 자원배분의 측면에서 정(+)의 효과가 나타나고, 역내국의 후생도 증대한다. 그러나 무역전환효과는 관세의 철폐로 인하여 효율적인 역외생산자로부터 비효율적인 역내생산자로 공급선이 전환되므로 전세계적 자원 배분의 측면에서 부(−)의 효과가 있게 된다.

**28** □□□

**경제통합의 이익에 대한 설명으로 옳지 않은 것은?** 2014. 관세직 7급

① 생산요소의 자유로운 이동을 통한 자원 이용의 효율성이 높아진다.
② 가맹국들 간의 경쟁을 통하여 제품의 질과 기업의 경쟁력을 향상시킬 수 있다.
③ 가입국들 간의 관세장벽의 철폐로 인해 비가입국들에 대한 수입의존도가 높아지게 된다.
④ 시장 확대로 인한 규모의 경제 효과를 획득할 수 있다.

답 ③

경제통합(economic integration)이란 국가 간 경제적 장벽을 제거하여 지역 내 국가들의 이익을 도모하기 위해 결성된 경제협력조직이다. 가입국 간 관세장벽이 철폐되었을 때 '가입국들'(역내국들)에 대한 수입의존도가 높아지게 된다.

**29** □□□

**국가 간 경제통합의 효과에 관한 설명으로 옳지 않은 것은?** 2011. 관세직 7급

① 모든 산업이나 계층에 이익이 되는 것은 아니다.
② 시장규모의 확대로 인하여 규모의 경제 이익을 얻을 수 있다.
③ 정태적 관점에서의 이익이 경쟁촉진, 자본축적, 기술혁신 등과 같은 동태적 관점에서의 이익보다 크다.
④ 회원국 간에는 무역창출로 인하여 무역이 늘어날 수 있지만 비회원국의 경우에는 무역전환으로 인하여 무역이 줄어들 수 있다.

답 ③

경제통합의 정태적 관점의 이익이란 경제통합으로 인해 발생하는 단기적인 효과를 말한다. 정태적 관점에서의 경제통합의 효과에는 무역창출효과와 무역전환효과가 있다. 한편 동태적 관점이란 경제통합으로 인한 효과가 단기간 내에는 가시화되지 않더라도 어느 정도 시간이 지나면 서서히 나타나는 효과를 말한다. 최근의 경제통합이 관세철폐의 수준을 뛰어넘어 서비스, 투자, 경쟁, 환경, 노동 등 전 분야에 걸쳐 포괄적으로 규정됨에 따라 동태적 관점이 중시되고 있다.

**30** □□□

**경제통합에 따른 후생효과를 설명한 것으로 옳은 것은?** 2008. 관세직 7급

① 비회원국에 대한 회원국의 무역장벽이 낮을수록 무역전환효과가 커진다.
② 대국과 소국이 경제통합을 하면 대국의 경제적 이득이 소국의 경제적 이득보다 크다.
③ 산업구조가 보완적인 국가일수록 경제통합에 따른 경제적 이득이 크게 나타난다.
④ 무역전환효과가 무역창출 효과보다 크면 생산측면의 후생이 감소한다.

답 ④

무역전환효과란 경제통합에 의하여 역내 국가와의 관세가 철폐되고 역외국에 대해 상대적으로 높은 관세가 부과됨에 따라, 역외 저생산비 공급원에서 역내 고생산비 공급원으로 전환되는 효과이다. 무역전환효과는 관세의 철폐로 인하여 효율적인 역외 생산자로부터 비효율적인 역내 생산자로 공급선이 전환되므로 전 세계 자원배분의 측면에서 부(-)의 효과를 가져오게 된다. 소비자의 후생이 증대되기 위해서는 '무역창출 효과 > 무역전환효과'의 관계에 있어야 하며, 무역전환효과가 무역창출효과보다 크면 생산측면의 후생이 감소한다. 산업구조가 보완적인 국가는 경제적 자립능력이 뛰어나므로, 다른 국가와의 경제통합에 따른 경제적 이득이 크지 않다.

**31** □□□

**자유무역협정(FTA: Free Trade Agreement)에 대한 설명으로 옳지 않은 것은?** 2014. 관세직 7급

① FTA에는 재화에 대한 자유무역협정은 포함되나, 서비스, 투자 등의 자유화 협정은 포함되지 않는다.
② FTA는 특정 국가 간에 배타적인 무역 특혜를 서로 부여하는 협정이다.
③ WTO 가맹국은 FTA 협정을 맺으면 반드시 이를 WTO에 보고해야 한다.
④ FTA 체결국 간에 나타날 수 있는 경제적 효과로는 무역전환효과와 무역창출효과가 있다.

답 ①

FTA에는 재화(상품)에 대한 자유무역협정 뿐만이 아니라, 서비스 및 투자 등의 자유화 협정도 포함된다. 예를 들면, 한-ASEAN FTA의 경우에도 2007년 6월 1일에는 상품 분야 FTA가, 2009년 5월 1일에는 서비스 분야 FTA가, 2009년 9월 1일에는 투자 분야 FTA가 발효되었다.

**32** □□□

**FTA에 대한 설명으로 옳지 않은 것은?** 2009. 국제통상직 7급

① 2개국 이상의 국가 간에 관세 등 무역장벽을 낮추거나 철폐하여 역내 무역자유화를 도모하려는 지역경제통합의 한 형태를 말한다.
② EFTA와 NAFTA 등이 FTA의 대표적 사례들이다.
③ 2008년 말 현재, 우리나라가 FTA를 체결한 상대국으로는 칠레, 싱가포르, 아세안(상품부문), 미국(비준만 남음) 등이 있다.
④ European Community와 같은 공동시장이 형성된 이후에 나타날 수 있는 지역경제통합의 한 형태를 말한다.

답 ④

공동시장(common market)이 형성된 이후에 나타날 수 있는 지역경제통합의 형태는 경제동맹 및 완전경제통합이다. FTA를 Free Trade Area로 이해하는 경우 지역경제통합의 가장 초기 단계로 보아야 하며, FTA를 Free Trade Agreement로 이해하는 경우 Free Trade Area 및 관세동맹, 공동시장, 경제동맹 등을 포괄하는 개념으로 이해하여야 한다.

**선지분석**

③ 2008년 기준으로는 맞지만, 2025년 3월 현재 FTA 발효 국가는 다음과 같이 늘어났다.

**우리나라의 FTA 발효 현황(2025. 3. 1. 기준)**

| FTA 명칭 | 발효일 | 적용 국가 |
|---|---|---|
| 한-칠레 FTA | 2004. 4. 1 | 칠레 |
| 한-싱가포르 FTA | 2006. 3. 2 | 싱가포르 |
| 한-EFTA FTA | 2006. 9. 1 | 스위스, 노르웨이, 아이슬란드, 리히텐슈타인 |
| 한-ASEAN FTA | 2007. 6. 1(상품)<br>2009. 5. 1(서비스)<br>2009. 9. 1(투자) | 브루나이, 캄보디아, 인도네시아, 라오스, 말레이시아, 미얀마, 필리핀, 싱가포르, 베트남, 태국 |
| 한-인도 CEPA | 2010. 1. 1 | 인도 |
| 한-EU FTA | 2011. 7. 1 | <EU 27개국><br>벨기에, 프랑스, 독일, 이탈리아, 룩셈부르크, 네덜란드, 덴마크, 아일랜드, 영국, 그리스, 포르투갈, 스페인, 오스트리아, 핀란드, 스웨덴, 폴란드, 헝가리, 체코, 슬로바키아, 슬로베니아, 리투아니아, 라트비아, 에스토니아, 키프로스, 몰타, 불가리아, 루마니아 |
| 한-페루 FTA | 2011. 8. 1 | 페루 |
| 한-미국 FTA | 2012. 3. 5 | 미국 |
| 한-튀르키예 FTA | 2013. 5. 1 | 튀르키예 |
| 한-호주 FTA | 2014. 12. 12 | 호주 |
| 한-캐나다 FTA | 2015. 1. 1 | 캐나다 |
| 한-중국 FTA | 2015. 12. 20 | 중국 |
| 한-뉴질랜드 FTA | 2015. 12. 20 | 뉴질랜드 |
| 한-베트남 FTA | 2015. 12. 20 | 베트남 |
| 한-콜롬비아 FTA | 2016. 7. 15 | 콜롬비아 |
| 한-중미 FTA | 2021. 3. 1 | 니카라과, 온두라스, 코스타리카, 엘살바도르, 파나마 |
| 한-영 FTA | 2021. 1. 1 | 영국 |
| RCEP | 2022. 2. 1 | (역내 포괄적 경제 동반자 협정)<br>한국, 아세안 10개국, 중국, 일본, 호주, 뉴질랜드 |
| 한-이스라엘 FTA | 2022. 12. 1 | 이스라엘 |
| 한-캄보디아 FTA | 2022. 12. 1 | 캄보디아 |
| 한-인도네시아 CEPA | 2023. 1. 1 | 인도네시아 |
| 한-필리핀 | 2024. 12. 31 | 필리핀 |

**33** □□□

**FTA에 대한 설명으로 옳지 않은 것은?** 2008. 관세직 7급

① 회원국 간에 관세 및 비관세장벽을 제거함으로써 교역량을 증대시킨다.
② 회원국 간에 무역장벽이 제거되어 기업 간에 경쟁이 심화된다.
③ 역내외 국가들로부터 직접투자가 활성화되어 기술이전이 촉진된다.
④ WTO 다자무역질서의 근간인 최혜국대우 원칙에 상치하므로 WTO에서는 FTA를 인정하지 않고 있다.

답 ④

FTA는 무역장벽을 제거하여 협정국간의 교역량을 증대시키고, 이에 따라 양국의 기업 간에 경쟁이 심화될 수밖에 없다. FTA는 상품교역 뿐만이 아니라 투자제한의 철폐를 포함하므로, 양국 간 외국인투자가 증가하게 된다. FTA는 WTO의 최혜국대우(MFN)에 위배되는 측면이 있으나, 다자 간 무역체제가 지향하는 자유무역 확대에 보완적인 역할을 한다는 점에서 WTO는 일정조건하에서 FTA를 인정하고 있다. WTO가 요구하는 FTA의 요건은 다음과 같다.
① 내국산 상품에 대해 실질적으로 모든 교역에서 관세 및 제한적 무역조치들을 제거하여야 한다.
② 역내국산 서비스에 대해서는 실질적으로 모든 차별을 철폐하여야 한다.
③ 역외국에 대해서는 상품교역과 관련하여 지역무역협정 체결 이전보다 관세 및 기타 무역규정들이 더 높거나 무역이 제한되어서는 안 되며, 서비스와 관련 협정체결 전보다 서비스 교역에 대한 장벽 수준을 높여서는 안 된다.
④ 지역무역협정의 합리적 이행기간은 불가피한 경우를 제외하고는 10년 이내이어야 한다 등이다.

**34** □□□

**FTA의 무역창출효과 증대 조건에 관한 설명으로서 옳지 않은 것은?** 2007. 관세직 7급

① 경제통합 결성 이전에 회원국들 간의 무역장벽이 높아야 한다.
② 경제통합 결성 후에도 역외국에 대한 무역장벽이 높지 않아야 한다.
③ 경제통합의 지역이 크고, 회원국의 수가 많아야 한다.
④ 회원국들이 지리적으로 근접해 있어야 한다.

답 ②

무역창출효과(Trade Creation Effects)란 경제통합에 의하여 역내 관세가 철폐되면 종래 관세에 의하여 보호되었던 역내국의 생산비가 높은 생산자는 배제되고, 역내 다른 국가의 저생산비 생산자로부터의 수입이 창출되는 효과이다. 경제통합 결성 후, 역외국에 대한 무역장벽이 높을 때 무역창출효과는 증대된다.

**35** □□□ **FTA의 원산지 규정에서는 일반적으로 자국의 영해 밖 공해상에서 획득한 수산물 또는 가공 선상품의 경우, 작업이 이루어진 선박이 자국적인 경우에 한하여 원산지를 인정한다. 다음 우리나라가 체결한 FTA 중 자국적 선박을 인정하는 기준이 다른 것은?** 2012. 관세직 7급

① 한·EFTA FTA
② 한·칠레 FTA
③ 한·미 FTA
④ 한·ASEAN FTA

답 ①

다른 FTA와 달리 한-EFTA FTA에서는 수산물 또는 가공 선상품이 '당사국에서 완전하게 획득된 것으로 간주'하는 기준을 '당사국의 국기를 게양한 선박에 의하여 어느 국가의 영해 밖에서 획득된 어획물 및 그 밖의 상품, 또는 이런 상품으로만 당사국의 국기를 게양한 가공선박에서 제조한 상품'으로 본다(한-EFTA FTA 협정문).

# PART 2

# 무역실무

CHAPTER 1

# 무역계약의 체결

## 1 | 무역절차 개요

**01** □□□

**기업이 수출 승인 대상 품목을 수출하려고 할 때 수출 절차로 타당한 것은?** 2008. 관세직 7급

① 수출 계약 체결 - 수출신고 - 수출 승인 - 수출신용장 수령 - 선적 - 대금 회수
② 수출 계약 체결 - 수출신용장 수령 - 수출 승인 - 수출신고 - 선적 - 대금 회수
③ 수출 계약 체결 - 수출 승인 - 수출신고 - 수출신용장 수령 - 선적 - 대금 회수
④ 수출 계약 체결 - 수출신용장 수령 - 수출신고 - 수출 승인 - 선적 - 대금 회수

답 ②

수출은 통상 ㉠ 거래선 발굴, ㉡ 수출계약의 체결, ㉢ 신용장의 내도(수취), ㉣ 수출 허가 또는 수출 승인, ㉤ 수출물품의 확보, ㉥ 수출통관, ㉦ 운송계약 및 해상보험계약의 체결, ㉧ 물품의 선적, ㉨ 수출대금 회수, ㉩ 사후관리의 순서로 진행된다. 수출신용장을 수령(내도, 수취)한 이후에 수출통관 절차가 이루어진다는 점과, 수출 승인을 얻은 사실이 수출신고 시 기재되어야 한다는 점에 유의하여야 한다.

**02** □□□

**우리나라의 현행 수출입관리체계의 하나라고 볼 수 없는 것은?** 2011. 관세직 7급

① 대외무역법에 의한 수출입공고
② 대외무역법에 의한 통합공고
③ 개별법상 수출입 절차규정
④ 개별법상 원칙적 무역허가제

답 ④

무역관리(수출입관리)란 국가가 법규, 제도, 기구 등에 의하여 수출입거래를 규제하고 제한하는 절차를 말한다. 우리나라의 무역관리 체계는 대외무역법상 수출입공고, 대외무역법상 통합공고, 대외무역법상 전략물자수출입공고 및 개별법상 수출입 절차 규정 등으로 구성되어 있다. 대외무역법 및 개별법에 따라 무역은 원칙적으로 '무역자유화'이다.

## 03 □□□

**대외무역법상 전략물자에 대한 설명으로 옳지 않은 것은?** 2009. 국제통상직 7급

① 전략물자는 국제평화, 안전유지 및 국가안보를 위해서 다자 간 국제수출통제 체제의 원칙에 따라 수출허가 등 제한이 필요한 물품 등을 말한다.

② 전략물자를 수출하려는 자 또는 수출신고하려는 자는 산업통상자원부장관이나 관계 행정기관의 장의 수출허가를 받아야 한다.

③ 전략물자에는 해당되지 아니하나 대량파괴무기 등의 제조에 전용될 가능성이 높은 물품 등을 수출하려는 자는 산업통상자원부장관이나 관계 행정기관의 장의 상황허가를 받아야 한다.

④ 전략물자 또는 상황허가 대상인 물품 등을 국내 항만이나 공항을 경유하거나 국내에서 환적하려는 자는 산업통상자원부장관이나 관계 행정기관의 장의 중개허가를 받아야 한다.

답 ④

전략물자 또는 상황허가 대상인 물품 등을 국내 항만이나 공항을 경유하거나 국내에서 환적하려는 자는 대통령령으로 정하는 바에 따라 산업통상자원부장관이나 관계 행정기관의 장의 '경유 또는 환적허가'를 받아야 한다(대외무역법 제19조의4). 전략물자 등이 제3국에서 다른 제3국으로 수출되도록 중개하려는 자가 받아야 하는 허가가 '중개허가'이다(대외무역법 제19조의5).

## 04 □□□

**우리나라 외국환거래법의 특성으로 옳지 않은 것은?** 2013. 관세직 7급

① 원칙자유 · 예외규제방식 ② 위임입법주의
③ 조세법적 특성 ④ 국제주의

답 ③

우리나라의 무역관리 3대 법규인 대외무역법, 외국환거래법, 관세법의 특성은 다음과 같다.

| 대외무역법 | 외국환거래법 | 관세법 |
|---|---|---|
| ① 수출입 관리를 위한 기본법 | ① 원칙 자유, 예외 규제(Negative system) | ① 조세법적 특성 |
| ② 무역에 관한 규제 최소화 | ② 위임입법주의 | ② 통관법적 특성 |
| ③ 무역 및 통상에 관한 진흥법 | ③ 속인주의 | ③ 형사법적 특성 |
| ④ 무역에 관한 통합법 | ④ 속지주의 | ④ 소송법적 특성 |
| ⑤ 위임법적 성격 | ⑤ 국제주의 | ⑤ 국제법적 특성 |

'조세법적 특성'은 관세법의 특성이다.

## 2 | 무역계약의 성립

**01** □□□

**무역계약의 법적 성격에 대한 내용으로 옳지 않은 것은?** 2010. 국제통상직 7급

① 유상계약 ② 요식계약

③ 쌍무계약 ④ 낙성계약

답 ②

무역계약은 불요식계약이다. 즉, 정해진 형식이 없이, 문서 또는 구두에 의한 명시적 또는 묵시적 의사표시에 의해 성립되는 계약이다.

**02** □□□

**무역계약의 법적 성질로 적절하지 않은 것은?** 2008. 관세직 7급

① 무역계약이 성립되기 위해서는 당사자 간의 합의가 필요하다.

② 무역계약의 성립과 동시에 수출상은 물품인도, 수입상은 대금지급의 채무를 부담한다.

③ 무역계약에는 반드시 서면의 계약서가 필요하다.

④ 무역계약은 상호간에 대가의 관계를 수반하는 유상계약이다.

답 ③

무역계약은 문서 뿐만이 아니라 구두에 의하여도 성립될 수 있는 불요식 계약이며, 반드시 서면의 계약서가 필요한 것은 아니다.

| | |
|---|---|
| 낙성계약<br>(합의계약) | 청약(offer)에 대하여 피청약자가 승낙(acceptance)함으로써 합의가 이루어져 성립하는 계약 |
| 유상계약 | 대가의 관계가 있는 급부를 목적으로 하는 계약<br>(수출상의 물품인도, 수입상의 대금지급) |
| 쌍무계약 | 계약의 성립에 의하여 양 당사자가 상호채무를 부담하는 계약 |
| 불요식계약 | 문서 또는 구두에 의한 명시적 또는 묵시적 의사표시에 의해 성립되는 계약 |

**03** □□□

**무역계약의 법적 성격에 대한 설명으로 옳지 않은 것은?** 2020. 관세직 7급

① 쌍무계약은 양 당사자가 동시에 채무를 부담하는 것으로 매매계약이 성립되면 매도인은 물품인도의무를 부담하고, 매수인은 대금지급의무를 부담한다.

② 낙성계약은 일방당사자의 청약에 대하여 상대방이 승낙함으로써 성립되는 계약으로 요물계약이라고도 한다.

③ 유상계약은 서로 대가관계에 있는 재산상 급부 등을 목적으로 이루어지는 계약으로서 무상계약과 대응되는 개념이다.

④ 불요식계약은 특별한 형식 없이 구두나 행위에 의하여도 의사의 합치만 확인되면 계약이 성립된다는 것이다.

답 ②

무역계약은 쌍무계약, 낙성계약, 유상계약, 불요식계약이다. 그러나 '요물계약'은 아니다. 요물계약(要物契約)이란 당사자의 의사가 일치하는 것 이외에 당사자 일방이 물건의 인도와 기타 급부를 하여야 하는 계약을 말한다. 요물계약은 현실적인 급부가 있어야 한다는 점에서, 당사자의 의사합치만으로 계약이 성립하는 낙성계약과 구분된다.

**04** □□□

**청약(Offer)에 관한 사항으로 옳지 않은 것은?** 2010. 관세직 7급

① 청약에 승낙회답의 유효기간이 있거나 확정적(Firm)이라는 표시가 있는 경우, 이는 Firm Offer이다.

② Free Offer는 상대방의 승낙을 받기 전까지는 청약자가 청약내용을 일방적으로 철회하거나 변경할 수 없다.

③ Counter Offer는 원래의 청약에 대한 거절이 되고, 동시에 새로운 청약이 된다.

④ Conditional Offer는 엄밀한 의미에서 청약이라기보다는 사전거래의 예비적 협상성격을 띠는 Invitation to Offer이다.

답 ②

Free Offer(자유청약, 불확정청약)는 청약자가 승낙기간을 지정하지 않았고 확정적(firm)이라는 의사표시도 하지 않은 청약을 말한다. 이 경우 계약이 체결되기까지는 청약은 취소될 수 있다. 다만 취소의 통지는 피청약자가 승낙을 발송하기 전에 피청약자에게 도달하여야 한다(CISG 제16조).

**05** □□□

**국제물품매매계약에 관한 UN협약(CISG)이 적용되지 않는 거래만을 모두 고르면?**

2021. 관세직 7급

| | |
|---|---|
| ㄱ. 경매에 의한 매매 | ㄴ. 고가의 예술품 매매 |
| ㄷ. 전기의 매매 | ㄹ. 선박 엔진의 매매 |

① ㄱ, ㄴ
② ㄱ, ㄷ
③ ㄴ, ㄹ
④ ㄷ, ㄹ

답 ②

국제물품매매계약에 관한 UN협약(CISG)은 다음과 같은 매매에는 적용되지 아니한다(CISG 제2조).

(a) 개인용, 가족용 또는 가사용으로 구입되는 물품의 매매(다만, 매도인이 계약의 체결 전 또는 그 당시에 물품이 그러한 용도로 구입된 사실을 알지 못하였거나 또는 알았어야 할 것도 아닌 경우는 제외한다)
(b) 경매에 의한 매매
(c) 강제집행 또는 기타 법률상의 권한에 의한 매매
(d) 지분, 투자증권, 유통증권 또는 통화의 매매
(e) 선박, 부선, 수상익선, 또는 항공기의 매매
(f) 전기의 매매

**06** □□□

**국제물품매매계약에 관한 UN협약(CISG)상 청약과 승낙에 대한 설명으로 옳지 않은 것은?**

2019. 관세직 7급

① 승낙기간의 지정 그 밖의 방법으로 청약이 취소될 수 없음이 그 청약에 표시되어 있는 경우 그 청약은 취소될 수 없다.
② 원청약에 대해 피청약자가 내용을 변경하거나 추가하여 새로운 조건을 제의하는 것은 반대청약에 해당하고 이를 원청약자에게 발신하면 그 즉시 효력이 발생한다.
③ 청약은 철회의 의사 표시가 청약의 도달 전 또는 그와 동시에 피청약자에게 도달하는 경우에는 철회될 수 있다.
④ 청약에 대한 승낙의 효력은 동의의 의사표시가 청약자에게 도달하는 시점에 발생한다.

답 ②

원청약에 대해 피청약자가 내용을 변경하거나 추가하여 새로운 조건을 제의하는 것은 반대청약에 해당한다(CISG 제19조). 이것은 새로운 청약에 해당하므로 이 또한 원청약자가 동의한다는 의사표시가 피청약자(반대청약을 한 사람)에게 도달하는 때에 그 승낙의 효력이 발생한다.

**07** □□□ **국제물품매매계약에 관한 UN협약(CISG, 1980)상 승낙(acceptance)에 대한 설명으로 옳지 않은 것은?**

2017. 관세직 7급

① 승낙을 의도하고 있으나 추가, 제한, 기타 변경을 포함하는 청약에 대한 응답은 청약에 대한 거절이면서 반대 청약이 된다.

② 승낙기간 중의 공휴일 또는 비영업일은 기간의 계산에 산입한다. 그러나 기간의 말일이 청약자의 영업소 소재지에서 공휴일 또는 비영업일에 해당하여 승낙의 통지가 기간의 말일에 청약자에게 도달될 수 없는 경우에는 승낙기간은 그 다음 날까지 연장된다.

③ 연착된 승낙은 청약자가 상대방에게 지체 없이 승낙의 효력이 있다는 취지를 구두로 알리거나 그러한 취지의 통지를 발송하는 경우에는 승낙으로서의 효력이 있다.

④ 승낙은 그 효력이 발생하기 전에 또는 그와 동시에 철회의 의사표시가 청약자에게 도달하는 경우에는 철회될 수 있다.

답 ②

승낙기간 중의 공휴일 또는 비영업일은 기간의 계산에 산입한다. 그러나 기간의 말일이 청약자의 영업소 소재지에서 공휴일 또는 비영업일에 해당하여 승낙의 통지가 기간의 말일에 청약자에게 도달될 수 없는 경우에는 승낙기간은 '최초의 영업일까지' 연장된다(CISG 제20조). 연착된 승낙은 청약자가 상대방에게 지체 없이 승낙의 효력이 있다는 취지를 구두로 알리거나 그러한 취지의 통지를 발송하는 경우에는 승낙으로서의 효력이 있다(CISG 제21조).

**선지분석**

① 승낙을 의도하고 있으나 추가, 제한, 기타 변경을 포함하는 청약에 대한 응답은 청약에 대한 거절이면서 반대 청약이 된다(CISG 제19조).

④ 승낙은 그 효력이 발생하기 전에 또는 그와 동시에 철회의 의사표시가 청약자에게 도달하는 경우에는 철회될 수 있다(CISG 제22조).

**08** □□□ **국제물품매매계약에 관한 UN협약(CISG, 1980)상 청약(offer)과 승낙(acceptance)에 대한 설명으로 옳지 않은 것은?**

2012. 관세직 7급

① 청약은 그것이 취소 불능한 것이라도 그 철회가 청약의 도달 전 또는 그와 동시에 피청약자에게 도달하는 경우에는 이를 철회할 수 있다.
② 피청약자가 청약을 받고 침묵하거나 아무런 행위도 하지 않은 경우 그 자체로는 청약의 승낙으로 볼 수 없다.
③ 승낙을 의도하고 있으나 이에 추가, 제한 또는 기타의 변경을 포함하고 있는 청약에 대한 승낙은 청약의 거절이면서 또한 반대청약을 구성한다.
④ 지연된 승낙은 청약자가 구두로 피청약자에게 유효하다는 취지를 통지하거나 또는 그러한 취지의 통지를 발송한 경우에도 효력이 발생되지 않는다.

답 ④

지연된 승낙은 그럼에도 불구하고 청약자가 지체 없이 구두로 피청약자에게 유효하다는 취지를 통지하거나 또는 그러한 취지의 통지를 발송한 경우에는, 이는 승낙으로서의 효력을 갖는다(CISG 제21조).

**09** □□□ **국제물품매매계약에 관한 UN협약(CISG)상 계약의 성립에 대한 내용으로 옳지 않은 것은?**

2017. 관세직 7급 하반기

① 청약의 의사표시는 피청약자에게 도달한 때에 효력이 발생된다.
② 통상적인 상황이었더라면 적기에 도달할 수 있었으나 통신 수단의 문제로 연착된 승낙의 경우, 청약자가 상대방에게 지체 없이 승낙으로서 효력을 가진다는 취지의 통지를 발송하여야만 승낙으로서의 효력이 있다.
③ 청약에 대한 피청약자의 침묵이나 부작위는 그 자체로 승낙이 되지 않는다.
④ 당사자 간에 확립된 관례가 있다면 의사표시가 아니라 물품을 발송하는 행위로 승낙하는 것도 가능하다.

답 ②

통상적인 상황이었더라면 적기에 도달할 수 있었으나, 통신 수단의 문제로 연착된 승낙의 경우, 그 지연된 승낙은 승낙으로서의 효력을 갖는다. 다만, 청약자가 지체없이 피청약자에게 청약이 효력을 상실한 것으로 본다는 취지를 구두로 통지하거나 또는 그러한 취지의 통지를 발송하지 아니하여야 한다(CISG 제21조).

**10** □□□

**무역계약에서 승낙에 대한 설명으로 옳지 않은 것은?** 2021. 관세직 7급

① 피청약자가 청약의 조건들 가운데 일부분만을 승낙한 경우에는 계약이 성립되지 않는다.
② 영미법에서 승낙의 효력 발생시기는 대화자 간이나 격지자 간 모두 도달주의 원칙을 적용하고 있다.
③ 청약에 대해 피청약자가 적극적인 행위나 진술을 하지 않는 침묵에 의한 승낙은 원칙적으로 승낙으로 인정되지 않는다.
④ 승낙 방법이 지정되지 않은 경우에는 관습적으로 신속한 수단이나 청약 시에 이용한 방법으로 하는 것이 계약을 유효하게 성립시킬 수 있다.

답 ②

영미법에서 승낙의 효력 발생시기는 대화자 간 승낙의 의사표시와 격지자 간 승낙의 의사표시에 차이가 있다. 아래 표에서 볼 수 있듯이, 영미법에서 승낙의 효력 발생시기는 대화자 간 승낙은 도달주의 원칙을 취하고 있으나(미국의 경우 전화로 승낙하는 경우, 발신주의), 격지자 간 승낙은 발신주의 원칙을 취하고 있다.

| 구분 | 영국 | 미국 | 독일 | CISG | 한국 민법 |
|---|---|---|---|---|---|
| 대화자 간 승낙<br>(대화, 전화, 팩스, 이메일) | 도달주의 | 도달주의<br>(전화: 발신주의) | 도달주의 | 도달주의 | 도달주의 |
| 격지자 간 승낙<br>(우편, 전보) | 발신주의 | 발신주의 | 도달주의 | 도달주의 | 발신주의 |

**11** □□□

**국제물품매매계약에 관한 UN협약(CISG)상 매수인의 계약위반에 대해 매도인이 행사할 수 있는 구제권은?** 2020. 관세직 7급

① 대체물품인도청구권
② 하자보완청구권
③ 대금감액청구권
④ 물품명세확정권

답 ④

구제(remedy)란 일정한 권리가 침해당한 경우 그러한 침해를 방지 또는 시정하거나 보상하게 하는 것을 말한다. 여기에는 매도인의 계약위반에 대한 매수인의 구제(buyer's remedy)와 매수인의 계약위반에 대한 매도인의 구제(seller's remedy)가 있다.

| 매수인의 구제 | 매도인의 구제 |
|---|---|
| 계약 해제권 | 계약 해제권 |
| 특정이행 청구권 | 특정이행 청구권 |
| 대금감액 청구권 | 물품명세 확정권 |
| 손해배상 청구권 | 손해배상 청구권 |

물품명세확정권은 매도인의 구제권이다.

**선지분석**

① 대체물품인도청구권은 매수인의 구제 중 '특정이행 청구권'에 포함된다.
② 하자보완청구권은 매수인의 구제 중 '특정이행 청구권'에 포함된다.
③ 대금감액청구권은 매수인의 구제권이다.

**12** □□□ **국제물품매매계약에 관한 유엔협약(CISG, 1980)상 규정되어 있는 매수인의 구제방법으로 옳지 않은 것은?** 2016. 관세직 7급

① 계약해제권 ② 특정이행청구권
③ 물품명세확정권 ④ 대금감액청구권

답 ③

물품명세확정권은 매도인의 구제방법이다.

**13** □□□ **국제물품매매계약에 관한 UN협약(CISG)상 매수인의 계약위반에 따른 매도인의 권리구제에 대한 설명으로 옳지 않은 것은?** 2022. 관세직 7급

① 매도인은 계약이행청구권과 동시에 계약해제권을 행사할 수 없다.
② 매도인은 매수인의 의무이행을 위한 상당한 기간의 추가기간을 지정할 수 있다.
③ 매도인은 손해배상 이외의 구제권 행사로 인하여 손해배상을 청구할 수 있는 권리를 박탈당하지 아니한다.
④ 매도인이 스스로 물품명세를 확정하는 경우 매도인은 매수인에게 이에 관한 세부사항의 통지 없이 스스로 물품명세를 확정할 수 있으며, 이러한 물품명세는 구속력을 갖는다.

답 ④

매도인이 스스로 물품명세를 작성하는 경우에는, 매도인은 매수인에게 이에 관한 세부사항을 통지하여야 하고, 또 매수인이 이와 상이한 물품명세를 작성할 수 있도록 상당한 기간을 지정하여야 한다. 매수인이 그러한 통지를 수령한 후 지정된 기간 내에 이와 상이한 물품명세를 작성하지 아니하는 경우에는, 매도인이 작성한 물품명세가 구속력을 갖는다(CISG 제65조).

**선지분석**

① 매도인은 매수인에 대하여 대금의 지급, 인도의 수령 또는 기타 매수인의 의무를 이행하도록 청구할 수 있다. 다만 매도인이 이러한 청구와 모순되는 구제를 구한 경우에는 그러하지 아니하다(CISG 제62조). 즉, 매도인은 계약이행청구권과 이와 모순되는 계약해제권을 동시에 행사할 수는 없다.
② 매도인은 매수인의 의무이행을 위한 상당한 기간의 추가기간을 지정할 수 있다(CISG 제63조).
③ 매수인이 계약 또는 CISG 상의 어떤 의무를 이행하지 아니하는 경우에는 매도인은 '계약이행청구권, 계약해제권, 물품명세 확정권' 및 손해배상 청구권을 행할 수 있다. 이 경우 매도인은 손해배상 이외의 구제권 행사로 인하여 손해배상을 청구할 수 있는 권리를 박탈당하지 아니한다(CISG 제61조).

**14** □□□

**국제물품매매계약에 관한 UN협약(CISG)에 대한 내용으로 옳지 않은 것은?** 2022. 관세직 7급

① 계약적합성 판단시기와 관련하여 위험이전 시에 불일치가 존재하면, 불일치 사실이 위험이전 후에 발견된 경우라도 매도인은 책임을 진다.

② 대금지급은 당사자가 약속한 장소가 있으면 그 장소에서, 약속한 장소가 없는 경우에는 원칙적으로 매수인의 영업소에서 이루어져야 한다.

③ 매수인은 당해 사정에 비추어 실행 가능한 짧은 기간 내에 물품을 검사하거나 물품이 검사되도록 하여야 한다.

④ 상대방의 계약위반에 대한 통지의 경우 발신주의 원칙이 적용되어 통지가 지연되거나 도달하지 않는 경우에도 통지의무를 이행한 것으로 본다.

답 ②

매수인이 어느 특정한 장소에서 대금을 지급하여야 할 의무가 없는 경우에는, 매수인은 다음과 같은 장소에서 매도인에게 이를 지급하여야 한다(CISG 제57조).

> (a) '매도인'의 영업소, 또는 (b) 지급이 물품 또는 서류의 교부와 상환으로 이루어져야 하는 경우에는, 그 교부가 행하여지는 장소.

**선지분석**

① 계약적합성 판단시기와 관련하여 위험이전 시에 불일치가 존재하면, 불일치 사실이 위험이전 후에 발견된 경우라도 매도인은 책임을 진다(CISG 제36조).

③ 매수인은 당해 사정에 비추어 실행 가능한 짧은 기간 내에 물품을 검사하거나 물품이 검사되도록 하여야 한다(CISG 제38조).

④ 상대방의 계약위반에 대한 통지의 경우 발신주의 원칙이 적용되어 통지가 지연되거나 도달하지 않는 경우에도 통지의무를 이행한 것으로 본다(CISG 제27조).

**15** □□□

**무역계약의 기본조건 중 품질조건에 대한 설명으로 옳지 않은 것은?** 2018. 관세직 7급

① FAQ 조건은 해당 계절 출하품의 평균중등품을 표준으로 한다.

② GMQ 조건은 정확한 견본 또는 표준품의 이용이 곤란한 경우에 사용되며, 인도하는 물품의 품질이 시장에서 판매적격해야 한다.

③ 선적품질조건은 인도된 물품의 품질이 선적시점에 약정된 품질임이 증명되면, 그 후의 변질에 대해서는 매도인이 책임을 지지 않는 조건이다.

④ 양륙품질조건은 운송도중에 생기는 물품의 변질에 대해서 운송인이 책임을 지는 조건이다.

답 ④

양륙품질조건(landed quality terms)이란 수입지에서 화물이 양륙되었을 때의 품질을 기준으로 하는 무역거래조건이다. 즉 매도인이 계약된 화물을 양륙할 때까지 보장하는 조건으로, 운송도중에 생기는 물품의 변질에 대해서는 '매도인'이 책임을 진다. 반면에 계약된 화물을 매도인이 선적할 때까지만 보장하는 선적품질조건(shipped quality terms)의 경우, 선적 후 변질에 대해서는 매도인이 책임을 지지 않는다.

**16** □□□

**국제물품 매매계약의 기본조건에 대한 설명으로 옳은 것은?** 2017. 관세직 7급

① 신용장에 개별품목 또는 포장단위로 수량을 명시하지 않고 환어음 발행 총액이 신용장 금액을 초과하지 않는 한 5% 이내의 수량 과부족은 허용된다.

② FAQ 조건은 외관상 잠재적 하자 등을 확인하기 어려운 경우에 수출자가 수입지에서의 판매적격성을 보증하는 조건을 말한다.

③ GMQ 조건과 더불어 곡물류 거래에 활용되는 TQ 조건은 대표적인 양륙지 품질조건에 해당한다.

④ 신용장 거래에서 할부선적이 이루어질 경우 어느 하나의 할부선적분이 허용된 기간 내에 선적되지 못하면 모든 할부 선적분에 대해 신용장의 효력은 정지된다.

답 ①

만약 신용장이 수량을 포장단위 개수 또는 개개품목의 개수로 명시하지 않고, 환어음 발행금액이 신용장 금액을 초과하지 않는다면 상품 수량의 5% 과부족 편차가 허용된다.

**UCP Article 30 Tolerance in Credit Amount, Quantity and Unit Prices**

b. A tolerance not to exceed 5% more or 5% less than the quantity of the goods is allowed, provided the credit does not state the quantity in terms of a stipulated number of packing units or individual items and the total amount of the drawings does not exceed the amount of the credit.

**선지분석**

② '외관상 잠재적 하자 등을 확인하기 어려운 경우에 수출자가 수입지에서의 판매적격성을 보증하는 조건'은 GMQ(Good Merchantable Quality, 판매적격품질조건)이다.

③ TQ(tale quale) 조건은 매도인이 선적시의 품질은 보증하나 양륙시에는 책임을 지지 않는 '선적지 품질 조건'이다.

④ 신용장 거래에서 할부선적이 이루어질 경우 어느 하나의 할부선적분이 허용된 기간 내에 선적되지 못하면 '선적되지 못한 그 할부분과 그 이후의 모든 할부분'에 대하여 무효가 된다. 즉 이전에 선적된 부분까지 무효(신용장의 효력 정지)되는 것은 아니다.

**UCP Article 32 Instalment Drawings or Shipments**

If a drawing or shipment by instalments within given periods is stipulated in the credit and any instalment is not drawn or shipped within the period allowed for that instalment, the credit ceases to be available for that and any subsequent instalment.

**17** □□□ **무역계약의 기본조건에 대한 설명으로 옳은 것은?** 2022. 관세직 7급

① 명세서매매조건은 주로 곡물이나 과일과 같은 농산물과 광산물 등의 매매에 이용된다.
② 판매적격품질조건은 원목이나 냉동수산물 등과 같이 잠재하자 가능성이 높은 경우에 사용되는 조건으로 매도인은 도착지에서 매수인에게 물품의 판매적격성을 보증한다.
③ 과부족용인조항은 계약 물품의 수량 앞에 'about', 'approximately' 등의 표현을 추가하여 수량을 결정하는 조항이다.
④ 선지급은 통상 매수인이 미리 물품을 확보할 수 있도록 주문 또는 계약 시에 대금을 지급하는 방식으로 현물상환지급(COD)과 서류상환지급(CAD)이 대표적인 선지급방식이다.

답 ②

판매적격품질조건(GMQ, Good Merchantable Quality)은 '판매할 수 있는 상태'의 품질로 화물을 인도하는 조건을 말한다. 원목, 냉동수산물, 광석류 등과 같이 잠재하자 가능성이 높은 경우에 사용된다. 잠재하자의 책임은 수출자에게 있다.

**선지분석**

① 명세서(specification) 매매는 선박, 대형기계류, 의료기기 기타 고가의 물품처럼 견본 제공이 불가능할 경우 설계도면과 같은 규격서나 설명서에 의하여 거래목적물의 명세와 품질을 약정하는 매매이다. '주로 곡물이나 과일과 같은 농산물의 매매'에 이용되는 것은 평균중등품질조건(FAQ, Fair Average Quality)이다.
③ 과부족용인조항(More or Less Clause)이란 벌크화물 거래시 일정범위 내에서 수량의 과부족을 인정하는 조항이다. 이 경우 당사자간에 계약상 허용되는 편차를 정하며, 원칙적으로 about, approximately 등의 표현을 추가하는 조항은 아니다. 다만, 신용장 금액 또는 신용장에서 표시된 수량 또는 단가와 관련하여 사용된 about, circa 또는 approximately라는 단어는 그것이 언급하는 금액, 수량 또는 단가에 관하여 10%를 초과하지 않는 범위 내에서 많거나 적은 편차를 허용하는 것으로 해석된다.
④ '매수인이 미리 물품을 확보할 수 있도록 주문 또는 계약 시에 대금을 지급하는 방식'은 선지급(사전송금) 방식에 대한 설명이 맞다. 그러나 현물상환지급(COD)과 서류상환지급(CAD)은 선지급도 후지급도 아닌 '동시지급방식'이다.

**18** □□□ **신용장통일규칙 제6차 개정(UCP 600)상 과부족용인조항에 대한 내용으로 옳지 않은 것은?** 2011. 관세직 7급

① 수량이 포장단위 또는 개별품목의 개수로 명시되어 있는 경우 이 조항은 적용되지 않는다.
② 신용장금액, 수량, 단가와 관련하여 about, approximately 등의 단어가 사용된 경우 10%범위 내의 과부족이 허용된다.
③ 신용장에서 특별히 과부족을 금지하지 않는 한 산적화물(bulk cargo)의 경우 5% 범위 내의 과부족이 허용된다.
④ 산적화물의 수량 과부족을 허용하는 경우 신용장에 의한 청구금액은 신용장 금액을 초과할 수 있다.

답 ④

과부족용인조항(More or Less Clause)이란 벌크화물(산적화물) 거래시 일정 범위 내에서 수량의 과부족을 인정하는 계약상의 조항이다. 신용장 금액 또는 신용장에서 표시된 수량 또는 단가와 관련하여 사용된 about, circa 또는 approximately라는 단어는 그것이 언급하는 금액, 수량 또는 단가에 관하여 10%를 초과하지 않는 범위 내에서 많거나 적은 편차를 허용하는 것으로 해석된다. 만일 신용장이 수량을 포장단위 또는 개별단위의 특정 숫자로 기재하지 않고 청구금액의 총액이 신용장의 금액을 초과하지 않는 경우에는, 물품의 수량에서 5%를 초과하지 않는 범위 내의 많거나 적은 편차는 허용된다. 이는 석탄이나 석유 등 자연산화 등으로 정확한 수량측정이 어렵거나 선적시와 하역시 수량에 차이가 날 수 있는 벌크화물의 거래를 원활히 하려는 의도에서 규정된 내용이다. 다만, 이러한 경우 과부족이 허용된다고 하더라도 환어음 발행금액 또는 청구금액이 신용장 금액을 초과해서는 안 된다.

**19** □□□

**다음 중 (가), (나)에 들어갈 분쟁해결조건에 대한 용어를 바르게 짝지은 것은?** 2022. 관세직 7급

> ( (가) )는 계약체결 후 상황의 변화로 원 계약대로의 이행이 현저하게 곤란한 경우 계약 내용을 거래 상대방과 재협상할 수 있는 조항이며, ( (나) )는 계약체결 후 물품 가격의 변동에 따라 계약체결 시 합의된 가격을 변경할 수 있는 조항이다.

| | (가) | (나) |
|---|---|---|
| ① | Force Majeure Clause | Escalation Clause |
| ② | Escalation Clause | Hardship Clause |
| ③ | Force Majeure Clause | Hardship Clause |
| ④ | Hardship Clause | Escalation Clause |

답 ④

하드쉽 조항(Hardship Clause)은 불가항력적인 사태가 발생하였을 때, 계약 이행을 강요하면 불공평이 초래된다고 인정되는 경우 상호간에 성실하게 '다시 교섭'할 것을 약속하는 조항이다. 반면에 가격변동조항(Escalation Clause, 신축조항)이란 장기간의 계약 이행 중 제품 가격이 일정률 이상으로 상승될 경우, 이에 따라 계약 가격도 변동될 수 있음을 약정하는 조항이다.

**20** □□□ **다음 내용과 관련된 조항은?** 2009. 관세직 7급

> 매매계약당사자들이 계약체결 후 계약을 이행하는 과정에서 '계약의 이행불능(Frustration of contract)' 상황이 발생할 수 있다. 따라서 이러한 불가항력적 상황에 대비하기 위한 조항을 사전에 계약서에 명시해 두는 것이 좋다.

① Arbitration clause
② Claim clause
③ Force Majeure clause
④ Infringement clause

답 ③

국제적인 물품 매매계약에 있어서는 계약의 이행불능(Frustration of contract) 상황이 발생할 수 있으므로, 불가항력적 상황에 대응하기 위한 조항을 사전에 계약서에 명시해 두는 것이 좋다. 불가항력적 상황에는 천재지변, 동맹파업(strike), 전쟁(war), 내란(insurrection), 소요(civil commotion), 수출금지, 생산설비의 고장, 운송수단의 부족, 원재료의 부족 등이 포함된다.

**21** □□□ **다음은 분쟁해결조건(terms of dispute settlement)에 대한 설명이다. ㉠, ㉡에 들어갈 용어를 순서대로 바르게 나열한 것은?** 2020. 관세직 7급

> ( ㉠ )는 소송을 제기할 관할법원에 대한 당사자 간의 합의를 기재한 조항이며, ( ㉡ )는 무역계약의 성립, 이행 및 해석이 어느 국가의 법률에 따라 행하여지는지에 대하여 당사자 간에 합의한 조항을 말한다.

| | ㉠ | ㉡ |
|---|---|---|
| ① | Governing Law Clause | Jurisdiction Clause |
| ② | Jurisdiction Clause | Governing Law Clause |
| ③ | Governing Law Clause | Infringement Clause |
| ④ | Entire Agreement Clause | Governing Law Clause |

답 ②

재판관할 조항(Jurisdiction Clause)은 소송을 제기할 법원을 당사자 간에 미리 약정하는 조항이다. 반면에 준거법 조항(Governing Law Clause)은 무역계약의 성립 등이 어느 국가의 법률에 따라 행하여지는지에 대하여 당사자 간에 합의한 조항이다.

## 3 | INCOTERMS

**01** □□□

**무역에 관한 국제규칙과 그 내용이 일치하지 않는 것은?** 2010. 국제통상직 7급

① Uniform Customs and Practice for Documentary Credits: 화환신용장 통일규칙
② Incoterms: 정형적 무역거래 조건의 해석
③ Warsaw – Oxford Rules for CIF Contracts: CIF 조건의 해석
④ Revised American Foreign Trade Definitions: 미국의 외환 관리법

답 ④

Revised American Foreign Trade Definition(개정미국무역정의, 1941)은 정형거래조건에 관한 국제규칙 중 하나이다.

**02** □□□

**Incoterms® 2020에 대한 내용으로 옳지 않은 것은?** 2021. 관세직 7급

① DAP조건은 물품이 지정목적지에서 도착운송수단에 실어둔 채 양하준비된 상태로 매수인의 처분하에 놓인 때 인도되는 조건이다.
② FCA조건에서 해상운송을 사용하는 경우에 본선 적재 표시된 선하증권이 필요하다면 매수인이 운송인에게 본선적재 선하증권을 발행할 것을 지시할 수 있도록 하는 선택적 방식을 규정하였다.
③ Incoterms® 2020 규칙은 매도인과 매수인의 의무, 위험의 이전, 비용부담에 대해 규정하고 있으며, 매매계약의 존재 여부, 관세 부과에 대한 사항을 다루고 있다.
④ FCA, DAP, DPU, DDP조건에서 매도인 또는 매수인이 운송계약을 체결하거나 또는 자신의 운송수단에 의한 운송을 허용하였다.

답 ③

Incoterms® 2020 규칙이 매도인과 매수인의 의무, 위험의 이전, 비용부담에 대해 규정하고 있는 것은 맞다. 그러나 매매계약의 존재 여부, 관세 부과에 대한 사항 등 다음의 것들은 다루지 않는다.

- 매매물품의 소유권·물권의 이전
- 매매계약의 존부
- 매매물품의 성상(specification)
- 대금지급의 시기, 장소, 방법 또는 통화
- 매매계약 위반에 대하여 구할 수 있는 구제수단
- 계약상 의무이행의 지체 및 그 밖의 위반의 효과
- 제재의 효력
- 관세 부과
- 수출 또는 수입의 금지

- 불가항력(force majeure) 또는 이행가혹(hardship)
- 지식재산권
- 의무위반의 경우 분쟁해결의 방법, 장소 또는 준거법

**03** □□□

**Incoterms® 2020의 조건 중 매도인이 물품을 공장이나 창고와 같은 지정 장소(매도인의 영업 구내일 수도 있고 아닐 수도 있다)에서 매수인의 처분하에 두는 때 인도가 완료되는 조건은?**

2014. 관세직 7급 변형

① 공장 인도조건(EXW)
② 본선 인도조건(FOB)
③ 운임 · 보험료 포함 인도조건(CIF)
④ 운임 포함 인도조건(CFR)

답 ①

매도인이 자신의 구내, 공장, 창고 등에서 지정기간 내에 수출통관을 하지 않은 약정물품을 매수인이 임의로 처분할 수 있는 상태로 두고, 그때까지의 위험과 비용을 부담하는 조건을 공장인도조건(EXW)이라 한다. 매도인은 인도장소에서 운송수단에 물품을 적재할 의무가 없으며, 만약 매도인이 물품을 적재하였다면 그것은 매수인이 위험과 비용을 부담한 것으로 본다.

**04** □□□

**Incoterms® 2020의 규정 중 위험의 분기점과 비용의 분기점이 다른 것은?** 2013. 관세직 7급 변형

① CPT
② FOB
③ DPU
④ EXW

답 ①

Incoterms® 2020의 규정 중 위험 분기점과 비용 분기점이 다른 것은 CPT, CIP, CFR, CIF이다.

| 조건 | 위험 분기점 | 비용 분기점 |
|---|---|---|
| CPT, CIP | 물품을 운송인에게 교부함으로써<br>(by handling the goods over to the carrier) | 합의된 목적지까지 |
| CFR, CIF | 선적항에서 선박에 적재된 때<br>(When the goods are placed on board the vessel at the port of loading) | 합의된 목적항까지 |

**05** □□□

**Incoterms® 2020에 대한 내용으로 옳지 않은 것은?** 2022. 관세직 7급

① CPT, CIP, CFR, CIF조건이 사용되는 경우 매도인은 물품이 목적지에 도착한 때에 인도의무를 이행한 것으로 된다.

② 매도인이 직접 또는 간접으로 수입통관을 이행할 수 없는 경우에는 DDP조건을 사용하지 않는 것이 좋다.

③ FOB조건에서 물품의 멸실 또는 손상의 위험은 물품이 본선에 적재된 때 이전되며, 매수인은 그러한 시점 이후의 모든 비용을 부담한다.

④ CIF조건에서 매도인은 최소담보조건으로 부보하도록 요구되므로 매수인은 보다 넓은 보험의 담보를 원한다면, 매도인과 명시적으로 그렇게 합의하거나 아니면 자신의 비용부담으로 추가보험에 부보하여야 한다.

답 ①

C 규칙(CPT, CIP, CFR, CIF)에서 인도장소는 매도인 쪽에(on the seller's side) 있다. CFR, CIF의 경우, 선적항에서 선박에 적재된 때(when the goods are placed on board the vessel at the port of loading) 인도의무를 이행한 것으로 한다. CPT, CIP의 경우, 수출국에서 물품이 운송인에게 교부됨으로써(by handling the goods over the carrier) 인도의무가 이행된 것으로 한다.

**선지분석**

② 수출통관은 매도인이, 수입통관은 매수인이 하는 것이 원칙이다. 그러나 수출통관도 매수인이 하는 유일한 조건이 EXW이고, 수입통관도 매도인이 하는 유일한 조건이 DDP이다. 만약 매도인이 수입통관을 이행할 수 없다면, DDP조건을 사용하지 않는 것이 좋다.

③ FOB 조건의 위험 분기점과 비용 분기점은 '본선에 적재된 때'이다. 이 시점 이후의 모든 위험과 비용은 매수인이 부담한다.

④ CIF 조건에서 매도인은 최소담보조건(협회적하약관의 C 약관이나 그와 유사한 약관)으로 부보하면 된다. 그러므로 더 높은 수준의 담보조건으로 부보하기를 원한다면, 당사자들이 그렇게 합의하면 된다.

**06** □□□

**Incoterms® 2020에 대한 내용으로 옳지 않은 것은?** 2020. 관세직 7급

① FCA 조건에서 운송인은 철도, 도로, 항공, 내수로 또는 이들의 복합방식에 의한 운송을 이행하거나 또는 그 이행을 조달하기로 약정하는 자를 말하며 운송인 또는 운송대리인을 포함한다.

② DPU 조건에서 물품이 매도인에 의해 지정목적지에서 도착운송수단에 실린 채 양하 준비된 상태로 매수인의 처분하에 놓이는 때에 인도한 것으로 본다.

③ FAS 조건에서 매도인은 물품을 선측에 인도하거나 이미 선적을 위하여 그렇게 인도된 물품을 조달하여야 한다.

④ CIP 조건에서 매도인은 협회적하약관의 A약관이나 그와 유사한 약관에 따른 광범위한 담보조건으로 부보할 의무가 있으나, 당사자들은 더 낮은 수준의 담보조건으로 부보하기로 합의할 수 있다.

답 ②

DPU(Delivered at Place Unloaded) 조건에서 매도인은 물품이 지정목적지에서 도착운송수단으로부터 '양하된 상태로' 매수인의 처분하에 놓이는 때에 인도한 것으로 본다. DPU는 매도인이 목적지에서 물품을 양하하도록 하는 유일한 인코텀즈 규칙이다. 매도인이 양하의 위험과 비용을 부담하기를 원하지 않는 경우에는 DPU를 피하고, 그 대신 DAP를 사용하여야 한다.

**07** □□□

**Incoterms® 2020 각 조건의 위험 이전에 대한 설명으로 옳지 않은 것은?** 2018. 관세직 7급 변형

① FCA: 매도인의 영업장 구내에서 물품을 인도하는 경우, 매도인이 매수인이 제공한 운송수단에 적재한 때 위험이 이전된다.

② CFR: 매도인이 물품을 선박에 적재할 때, 또는 이미 그렇게 인도된 물품을 조달할 때 매수인에게 위험이 이전된다.

③ DAP: 매도인이 지정목적지에서 또는 지정목적지 내에 어떤 지점이 합의된 경우에는 그 지점에서 도착 운송수단에 적재된 채 양하 준비된 상태로 매수인의 처분하에 놓일 때 위험이 이전된다.

④ DDP: 매도인이 물품을 수입국내 지정목적지에서 도착운송수단으로부터 양하된 상태로 매수인의 처분 하에 둘 때 위험이 이전된다.

답 ④

위험 이전 시점은 인도 시점과 동일하다. '매도인이 물품을 수입국내 지정목적지에서 도착운송수단으로부터 양하된 상태로 매수인의 임의처분 하에 둘 때 위험이 이전된다'는 DPU 조건에 대한 설명이다. DPU는 매도인이 목적지에서 물품을 양하하도록 하는 유일한 인코텀즈 규칙이다.

**선지분석**

① FCA 조건은 물품을 인도하는 지정장소가 '매도인의 영업장 구내'인 경우와 '그 밖의 장소'인 경우를 구분하여야 한다. 만약 지정장소가 매도인의 영업장 구내라면 물품은 '매수인이 마련한 운송수단에 적재된 때' 인도된다. 즉 위험이 이전된다.

② CFR 조건은 매도인이 물품을 선박에 적재할 때, 또는 이미 그렇게 인도된 물품을 조달할 때 매수인에게 위험이 이전된다. CFR 조건의 인도시점(위험 이전 시점)은 FOB 조건과 같다.

③ DAP 조건은 수입국의 지정목적지에서 '도착 운송수단에 적재된 채 양하 준비된 상태로 매수인의 처분하에 놓일 때' 위험이 이전된다. 양하는 아직 되지 않았고, '양하 준비'만 된 상태로 인도하는 조건이다.

**08** □□□

**Incoterms® 2020에 따른 다음 무역거래조건은?** 2013. 관세직 7급 변형

> 매도인이 물품을 매수인에게 다음과 같은 두 가지 방법 중 어느 하나로 인도하는 것을 말한다.
> ㉠ 지정장소가 매도인의 영업구내인 경우, 물품이 매수인이 마련한 운송수단에 적재된 때 인도된다.
> ㉡ 지정장소가 그 밖의 장소인 경우, 물품은 매도인의 운송수단에 적재되어서, 지정장소에 도착하고, 매도인이 운송수단에 실린 채 양하준비된 상태로, 매수인이 지정한 운송인이나 제3자의 처분하에 놓인 때 인도된다.

① FCA ② FAS
③ FOB ④ CIP

답 ①

FCA(free carrier, 운송인 인도조건)에서 매도인은 매도인의 영업구내 또는 그 밖의 지정장소에서 매수인이 마련한 운송수단에 수출통관을 완료한 약정물품을 인도하면 된다. 그리고 그때까지의 위험과 비용을 부담한다. 인도장소가 매도인의 영업구내인 경우, 매도인은 매수인이 제공한 운송수단에 물품을 적재할 의무가 있다. 그러나 그 밖의 장소인 경우 물품이 매도인의 운송수단에 적재된 상태로(물품을 내리지 않은 상태로) 매수인이 지정한 운송인의 처분에 맡기면 된다. 즉, 인도장소에 따라 매도인의 물품 적재 및 양하 의무가 달라진다.

**09** □□□

**괄호 안에 들어갈 Incoterms 2020의 조건으로 옳은 것은?** 2011. 관세직 7급 변형

> (   ) means that the seller delivers the goods - and transfer risk - to the buyer. when the goods are placed at the disposal of the buyer on the arriving means of transport ready for unloading at the named place of destination or at the agreed point within that place, if any such point is agreed.

① CIP ② DPU
③ DAP ④ DDP

답 ③

DAP(도착지 인도)는 다음과 같이 된 때 매도인이 매수인에게 물품을 인도하는 것을 - 그리고 위험을 이전하는 것을 - 의미한다.

- 물품이 지정목적지에서 또는
- 지정목적지 내에 어떠한 지점이 합의된 경우에는 그 지점에서
- 도착운송수단에 실어둔 채 양하준비된 상태로
- 매수인의 처분하에 놓인 때

**10** □□□ **Incoterms® 2020에서 CIF 조건의 위험이전 분기점으로 적절한 것은?** 2011. 관세직 7급 변형

① 선적항의 본선 적재시 ② 선적항의 본선 난간
③ 선적항의 본선 선측 ④ 매도인의 영업장소

답 ①

Incoterms® 2020에서 CIF 조건의 위험 이전 분기점은 본선에 인도하거나 인도된 물품이 조달된 때이다. 즉 CIF 조건의 위험 이전 분기점은 FOB 조건과 같다.

**11** □□□ **Incoterms® 2020에 따른 CIF 조건에 대한 설명으로 옳지 않은 것은?** 2007. 관세직 7급 변형

① 선적항에서 본선에 물품이 선적된 이후의 모든 비용과 위험을 부담한다.
② 수출에 필요한 제반서류 및 비용은 매도인의 위험과 부담으로 한다.
③ 보험금액은 최소한 매매계약에 규정된 대금에 10%를 더한 금액이어야 하며, 보험의 통화는 매매계약의 통화와 같아야 한다.
④ 매수인은 매도인이 협회적하약관의 A 약관에 의한 보다 광범위한 조건이 아니라 협회적하약관의 C 약관이나 그와 유사한 약관에 따른 제한적인 담보조건으로 부보하여야 한다는 것을 유의하여야 한다.

답 ①

CIF 조건(규칙)에서 매도인은 물품이 선박에 적재될 때까지의 위험을 부담하며, 지정 목적항까지의 비용을 부담한다. 즉 위험부담의 분기점과 비용부담의 분기점이 다르다.

**12** □□□ **무역거래 과정에서 매도인(Seller)과 매수인(Buyer)의 관계를 연결한 것으로 옳지 않은 것은?**
2019. 관세직 7급 변형

| | | 매도인(Seller) | 매수인(Buyer) |
|---|---|---|---|
| ① | 신용장관계 | Beneficiary | Applicant |
| ② | 화물관계 | Consignor | Consignee |
| ③ | 채무관계 | Accounter | Accountee |
| ④ | Incoterms 2020® CIF조건의 보험부보관계 | Assurer | Assured |

답 ④

CIF 조건에서 매도인은 매수인을 위하여 보험계약을 체결하여야 한다. 이 경우 매도인이 보험계약자(policy holder)가 되고, 매수인이 피보험자(insured, assured)가 된다. 매도인과 매수인은 모두 보험회사 등을 의미하는 보험자(insurer, assurer)가 될 수 없다.

CHAPTER 2

# 대금결제

## 1 | 신용장에 의한 무역대금결제

**01** □□□

**신용장 거래의 기본원칙으로 옳지 않은 것은?** 2011. 관세직 7급

① 상품 거래의 원칙
② 엄밀 일치의 원칙
③ 서류 거래의 원칙
④ 독립 추상성의 원칙

답 ①

신용장 거래의 기본 원칙에는 독립성의 원칙, 추상성의 원칙, 엄밀 일치의 원칙, 상당 일치의 원칙, 사기 거래의 원칙, 서류 거래의 원칙이 있다. 서류 거래가 원칙이므로 상품 거래의 원칙은 적용되지 않는다.

**02** □□□

**다음 설명에 해당하는 것은?** 2008. 관세직 7급

| |
|---|
| 수입상의 거래은행으로서 수입상의 요청과 지시에 의하여 수출상이 물품 선적 후 발행하는 환어음을 지급, 인수 또는 매입할 것을 확약하는 은행 |

① 지급은행
② 개설은행
③ 확인은행
④ 통지은행

답 ②

개설은행(opening bank)은 신용장 개설의뢰인의 신청과 지시에 따라 매매계약의 당사자인 수출상 앞으로 신용장을 발행하는 은행으로서 발행은행(issuing bank)이라고도 한다. 신용장 개설은행은 수입상의 거래은행으로서 수입상의 요청과 지시에 의하여 수출상이 물품 선적 후 발행하는 환어음을 지급, 인수 또는 매입할 것을 확약하는 은행이다.

**03** □□□ **신용장 종류에 대한 설명으로 옳지 않은 것은?** 2019. 관세직 7급

① 발행은행이 수익자인 수출업자에게 선적서류 발행 전에 수출대금의 선지급을 허용한다는 문언이 있는 신용장을 전대신용장이라 한다.
② 거래처와 동일한 물품을 계속적으로 거래할 경우 불편과 경비 등을 제거하기 위하여 일정한 기간 및 일정 금액의 범위 내에서 신용장 금액이 자동적으로 갱생될 수 있도록 발행되는 신용장을 회전신용장이라 한다.
③ 신용장의 수익자인 수출업자가 발행한 환어음에 신용장조건과 일치하는 운송서류가 첨부될 것을 조건으로 지급·인수 또는 매입할 것을 확약하는 신용장을 무담보신용장이라 한다.
④ 신용장을 받은 국내의 수출업자가 원신용장을 담보로 수출품 또는 원자재 등의 국내 공급자를 수익자로 하여 국내에서 발행하는 신용장을 내국신용장이라 한다.

답 ③

무담보신용장(clean L/C)이란 은행이 환어음의 매입, 인수, 지급시 선적서류를 요구하지 않을 것을 조건으로 하는 신용장으로서, 무화환신용장이라고도 한다. 무담보신용장은 무역거래의 결제에 사용되는 경우는 적으며 운임, 보험료나 수수료 등의 무역 외 거래의 결제에 이용되는 경우가 많다. 신용장 조건과 일치하는 운송서류가 첨부될 것을 조건으로 하는 신용장은 상업화환신용장(commercial documentary L/C)이다.

**04** □□□ **양도가능 신용장에 대한 설명으로 옳지 않은 것은?** 2021. 관세직 7급

① 발행은행에 의하여 신용장에 'transferable'이란 문언이 명시적으로 표시되어 있어야 한다.
② 신용장 양도는 원신용장(original L/C) 조건과 동일하게 이루어져야 한다. 다만, 신용장 금액, 단가, 유효기일, 서류제시를 위한 기간의 단축, 선적기간 및 원신용장에서 요청된 부보금액을 담보하기 위한 부보비율에 대해서는 예외로 변경이 가능하다.
③ 제1수익자는 발행의뢰인의 명의 대신에 자신의 명의를 기재하여 신용장을 양도할 수 있다.
④ 신용장의 양도는 1회에 한하여 가능하나, 분할선적이 허용되는 경우 제1수익자가 제2수익자를 다수로 하여 양도하는 것은 금지된다.

답 ④

신용장의 양도란 지급, 인수 또는 매입은행으로부터 대금지급을 받을 수 있는 권리의 양도를 의미한다. 신용장의 양도 절차를 통하여 새로운 수익자가 생긴다. 양도은행(transferring bank)은 양도가능 신용장(transferable L/C)에서 신용장을 받은 최초의 수익자(first beneficiary)의 요청에 따라 제2수익자(second beneficiary)에게 신용장의 양도절차를 이행하는 은행을 말한다. "transferable"이라고 명시된 경우에만 양도할 수 있으며, 1회에 한하여 양도가 허용된다. 그러나 분할선적이 금지되어 있지 않는 한 최초의 수익자(제1수익자)는 다수의 제2차 수익자에게 분할양도(partial transfer) 할 수 있다.

**05** □□□ **제6차 개정 신용장통일규칙(UCP 600)상의 양도가능신용장에 대한 설명으로 옳지 않은 것은?**

2017. 관세직 7급

① 신용장 양도에 소요되는 비용은 별도의 합의가 없는 한 제1수익자의 부담이다.
② 신용장 개설은행은 양도은행이 될 수 있다.
③ 분할어음 발행 또는 분할선적이 허용되더라도 신용장은 2인 이상의 제2수익자에게 분할 양도될 수 없다.
④ 신용장이 양도가능하기 위해서는 'assignable', 'divisible' 등의 용어는 허용되지 않으며 반드시 신용장상에 'transferable'이라는 용어가 명시되어야 한다.

답 ③

신용장은 만약 분할어음 발행 또는 분할선적이 허용되었다면 한 사람 이상의 제2수익자에게 부분적으로 양도될 수 있다.

**UCP Article 38 Transferable Credits 제38조 양도가능 신용장**
d. A credit may be transferred in part to more than one second beneficiary provided partial drawings or shipments are allowed.

**06** □□□ **UCP 600(ICC Publication No.600)에서 정하고 있는 양도가능신용장의 요건에 대한 설명으로 옳지 않은 것은?**

2009. 국제통상직 7급

① 신용장상에 'transferable'이란 용어가 표시된 경우에 양도가 가능하다.
② 제2수익자 앞으로 양도될 때에는 원신용장에 명시된 조건하에서만 양도되므로, 신용장의 금액·단가·선적기일 및 유효기일에 대하여는 그중의 어느 것이든지 또는 전부에 대하여 감액 또는 단축이 불가능하다.
③ 분할선적이 허용되는 경우에 분할 양도가 가능한데, 이런 경우 분할양도의 총액이 원신용장의 금액을 초과할 수 없다.
④ 양도시 달리 명시하지 않는 한, 양도와 관련하여 발생한 모든 비용은 제1수익자가 부담한다.

답 ②

양도된 신용장은 '신용장 금액, 신용장상의 단가, 유효기일, 제시기간, 최종 선적일 또는 선적기간'을 제외하고는 정확하게 신용장 조건을 반영하여야 한다. 즉, '신용장 금액, 신용장상의 단가, 유효기일, 제시기간, 최종 선적일 또는 선적기간'의 일부 또는 전부는 감액 또는 단축될 수 있다.

**07** □□□ **신용장의 종류 중에서 신용장에 의한 환어음의 매입 여부에 대한 명시내용이 없고 신용장조건에 부합되는 서류가 신용장발행은행 또는 그가 지정하는 은행에 제시되면 지급할 것을 확약하고 있는 신용장은?** 2007. 관세직 7급

① Irrevocable L/C ② Negotiation Restricted L/C
③ Straight L/C ④ Usance L/C

답 ③

지급신용장(Straight L/C)은 신용장에 의한 환어음의 매입 여부에 대하여는 아무런 명시가 없이 신용장 개설은행 또는 그가 지정하는 지급은행(paying bank)에 환어음을 제시하면 지급하겠다고 확약하고 있는 신용장을 말한다.

**선지분석**

① Irrevocable L/C: UCP 500에서는 신용장상에 "irrevocable"의 명시가 있거나 또는 취소 여부에 대한 아무런 명시가 없는 신용장은 모두 취소불능신용장(Irrevocable Credit)에 속하는 것으로 규정하고 있었고, 신용장상에 "revocable"의 명시가 있으면 취소가능신용장(Revocable Credit)이 될 수 있었으나, UCP 600에서는 취소가능신용장 관련 규정을 삭제하였다. 즉, 모든 신용장은 취소불능신용장으로 간주된다.

② Negotiation Restricted L/C: 매입제한신용장(Restricted Credit)은 신용장상의 수익자가 선적을 완료한 후 수출대금의 회수를 위해 발행하는 환어음의 매입은행을 신용장에서 금융관계, 자금의 수배 또는 업무상의 연락 등으로 특정 은행에 한정하고 있는 것을 말하며, 이를 특정신용장(Special Credit)이라고도 한다.

④ Usance L/C: 기한부신용장(Usance L/C)은 신용장에 근거해 발행된 환어음의 기간(tenor)이 기한부인 신용장으로서 개설은행이 기한부환어음과 선적서류의 제시를 받았을 때 수입상이 그 환어음을 인수하면 선적서류를 수입상에게 인도하고 신용장 조건에 따라 일정 기간 후에 만기일(maturity date)이 내도하면 환어음을 결제하는 신용장을 말한다. Usance어음의 기일에는 일람 후 정기출급(at ~days after sight), 일부 후 정기출급(at ~days after date), 확정일 후 정기출급(at ~days after B/L date) 등이 있다.

**08** □□□ **개설은행이 매입은행으로 하여금 수출업자에게 선적 전에 수출물품의 집화, 제조, 생산 등에 필요한 자금을 선적서류 첨부 없이 미리 지급하도록 허용하고, 그에 대한 보상을 확약하는 조건으로 개설하는 신용장은?** 2010. 국제통상직 7급

① Standby L/C ② Revolving L/C
③ Red Clause L/C ④ Reimbursement L/C

답 ③

전대신용장(Red Clause Credit)이란 개설은행이 일정한 조건하에 매입은행으로 하여금 신용장 금액의 일부를 수익자 앞으로 전대하여 줄 것을 수권하고 그 전대금 상환을 보증하는 신용장을 말한다. 수출에 따른 수출물품의 생산·가공·집하·선적 등에 필요한 자금을 수입상이 미리 융통해주기 위하여 사용되며, 선대신용장 또는 선수금신용장이라고도 한다. 이 신용장은 수출전대를 허용하는 문언이 일반적으로 적색으로 인쇄되어 있기 때문에 Red Clause Credit이라고 하며, 수출상은 전대받은 대금으로 수출상품을 제조 또는 구매하여 포장한다는 뜻에서 Packing Credit이라고도 한다.

**09** □□□ **다음 신용장의 일부 내용에 대한 설명으로 옳은 것은?** 2015. 관세직 7급

31D date and place of expiry: JULY 15, 2012
50C applicant: BROWN CORPORATION
59 beneficiary: DAEHAN CORPORATION
41D available with by name : ANY BANK BY NEGOTIATION
42C drafts : AT SIGHT
42A drawee: NEW YORK BANK, 2007 WALL STREET, USA
44A on board/dispatch: BUSAN, KOREA
44B for transportation to: NEW YORK, USA
44C latest date of shipment: JUNE 30, 2012
46A documents required
+FULL SET OF CLEAN ON BOARD OCEAN BILL OF LADING MADE OUT TO THE ORDER OF NEW YORK BANK MARKED FREIGHT PREPAID AND NOTIFY APPLICANT.

① 위 신용장의 수익자는 뉴욕은행을 수하인으로 하는 기명식 선하증권을 제출하여야 한다.
② 위 신용장의 수익자는 자신의 거래은행에 자유롭게 매입 의뢰할 수 있다.
③ 위 신용장에서 사용 가능한 가격조건은 본선인도조건(FOB)이며 착화통지처는 수익자이다.
④ 위 신용장에서 2012년 6월 30일이 공휴일 또는 휴무일이어서 선적을 할 수 없는 경우 그 다음 정상 선적일까지 최종선적기일이 연장된다.

답 ②

'41D available with by name: ANY BANK BY NEGOTIATION'을 보면 어느 은행에서나 매입(negotiation)을 할 수 있도록 표시되어 있다. 이러한 조건의 신용장을 매입 개방 신용장(Open Credit) 또는 자유 매입 신용장(Freely Negotiable Credit)이라고 한다.

✓ 선지분석

① '42A drawee: NEW YORK BANK, 2007 WALL STREET, USA' 조건에서 뉴욕은행이 환어음의 지급인(drawee)임을 알 수 있다. '수하인'이 아니라 '지급인'이라고 해야 한다. 그리고 "TO THE ORDER OF NEW YORK BANK"라는 표현에서 이 신용장 조건에서 요구되는 선하증권은 지시식 선하증권임을 알 수 있다.
③ 'FULL SET OF CLEAN ON BOARD OCEAN BILL OF LADING MADE OUT TO THE ORDER OF NEW YORK BANK MARKED FREIGHT PREPAID AND NOTIFY APPLICANT' 조건에서 FREIGHT PREPAID(운임 선불 지급)이므로 가격조건은 CFR(운임 포함조건)이나 CIF(운임보험료 포함조건)가 되어야 한다. 'NOTIFY APPLICANT'에서 착화통지처(Notify Party)는 개설의뢰인(Applicant)임을 알 수 있다.
④ '44C latest date of shipment: JUNE 30, 2012' 조건에서 선적기일은 2012년 6월 30일임을 알 수 있다. 은행이 불가항력적인 사유 이외의 사유로 휴업한 때에는 신용장 유효기일 또는 제시 최종일이 다음 첫 은행영업일(the first following banking day)까지 연장된다. 그러나 이런 경우에도 선적 최종일(the latest date for shipment)은 연장되지 않는다.

**10** □□□ **신용장통일규칙(UCP 600)에서 규정하고 있는 보험서류 및 담보범위에 대한 내용으로 옳은 것은?**

2020. 관세직 7급

① 보험증권은 포괄예정보험에 의한 보험증명서 또는 통지서를 대신하여 수리될 수 없다.
② 보험서류가 2통 이상의 원본으로 발행되었다고 표시된 경우, 모든 원본을 제시할 필요가 없으며 한 통의 원본만 제시하면 된다.
③ 보험담보에 관하여 신용장에 아무런 표시가 없는 경우, 보험 담보금액은 물품의 FOB 또는 CIF 가격의 110%이어야 한다.
④ 신용장이 통상적 위험 또는 관습적 위험과 같은 부정확한 용어를 사용하는 경우, 보험서류는 부보되지 아니한 모든 위험과 관계없이 수리된다.

답 ④

신용장이 통상적 위험(usual risks) 또는 관습적 위험(customary risks)과 같은 부정확한 용어를 사용하는 경우, 보험서류는 부보되지 아니한 모든 위험과 관계없이 수리된다(UCP Article 29, g).

✓ 선지분석

① 보험증권은 (포괄)예정보험하의 보험증명서 또는 선언서(통지서)를 대신하여 수리될 수 있다. An insurance policy is acceptable in lieu of an insurance certificate or a declaration under an open cover(UCP Article 28, d).
② 보험서류가 원본 한통을 초과하여 발행되었을 때에는 모든 원본이 제시되어야 한다. When the insurance document indicates that it has been issued in more than one original, all originals must be presented(UCP Article 28, b).
③ 요구되는 보험담보에 대하여 신용장에 아무런 표시가 없다면, 보험담보 금액은 적어도 상품의 CIF 또는 CIP 금액의 110%가 되어야 한다. If there is no indication in the credit of the insurance coverage required, the amount of insurance coverage must be at least 110% of the CIF or CIP value of the goods(UCP Article 28, f).

**11** □□□

**신용장통일규칙(UCP 600)상 용어의 해석 기준에 대한 설명으로 옳은 것은?** 2022. 관세직 7급

① 신용장상의 양도가능 표시로서 UCP 500에서는 양도가능(transferable)이라는 용어만 인정되었으나, UCP 600에서는 분할가능(divisible), 분절가능(fractionable), 할당가능(assignable) 등의 용어를 사용하면 양도가능으로 간주한다.

② 서류의 발행인을 뜻하는 용어로서 일류의(first class), 저명한(well known), 자격 있는(qualified), 독자적인(independent), 공적인(official)이라는 표현은 수익자를 포함하여 모든 서류 발행인이 사용할 수 있다.

③ 선적기일을 나타내는 표현으로 신속히(prompt), 즉시(immediately), 가능한 한 빨리(as soon as possible)가 사용되었다면 수출업자는 신용장을 수취한 후 5일 이내에 선적을 완료하여야 한다.

④ 신용장이 통상의 위험(usual risks) 또는 관습적 위험(customary risks)과 같이 불명확한 용어를 사용하는 경우, 보험서류는 부보되지 않은 어떤 위험에 관계없이 수리된다.

답 ④

신용장이 통상적 위험(usual risks) 또는 관습적 위험(customary risks)과 같은 부정확한 용어를 사용하는 경우, 보험서류는 부보되지 아니한 모든 위험과 관계없이 수리된다(UCP Article 29, g).

**선지분석**

① UCP 500에서 신용장은 'transferable'이라고 명시한 경우에만 양도할 수 있었다. divisible(분할 가능), fractionable(분절 가능), assignable(할당 가능), transmissible(이전 가능)과 같은 용어가 사용된 경우 신용장을 양도할 수 없었다. UCP 600에서도 역시 'transferable'이라고 명시된 경우에만 신용장을 양도할 수 있게 하였다. 다만 UCP 600에는 divisible 등의 예시는 기록되어 있지 않다(UCP Article 38, b).

② 서류의 발행인을 뜻하는 용어로서 일류의(first class), 저명한(well known), 자격 있는(qualified), 독자적인(independent), 공적인(official), 능력 있는(competent), 현지의(local)라는 표현이 사용되었다면, '수익자 이외의 자'는 어떤 사람이라도 서류를 발행할 수 있다(UCP Article 3).

③ 선적기일을 나타내는 표현으로 신속히(prompt), 즉시(immediately), 가능한 한 빨리(as soon as possible)가 사용되었다면 이 단어들은 무시된다(will be disregarded)(UCP Article 3).

**12** ☐☐☐ **제6차 개정 신용장통일규칙(UCP 600)상 서류심사 기준에 대한 설명으로 옳지 않은 것은?**

2015. 관세직 7급

① 신용장 발행은행 및 지정에 따라 행동하는 은행, 확인은행(있는 경우)은 문면상 일치하는 제시인지 여부를 결정하기 위해 오직 서류만을 기초로 제시된 서류를 심사하여야 한다.
② 신용장 발행은행 및 지정에 따라 행동하는 은행, 확인은행(있는 경우)은 각각 제시일로부터 최대 5 은행영업일 내에 서류를 심사하여야 한다.
③ 신용장이 조건과의 일치성을 표시하기 위한 서류를 명시하지 아니하고 조건만을 포함하고 있는 경우, 은행은 그러한 조건을 명시되지 아니한 것으로 보고 이를 무시한다.
④ 상업송장 이외의 서류에서 물품의 명세는 신용장상의 명세와 상충되지 아니하는 일반용어로 기재될 수 있다.

답 ②

지정에 따라 행동하는 지정은행, (있는 경우) 확인은행과 개설은행은 각각 제시가 일치하는가를 결정하기 위하여 서류제시일의 '다음 영업일'을 기산일로 하여 최장 5영업일이 주어진다(UCP 14. b).

**13** ☐☐☐ **신용장통일규칙(UCP 600)에서 선적시기를 표시하는 방법에 대한 설명으로 옳은 것은?**

2021. 관세직 7급

① 선적기일 표시와 관련하여 'to', 'until', 'till', 'from', 'before'의 용어가 사용되는 경우에 해당 일자가 포함되나 'after'는 해당 일자를 제외한다.
② 선적기일 표시와 관련하여 'on or about'은 명시된 일자 이전 5일부터 명시된 일자 이후 5일까지의 기간을 말하며, 명시된 일자 시작일과 종료일을 포함하지 않는 것으로 해석한다.
③ 어느 달의 '전반(first half)', '후반(second half)'이라는 용어는 모든 일자를 포함하여 해당 월의 1일부터 15일, 그리고 16일부터 말일까지로 각각 해석한다.
④ 선적시기와 관련하여 신용장에 구체적인 일자나 기간을 명기하지 않고 'prompt' 또는 'as soon as possible' 같은 문언을 사용하더라도 은행은 그것을 인정한다.

답 ③

모두가 UCP 제3조(해석)의 내용이다. 어느 달의 '전반(first half)', '후반(second half)'이라는 용어는 모든 일자를 포함하여 해당 월의 1일부터 15일, 그리고 16일부터 말일까지로 각각 해석한다(The terms "first half" and "second half" of a month shall be construed respectively as the 1st to the 15th and the 16th to the last day of the month, all dates inclusive).

**선지분석**

① 'to', 'until', 'till', 'from'이라는 단어가 선적기간을 결정하기 위하여 사용될 때에는 언급된 일자를 포함하고, 'before'와 'after'는 언급된 일자를 제외한다.
② 'on or about' 또는 이와 유사한 표현은 사건이 명시된 일자 이전의 5일부터 그 이후의 5일까지의 기간을 말하며, 시작일과 종료일을 포함하는 것으로 해석한다.
④ 서류에 사용되는 것으로 요구되지 않았다면 'prompt(신속하게)' 또는 'as soon as possible(가능한 한 빨리)'이라는 문언은 무시된다.

**14** □□□

**신용장을 수취한 경우 선적기일이 'on or about 20 October, 2012'로 표시되어 있을 때 가능한 선적일자는?** 2012. 관세직 7급

① 2012년 10월 16일부터 24일까지
② 2012년 10월 15일부터 25일까지
③ 2012년 10월 11일부터 29일까지
④ 2012년 10월 10일부터 30일까지

답 ②

UCP 제3조에 따라 "on or about" 또는 이와 유사한 표현은 사건이 명시된 일자 이전의 5일부터 그 이후의 5일까지의 기간 동안에 발생하는 약정으로써 초일 및 종료일을 포함하는 것으로 해석된다. 예를 들어 선적기일이 'on or about 20 October, 2012'로 표시되었다면, 선적기일은 2012년 10월 15일부터 25일까지로 해석한다.

**15** □□□

**신용장의 조건이 다음과 같은 경우 이에 대한 설명 중 옳지 않은 것은?** 2009. 관세직 7급

| |
|---|
| Available with/by Continental Bank, Seoul Branch, By Deferred Payment |

① 대금결제를 위해 환어음발행이 필요하지 않다.
② 수출업자는 신용장 조건에 일치하는 서류를 Continental Bank에 제출해야 한다.
③ 수출업자는 제출한 서류가 신용장 조건에 일치하면 Continental Bank로부터 연지급 만기일에 수출대금을 지급받는다.
④ Continental Bank는 확인은행으로서 신용장에 대한 확인(confirmation)을 하게 된다.

답 ④

'Available with/by Continental Bank, Seoul Branch, By Deferred Payment'에서 Available with/by는 개설은행에 의해 수권 또는 지정이 되어 있다는 의미이며, 그런 수권 등을 받은 은행이 여기에서는 Continental Bank의 서울 지점이다. Deferred Payment는 연지급을 의미하므로, Continental Bank는 결국 개설은행으로부터 연지급 은행으로서의 수권을 받은 것이다. 연지급의 경우에는 대금결제를 위한 환어음 발행이 필요하지 않으며, 수출자가 제출한 서류가 신용장 조건에 일치하면 은행은 연지급 만기일에 수출자에게 수출대금을 지급하게 된다. 여기에서 신용장의 확인 여부는 파악할 수가 없다.

**16** □□□ **신용장통일규칙(UCP 600)에서 서류와 관련된 설명으로 옳지 않은 것은?** 2021. 관세직 7급

① 신용장에 규정되어 있는 각 서류는 최소한 1통의 원본이 반드시 제시되어야 한다.
② 상업송장은 신용장과 동일한 통화로 작성되어야 하고 수익자의 서명이 필요하다.
③ 서류에 별도로 표시하지 않는 한, 서류 발행인에 의하여 수기, 타자, 천공 또는 스탬프된 것으로 보이는 서류는 은행이 그 서류를 원본으로 수리한다.
④ 철도 및 내수로 운송서류는 원본이라는 표시여부에 관계없이 원본으로 수리된다.

답 ②

신용장 거래에서 제시되어야 하는 상업송장(Commercial Invoice)은 수익자(beneficiary)가 발행한 것으로 나타나야 하고, 개설의뢰인(applicant) 앞으로 발행되어야 한다. 신용장과 동일한 통화로(in the same currency as the credit) 발행되어야 하고, 서명될 필요는 없다(need not be signed)(UCP Article 18, a).

**선지분석**

① 신용장에 규정되어 있는 각 서류는 최소한 1통의 원본이 반드시 제시되어야 한다. At least one original of each document stipulated in the credit must be presented(UCP Article 17, a).
③ 서류에 별도로 표시하지 않는 한, 서류 발행인에 의하여 수기, 타자, 천공 또는 스탬프된 것으로 보이는 서류는 은행이 그 서류를 원본으로 수리한다. Unless a document indicates otherwise, a bank will also accept a document as original if it appears to be written, typed, perforated or stamped by the document issuer's hand(UCP Article 17, c).
④ 철도 및 내수로 운송서류는 원본이라는 표시여부에 관계없이 원본으로 수리된다. A rail or inland waterway transport document will be accepted as an original whether marked as an original or not(UCP Article 24, b).

**17** □□□ **용선계약에서 선주와 용선자 간의 하역비 부담조건으로 옳은 것은?** 2019. 관세직 7급

① FI(Free In) 조건은 선적비용은 화주가 부담하되, 양륙비용은 선주가 부담하는 조건이다.
② Berth Term 조건은 선적 및 양하에 따른 비용을 모두 화주가 부담하는 조건이다.
③ FIO(Free In & Out) 조건은 선적 및 양륙비를 모두 선주가 부담하는 조건이다.
④ FIOST(Free In & Out, Stowed, Trimmed) 조건은 선적, 양륙, 본선 내의 적부비와 선창 내 화물정리비 모두를 선주가 부담하는 조건이다.

답 ①

FI(Free In) 조건은 운송인이 선박 안으로[In] 물품을 양륙할 때 책임이 없다[Free]는 조건이다. 즉 선적비용은 화주가 부담하되, 양륙비용은 선주가 부담하는 조건이다.

✅ **선지분석**

② Berth Term(Liner Term) 조건은 선적 및 양하에 따른 비용을 모두 선주(운송인)가 부담하는 조건이다.
③ FIO(Free In & Out) 조건은 선적 및 양륙비를 모두 화주가 부담하는 조건이다.
④ FIOST(Free In & Out, Stowed, Trimmed) 조건은 선적, 양륙, 본선 내의 적부비와 선창 내 화물 정리비 모두를 화주가 부담하는 조건이다.

**18** □□□ **제6차 개정 신용장통일규칙(UCP 600) 제2조, 제3조 내용의 일부이다. ㉠ ~ ㉣에 들어갈 용어를 순서대로 바르게 나열한 것은?** 2018. 관세직 7급

> ㄱ. ( ㉠ ) means the party in whose favour a credit is issued.
> ㄴ. The expression '( ㉡ )' or similar will be interpreted as a stipulation that an event is to occur during a period of five calendar days before until five calendar days after the specified date, both start and end dates included.
> ㄷ. The words '( ㉢ )' and '( ㉣ )' when used to determine a maturity date exclude the date mentioned.

| | ㉠ | ㉡ | ㉢ | ㉣ |
|---|---|---|---|---|
| ① | Applicant | on or about | from | till |
| ② | Applicant | on or at t | ill | from |
| ③ | Beneficiary | on or about | from | after |
| ④ | Beneficiary | on or at | after | from |

답 ③

ㄱ. (Beneficiary) means the party in whose favour a credit is issued. 수익자는 개설된 신용장에 의한 혜택을 받는 당사자를 의미한다(UCP Article 2).
ㄴ. The expression '(on or about)' or similar will be interpreted as a stipulation that an event is to occur during a period of five calendar days before until five calendar days after the specified date, both start and end dates included. 'on or about' 또는 이와 유사한 표현은 사건이 명시된 일자 이전의 5일부터 그 이후의 5일까지의 기간 동안에 발생하는 약정으로서 초일 및 종료일을 포함하는 것으로 해석된다(UCP Article 3).
ㄷ. The words '(from)' and '(after)' when used to determine a maturity date exclude the date mentioned. 'from'과 'after'라는 단어가 만기일을 결정하기 위하여 사용될 때에는 언급된 일자를 제외한다(UCP Article 3).

**19** □□□ **다음과 같은 조건에서 UCP 600에 기초한 신용장상의 수익자가 매입을 위해 한국에 소재한 은행에 서류를 제시하여야 하는 기한은? (단, 6월 6일 현충일을 제외하고 월요일에서 금요일까지 은행영업이 정상적으로 이루어지는 것으로 간주한다)** 2017. 관세직 7급 하반기

선적일: 2014년 6월 1일
신용장 유효기한: 2014년 6월 6일 (현충일)
서류제시기한: “Documents to be presented within 10 days after the date of shipment”

2014년 6월

| 일 | 월 | 화 | 수 | 목 | 금 | 토 |
|---|---|---|---|---|---|---|
| 1 | 2 | 3 | 4 | 5 | 6 | 7 |
| 8 | 9 | 10 | 11 | 12 | 13 | 14 |

① 6월 11일
② 6월 10일
③ 6월 5일
④ 6월 9일

답 ④

수익자에 의한 또는 수익자를 대리하는 서류 제시는 신용장 유효기일에 또는 유효기일 이전에 행해져야 한다(a presentation by or on behalf of the beneficiary must be made on or before the expiry date. UCP Article 6, e). 문제에서 신용장 유효기한(the expiry date)이 6월 6일이므로, 서류 제시는 6월 6일 또는 그 이전에 이루어져야 한다. 다만, 신용장 유효기일 또는 제시 최종일에 은행이 휴업한 때에는 경우에 따라서 유효기일 또는 제시 최종일은 다음 첫 은행영업일까지 연장된다(If the expiry date of a credit or the last day for presentation falls on a day when the bank to which presentation is to be made is closed .... the expiry date or the last day for presentation, as the case may be, will be extended to the first following banking day. UCP 29, a). 문제에서, 6월 6일은 공휴일이고, 7일과 8일에 은행이 문을 닫으므로, 서류 제시 기한은 월요일인 6월 9일까지 연장된다. 문제에서 서류 제시 기한은 선적일부터 10일 이내로 제한하였는데, 6월 9일은 이 기간 중에 포함되므로 괜찮다.

## 20 □□□ 제6차 개정 신용장통일규칙(UCP 600)상의 운송에 대한 설명으로 옳지 않은 것은?

2017. 관세직 7급

① 동일한 운송을 위하여 동일한 운송 수단에 선적하는 경우 본선 선적을 증명하는 복수의 운송서류에 비록 각각 다른 선적일이나 선적항이 표시되어 있더라도 동일한 목적지를 명시하고 있으면 분할선적으로 간주하지 않는다.

② 신용장에서 환적을 금지하고 있는 경우라도 물품이 컨테이너, 트레일러 또는 래쉬바지에 선적되었음이 선하증권에 증명된 때에는 환적될 것이라고 표시되어 있는 선하증권도 수리될 수 있다.

③ 신용장에서 항공운송서류 원본 전통(full set)을 요구하고 있더라도 수익자는 송화인용 원본만을 제시해도 된다.

④ 신용장의 운송서류 조건에 '무사고 본선적재'의 명시가 있는 경우 은행에 제시되는 운송서류에는 반드시 무사고(clean)라는 용어가 기재되어야 한다.

답 ④

UCP 600 제27조에 따르면, 은행은 무사고 운송서류(a clean transport document, 무고장 운송서류)만 수리한다. 다만 무사고 운송서류란 화물이나 포장의 하자 상태를 명백히 표시하지 않는 것일 뿐, 무사고(clean)라는 용어가 기재될 필요는 없다. 심지어는 신용장의 운송 서류 조건에 '무사고 본선적재'의 명시를 요구하고 있는 경우에도, 운송서류에는 무사고(clean)이라는 용어가 기재될 필요가 없다.

**UCP Article 27 Clean Transport Document 제27조 무고장 운송서류**

A bank will only accept a clean transport document. A clean transport document is one bearing no clause or notation expressly declaring a defective condition of the goods or their packaging. The word "clean" need not appear on a transport document, even if a credit has a requirement for that transport document to be "clean on board".

은행은 단지 무고장 운송서류만 수리한다. 무고장 운송서류는 상품 또는 포장의 하자상태를 명백하게 표시하는 조항 또는 부기가 없는 것을 말한다. "무고장"이라는 단어는 비록 신용장에서 운송서류가 "무고장 본선적재"일 것을 요구하더라도 운송서류에 나타날 필요가 없다.

### 선지분석

① 동일한 운송을 위하여 동일한 운송 수단에 선적하는 경우 본선 선적을 증명하는 복수의 운송서류에 비록 각각 다른 선적일이나 선적항이 표시되어 있더라도 동일한 목적지를 명시하고 있으면 분할선적으로 간주하지 않는다.

**UCP Article 31 Partial Drawings or Shipments**

b. A presentation consisting of more than one set of transport documents evidencing shipment commencing on the same means of conveyance and for the same journey, provided they indicate the same destination, will not be regarded as covering a partial shipment, even if they indicate different dates of shipment or different ports of loading, places of taking in charge or dispatch.

② 신용장에서 환적을 금지하고 있는 경우라도 물품이 컨테이너, 트레일러 또는 래쉬바지에 선적되었음이 선하증권에 증명된 때에는 환적될 것이라고 표시되어 있는 선하증권도 수리될 수 있다.

UCP Article 20 Bill of Lading
c. i. A bill of lading may indicate that the goods will or may be transhipped provided that the entire carriage is covered by one and the same bill of lading.
ii. A bill of lading indicating that transhipment will or may take place is acceptable, even if the credit prohibits transhipment, if the goods have been shipped in a container, trailer or LASH barge as evidenced by the bill of lading.

③ 신용장에서 항공운송서류 원본 전통(full set)을 요구하고 있더라도 수익자는 송화인용 원본만을 제시해도 된다.

UCP Article 23 Air Transport Document
v. be the original for consignor or shipper, even if the credit stipulates a full set of originals.



**21** □□□ **제6차 개정 신용장통일규칙(UCP 600) 제17조에 대한 규정이다. ㉠과 ㉡에 들어갈 내용이 바르게 연결된 것은?** 2016. 관세직 7급

ㄱ. At least ( ㉠ ) original of each document stipulated in the credit must be presented.
ㄴ. If a credit requires presentation of multiple documents by using terms such as "in duplicate", "in two folds" or "in two copies", this will be satisfied by the presentation of at least ( ㉡ ) original and the remaining number in copies, except when the document itself indicates otherwise.

| | ㉠ | ㉡ |
|---|---|---|
| ① | one | one |
| ② | one | two |
| ③ | one | three |
| ④ | three | three |

답 ①

ㄱ. At least (one) original of each document stipulated in the credit must be presented. 적어도 신용장에서 명시된 서류의 원본 한 통은 제시되어야 한다(UCP Article 17, a).
ㄴ. If a credit requires presentation of multiple documents by using terms such as "in duplicate", "in two folds" or "in two copies", this will be satisfied by the presentation of at least (one) original and the remaining number in copies, except when the document itself indicates otherwise. 만약 신용장이 "in duplicate(2통)", "in two folds(2부)" 또는 "in two copies(2통)"와 같은 용어를 사용하여 복수의 서류 제시를 요구하였다면 이것은 서류 자체에 다른 명시가 없다면 적어도 한 통의 원본과 나머지 사본 서류가 제시되면 된다(UCP Article 17, e).

**22** □□□ 다음은 제6차 개정 신용장통일규칙(UCP 600) 제30조에 대한 규정이다. 괄호 안에 들어갈 내용이 순서대로 바르게 나열된 것은? 2015. 관세직 7급

> The words "(        )" or "(        )" used in connection with the amount of the credit or the quantity or the unit price stated in the credit are to be construed as allowing a tolerance not to exceed (        ) more or (        ) less than the amount, the quantity or the unit price to which they refer. A tolerance not to exceed (        ) more or (        ) less than the quantity of the goods is allowed, provided the credit does not state the quantity in terms of a stipulated number of packing units or individual items and the total amount of the drawings does not exceed the amount of the credit.

① about - approximately - 5% - 5% - 10% - 10%
② about - approximately - 10% - 10% - 5% - 5%
③ some - almost - 5% - 5% - 10% - 10%
④ some - almost - 10% - 10% - 5% - 5%

답 ②

UCP Article 30 Tolerance in Credit Amount, Quantity and Unit Prices(신용장 통일규칙 제30조 신용장 금액, 수량과 단가의 과부족 허용)

a. The words "about" or "approximately" used in connection with the amount of the credit or the quantity or the unit price stated in the credit are to be construed as allowing a tolerance not to exceed 10% more or 10% less than the amount, the quantity or the unit price to which they refer.
(a. 신용장에 기재된 신용장 금액 또는 수량 또는 단가와 관련하여 사용되는 "about(약)" 또는 "approximately(대략)"이라는 단어는 그것이 언급하는 금액, 수량, 단가의 10%를 초과하지 않는 과부족을 허용하는 것으로 해석된다)

b. A tolerance not to exceed 5% more or 5% less than the quantity of the goods is allowed, provided the credit does not state the quantity in terms of a stipulated number of packing units or individual items and the total amount of the drawings does not exceed the amount of the credit.
(b. 만약 신용장이 수량을 포장단위 개수 또는 개개품목의 개수로 명시하지 않고, 환어음 발행금액이 신용장금액을 초과하지 않는다면 상품 수량의 5% 과부족 편차가 허용된다)

**23** □□□ **신용장통일규칙(UCP 600)상 선적조건에 대한 설명으로 옳지 않은 것은?** 2013. 관세직 7급

① 선적일의 기준은 선적서류의 발행일자 또는 선적이나 발송을 증명하는 접수일자로 한다.
② 분할선적은 신용장에 분할선적을 금지하는 문언이 없는 경우에는 분할선적이 허용된 것으로 간주한다.
③ 전 운송과정을 하나의 동일한 복합운송서류로 커버하면 신용장에서 환적을 금지한다는 문언이 있을지라도 수리된다.
④ 선적일자와 관련하여 'until', 'till', 'after'는 당해일을 포함하는 것으로 간주한다.

답 ④

The words "to", "until", "till", "from" and "between" when used to determine a period of shipment include the date or dates mentioned, and the words "before" and "after" exclude the date mentioned(UCP 3).
"to", "until", "till", "from"이라는 단어가 선적기간을 결정하기 위하여 사용될 때에는 언급된 일자를 포함하고, "before"와 "after"는 언급된 일자를 제외한다(UCP 제3조).

**24** □□□ **다음 밑줄 친 부분에 들어갈 적절한 용어는?** 2012. 관세직 7급

| |
|---|
| ______________ means the purchase by the nominated bank of drafts (drawn on a bank other than the nominated bank) and/or documents under a complying presentation, by advancing or agreeing to advance funds to the beneficiary on or before the banking day on which reimbursement is due to the nominated bank. |

① Confirmation
② Negotiation
③ Honour
④ Presentation

답 ②

'Negotiation' means the purchase by the nominated bank of drafts (drawn on a bank other than the nominated bank) and/or documents under a complying presentation, by advancing or agreeing to advance funds to the beneficiary on or before the banking day on which reimbursement is due to the nominated bank(UCP 2).
'매입'이란 지정은행이 대금상환을 받은 날짜 또는 그 전에 일치하는 제시하의 (지정은행 이외의 은행이 지급인인) 환어음 및/또는 서류에 대하여 수익자에게 대금을 지급하거나 대금지급에 동의함으로써 매수하는 것을 의미한다(UCP 제2조).

**25** □□□ **신용장통일규칙(UCP 600)상 분할선적(partial shipments)에 대한 설명으로 옳지 않은 것은?**

2012. 관세직 7급

① 화물을 여러 개로 나누어 포장하고 동일 장소와 일자에 같은 목적지로 동일 택배로 발송한 경우, 포장 수량에 따라 여러 장의 수령증이 제시되었다면 분할선적으로 본다.

② 신용장상에 분할선적에 대한 명시가 없다면 분할선적은 허용하는 것으로 해석한다.

③ 선적항과 선적일자가 다른 경우에도 동일한 목적지로 향하는 동일한 운송수단에 선적되었다면 분할선적으로 보지 않는다.

④ 여러 번에 나누어 선적하고 복수의 선하증권을 발급받은 경우 가장 최근에 선적된 일자로부터 서류제시를 위한 제한기간을 기산한다.

답 ①

분할선적(partial shipments)이란 거래물량을 여러 번에 나누어 선적하는 방법으로, 신용장상에 분할선적을 금지하는 문언이 없는 경우 분할선적은 허용되는 것으로 간주한다. 동일한 운송수단으로 시작되고 동일한 운송을 위한 선적을 입증하는 한 개를 초과하는 운송서류로 구성되는 제시는 만약 그것이 동일 목적지를 표시하고 있다면 비록 선적일이 다르고, 선적항과 수탁지 또는 발송지가 다를지라도 분할선적으로 간주되지 않는다. 만약 제시가 하나를 초과하는 운송서류로 구성되어 있다면, 이러한 운송서류 세트로 입증된 가장 늦은 선적일을 선적일로 간주한다.
A presentation consisting of more than one courier receipt, post receipt or certificate of posting will not be regarded as a partial shipment if the courier receipts, post receipts or certificates of posting appear to have been stamped or signed by the same courier or postal service at the same place and date and for the same destination(UCP 31).
둘 이상의(여러 장의) 특송배달수취증, 우편수취증 또는 우편증명서로 구성된 제시는 만약 특송배달수취증, 우편수취증 또는 우편증명서가 동일지역을 목적지로 하여 동일 일자에 동일장소에서 특사배달업체 또는 우편당국이 스탬프하거나 서명한 것으로 나타난다면 분할선적으로 간주하지 않는다(UCP 제31조).

**26** □□□ **취소불능신용장에 있어 조건변경이나 취소가 필요한 경우 신용장 통일 규칙 제6차 개정(UCP 600)의 규정상 합의의 당사자가 아닌 자는?**

2009. 관세직 7급

① 신용장 발행은행

② 신용장 발행의뢰인

③ 확인은행(있는 경우)

④ 수익자

답 ②

UCP 600 Article 10 Amendments a. Except as otherwise provided by article 38, a credit can neither be amended nor cancelled without the agreement of the issuing bank, <u>the confirming bank, if any, and the beneficiary</u>.

## 2 | 무신용장 방식의 무역대금결제

**01** □□□ **추심에 관한 통일규칙(URC 522)상 제시의 형식(Form of Presentation)에 대한 설명으로 옳지 않은 것은?** 2022. 관세직 7급

① 제시은행은 서류가 일람출급이 아닌 기한부지급조건으로 인수를 요하는 경우에는 지체없이 인수를 위한 제시를, 그리고 지급을 요하는 경우에는 적절한 만기일 내에 지급을 위한 제시를 하여야 한다.

② 추심의뢰은행이 특정 제시은행을 지정하지 아니한 경우 추심은행은 자신이 선택한 제시은행을 이용할 수 있다.

③ 서류와 추심지시서는 추심의뢰은행이 추심은행으로 직접 송부하여야 하며, 다른 중개은행을 통하여 송부될 수 없다.

④ 추심이 장래의 확정일출급조건의 환어음을 포함하는 경우 추심지시서에는 상업서류가 지급인에게 인수인도(D/A) 또는 지급인도(D/P) 중 어느 조건으로 인도되어야 하는지를 명시하여야 한다.

답 ③

서류와 추심지시서는 추심의뢰은행이 추심은행으로 직접 송부되거나, 다른 은행을 중개인으로 하여 송부될 수 있다. The documents and collection instruction may be sent directly by the remitting bank to the collecting bank or through another bank as intermediary(URC 522 Article 5, e).

**선지분석**

① 서류가 일람출급인 경우에는 제시은행은 지체없이 지급을 위한 제시를 하여야 한다. 서류가 일람출급이 아닌 기한부지급조건인 경우에는 제시은행은 인수가 요구되는 때에는 지체없이 인수를 위한 제시를, 그리고 지급이 요구되는 때에는 적합한 만기일 내에 지급을 위한 제시를 해야 한다. In the case of documents payable at sight the presenting bank must make presentation for payment without delay. In the case of documents payable at a tenor other than sight the presenting bank must, where acceptance is called for, make presentation for acceptance without delay, and where payment is called for, make presentation for payment not later than the appropriate maturity date(URC 522 Article 6).

② 추심의뢰은행이 특정 제시은행을 지정하지 아니한 경우 추심은행은 자신이 선택한 제시은행을 이용할 수 있다. If the remitting bank does not nominate a specific presenting bank, the collecting bank may utilise a presenting bank of its choice(URC 522 Article 5, f).

④ 추심이 장래의 확정일출급조건의 환어음을 포함하는 경우 추심지시서에는 상업서류가 지급인에게 인수인도(D/A) 또는 지급인도(D/P) 중 어느 조건으로 인도되어야 하는지를 명시하여야 한다. If a collection contains a bill of exchange payable at a future date, the collection instruction should state whether the commercial documents are to be released to the drawee against acceptance (D/A) or against payment (D/P)(URC 522 Article 7, b).

**02** □□□ **추심에 관한 통일규칙(URC 522)에 대한 내용으로 옳은 것은?** 2020. 관세직 7급

① 상업서류(commercial documents)란 환어음, 약속어음, 수표 또는 기타 금전의 지급을 받기 위하여 사용되는 증서를 의미한다.
② 추심지시서는 추심의뢰은행(remitting bank)이 추심은행(collecting bank)으로 직접 송부하여야 하며, 다른 중개은행을 통하여 송부될 수 없다.
③ 서류가 일람출급인 경우 제시은행(presenting bank)은 지체 없이 지급을 위한 제시를 하여야 한다.
④ 추심의뢰인(principal)은 추심지시서에 따라 제시를 받아야 할 자를 말한다.

답 ③

서류가 일람출급인 경우에는 제시은행은 지체없이 지급을 위한 제시를 하여야 한다. In the case of documents payable at sight the presenting bank must make presentation for payment without delay(URC 522 Article 6).

**선지분석**

① '환어음, 약속어음, 수표 또는 기타 금전의 지급을 받기 위하여 사용되는 증서'는 상업서류가 아니라, 금융서류에 대한 설명이다. 금융서류와 상업서류를 구분하여야 한다(URC 522 Article 2).

| | |
|---|---|
| 금융서류 | 환어음, 약속어음, 수표 또는 기타 금전의 지급을 취득하기 위하여 사용되는 이와 유사한 증서를 의미한다.<br>"Financial documents" means bills of exchange, promissory notes, cheques, or other similar instruments used for obtaining the payment of money. |
| 상업서류 | 송장, 운송서류, 권리증권 또는 이와 유사한 서류, 또는 그밖에 금융서류가 아닌 모든 서류를 의미한다.<br>"Commercial documents" means invoices, transport documents, documents of title or other similar documents, or any other documents whatsoever, not being financial documents. |

② 서류와 추심지시서는 추심의뢰은행이 추심은행으로 직접 송부되거나, 다른 은행을 중개인으로 하여 송부될 수 있다. The documents and collection instruction may be sent directly by the remitting bank to the collecting bank or through another bank as intermediary(URC 522 Article 5, e).
④ '추심지시서에 따라 제시를 받아야 할 자'는 지급인이라 한다(URC 522 Article 3).

| | |
|---|---|
| 추심의뢰인<br>(principal) | 은행에 추심업무를 의뢰하는 당사자(the party entrusting the handling of a collection to a bank) |
| 추심의뢰은행<br>(remitting bank) | 추심의뢰인으로 부터 추심업무를 의뢰받은 은행(the bank to which the principal has entrusted the handling of a collection) |
| 추심은행<br>(collecting bank) | 추심의뢰 이외에 추심의뢰 과정에 참여하는 모든 은행(any bank, other than the remitting bank, involved in processing the collection) |
| 제시은행<br>(presenting bank) | 지급인에게 제시를 행하는 추심은행(the collecting bank making presentation to the drawee) |
| 지급인<br>(drawee) | 추심지시서에 따라 제시를 받아야 할 자(the one to whom presentation is to be made in accordance with the collection instruction) |

**03** □□□

**무역대금 결제방식에 대한 설명이다. ㉠ ~ ㉢에 해당하는 용어를 순서대로 바르게 나열한 것은?**

2017. 관세직 7급

> ( ㉠ )은(는) 선하증권을 포함한 선적서류와 교환하여 대금지급이 이루어지는 결제방식으로 ( ㉡ )에 ( ㉢ )의 지점이나 대리인 또는 지정은행이 있어야 활용할 수 있다.

| | ㉠ | ㉡ | ㉢ |
|---|---|---|---|
| ① | CWO | 수출지 | 매수인 |
| ② | CAD | 수출지 | 매수인 |
| ③ | COD | 수입지 | 매도인 |
| ④ | OA | 수입지 | 매도인 |

답 ②

CAD(Cash against Documents, 서류인도결제방식)는 수입상이 선적서류와 상환으로 대금을 지급하는 방식으로, 수출지(수출국)에 매수인(수입자)의 지점이나 대리인 등이 있어야 활용할 수 있는 방식이다.

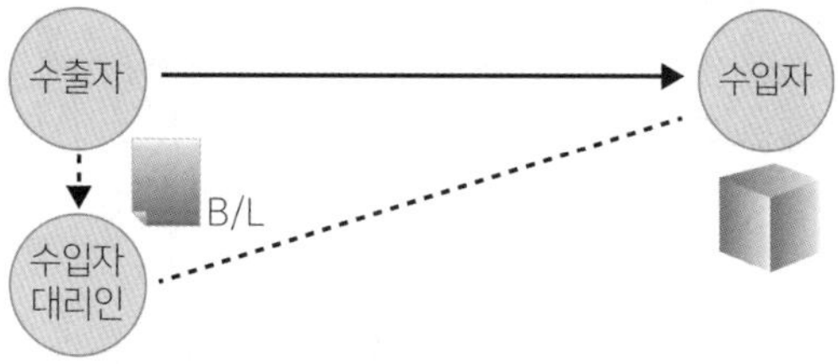


**04** □□□

**무역거래에서 사용되는 결제에 대한 설명으로 옳지 않은 것은?**

2016. 관세직 7급

① 추심방식은 신용장방식과는 달리 은행의 대금 지급 확약이 없다.
② 추심방식은 결제기간에 따라 지급인도조건(D/P)과 인수인도조건(D/A)으로 나누어진다.
③ 신용장 종류에는 환어음에 선적서류를 첨부하여야 하는 화환신용장(documentary credit)과 첨부하지 않아도 되는 무담보신용장(clean credit)이 있다.
④ 신용장은 수익자의 요청과 지시에 따라 발행은행이 신용장조건과 일치하는 소정의 서류와 상환으로 개설의뢰인이 발행한 환어음을 지급·인수하겠다는 조건부 지급확약서를 말한다.

답 ④

신용장은 '개설의뢰인'의 요청과 지시에 따라 발행은행이 신용장조건과 일치하는 소정의 서류와 상환으로 '수익자'가 발행한 환어음을 지급·인수하겠다는 조건부 지급확약서를 말한다.

**05** □□□

**대금결제방법 중 동시지급방식만으로 구성되어 있는 것은?** 2010. 관세직 7급

① At sight L/C - D/A - CAD
② At sight L/C - D/P - COD
③ Usance L/C - D/P - CWO
④ At sight L/C - D/A - COD

답 ②

- At sight L/C는 일람출급신용장으로서, 신용장에 의거하여 발행한 환어음이 지급인에게 제시되면 즉시 대금이 지급되는 일람출급환어음(sight draft) 발행 조건의 신용장을 말한다(그러나 실무상 보면, 일람출급환어음일지라도 수익자의 환어음 매입요청에 대해 당일 즉시 지급되는 경우는 드물다. 이는 매입은행이 수익자가 제시한 선적서류와 환어음이 신용장의 조건과 일치하는지의 여부 확인과 서류의 하자발생시 개설은행에 대한 대금지급여부에 대한 확인이 필요하므로 현실적으로 3일에서 5일 정도의 실무처리기간이 필요하기 때문이다).
- D/P(documents against payment)는 지급인도조건으로서, 추심거래 시 발행되는 환어음이 일람출급어음인 조건이다. 추심은행은 환어음의 지급인인 수입상으로부터 수입대금을 결제받은 후 서류를 인도한다.
- 송금방식에 있어 CAD와 COD는 모두 동시지급방식이다. CAD(Cash Against Documents)란 수입상이 선적서류와 상환으로 대금을 지급하는 방식이며, COD(Cash On Delivery)란 수입상이 물품과 상환으로 대금을 지급하는 방식을 말한다.
- CWO(Cash With Order)란 계약체결 시 수입상이 수출상에게 물품대금을 미리 주고 수출상은 수입상에게 받은 선금으로 제조하여 선적하는 거래방식으로서, 사전송금방식에 해당한다.

**06** □□□

**국제팩토링과 포페이팅에 대한 설명으로 옳지 않은 것은?** 2017. 관세직 7급 하반기

① 국제팩토링은 전도금융 외에도 수출업자의 장부관리, 무역정보의 제공 등 다양한 서비스를 제공한다.
② 포페이팅은 수출업자에게 상환청구를 할 수 없다.
③ 국제팩토링은 수입팩터가 설정한 신용한도 내에서 수입업자가 별도의 담보 없이 계속적으로 신용구매가 가능하도록 한다.
④ 포페이팅은 거래규모가 작고, 단기 소액거래에서 주로 이용된다.

답 ④

포페이팅(forfaiting)이란 연지급조건(usance) 거래에서 발행된 약속어음이나 환어음을 소구권 없이(without recourse) 고정이자율로 할인하는 결제방식이다. 포페이팅과 신용장의 인수는 유사하나, 포페이팅의 기간이 더 장기이고, 어음에 대한 소구권이 없다는 점이 다르다.

## 07
□□□

**대금결제방식의 하나인 포페이팅(forfaiting)의 특징에 대한 설명으로 옳지 않은 것은?**

2009. 국제통상직 7급

① 일반적으로 수출업자의 환어음과 같은 채권을 대상으로 한다.
② 규모가 작고 단기 소액 거래에 많이 활용된다.
③ 포페이터는 일반적으로 수출업자에게 환어음에 대한 상환을 청구할 수 없다.
④ 포페이터는 일반적으로 고정금리부로 환어음을 매입한다.

답 ②

포페이팅(forfaiting)이란 연지급조건(usance) 거래에서 발행된 약속어음이나 환어음을 소구권 없이(without recourse) 고정이자율로 할인하는 결제방식이다. 포페이팅과 신용장의 인수는 유사하나, 포페이팅의 기간이 더 장기이고, 어음에 대한 소구권이 없다는 점이 다르다.

## 08
□□□

**국제팩터링(international factoring)과 포페이팅(forfaiting) 거래에 대한 설명으로 옳지 않은 것은?**

2013. 관세직 7급

① 국제팩터링 거래에서 수출 팩터(export factor)는 신용장 방식에 있어서 매입은행과 비슷한 역할을 수행한다.
② 국제팩터링 거래에서 수출 팩터(export factor)는 수출업자로부터 제시받은 선적서류를 확인 후 수출채권을 매입한다.
③ 포페이팅 거래에서 포페이터(forfaiter)는 소구권을 행사하는 조건으로 채권을 매입한다.
④ 포페이팅 거래에서는 환어음과 약속어음을 할인대상으로 한다.

답 ③

포페이팅 거래에서 포페이터는 수출업자에게 환어음에 대한 상환을 청구할 수 없다. 즉 소구권을 행사할 수 없다.

| 구분 | 포페이팅 | 팩터링 |
|---|---|---|
| 주요 대상 | 약속어음, 환어음 등 유통증권(negotiable instrument) | 외상매출채권 등 비유통증권(non-negotiable instrument) |
| 대상채권의 성격 | 개별적으로 확정된 매출채권 | 현재뿐만 아니라 장래에 발생할 매출채권까지 포함한 포괄적이고 계속적인 채권의 매매 |
| 지원금액 | 계약금액의 100% 지원 | 계약금액의 80% 정도 지원 |
| 지원거래의 성격 | 중장기금융(1 ~ 10년), 거액의 자본재, 국제무역거래 | 단기금융(30 ~ 120일), 소액의 소비재(10만 달러 이내), 국내물품 판매거래 |
| 대상품목 | 자본재 | 소비재 |
| 업무의 수행범위 | 채권의 할인매입과 관련된 제한된 업무수행 | 추심업무 등 부대서비스를 포함한 포괄적 업무수행 |
| 위험담보 책임 | • 신용위험: 포페이터 부담<br>• 비상위험: 포페이터 부담 | • 신용위험: 팩터 부담<br>• 비상위험: 수출업자 부담 |

CHAPTER 3

# 국제운송과 해상보험

## 1 | 국제운송

**01** □□□ **다음 중 해상운송에 대한 설명으로 옳은 것만을 모두 고르면?** 2022. 관세직 7급

> ㄱ. 절차의 간소화를 위해서 필수기재사항은 모두 기재되어 있으나, 선화증권의 이면약관이 생략된 것을 약식선화증권이라고 한다.
> ㄴ. 이연환급제는 화주가 동맹과 미리 계약을 맺지 않고도 일정기간(4개월) 동안 동맹선을 이용했다는 선적명세서를 제시, 리베이트를 요청하면 운임의 일정률을 환급하는 제도이다.
> ㄷ. 선내하역비 부담조건 가운데 FIOST(Free In, Out, Stowage and Trimming)는 선적, 양륙, 적부 및 정리 비용을 모두 화주가 부담하는 조건이다.
> ㄹ. 해상화물운송장은 해상운송인이 운송품의 수취를 증명하고 운송 인수조건을 알기 위한 목적으로 송화인에 대해서 발행하는 서류이며, 운송품인도청구권을 상징하는 유가증권적 성격을 지닌다.

① ㄱ, ㄷ ② ㄱ, ㄹ
③ ㄴ, ㄷ ④ ㄴ, ㄹ

답 ①

ㄱ. 필수기재사항은 모두 기재되어 있으나, 선하증권(선화증권)의 이면약관이 생략된 것을 약식선화증권(Short form B/L)이라고 한다(Long form B/L의 반대).
ㄷ. 하역비 부담조건은 선주(운송인)와 화주 간의 부담 범위에 따라 다음과 같이 구분된다.

| 하역비 부담 조건 | 내용 |
|---|---|
| FI(Free In) | 선적비용은 화주가 부담하고, 양하비용은 운송인이 부담한다. |
| FO(Free Out) | 선적비용은 운송인이 부담하고, 양하비용은 화주가 부담한다. |
| FIO(Free In & Out) | 화주가 선적비용과 양하비용을 모두 부담한다. |
| FIOST(Free In & Out, Stowed, Trimmed) | 화주가 선적, 양륙, 본선 내의 적부비와 선창 내 화물정리비 모두를 부담한다. |
| Berth Term(Liner Term) | 선적비용과 양하비용까지 모두 운송인이 부담한다. |

**선지분석**

ㄴ. 해운동맹은 운임협정, 공동계산협정, 항해협정, 공동경영 등으로 동맹사 간 결속을 강화한다. 반면에 해운동맹은 계약운임제, 성실환급제(Fidelity Rebate System), 이연환급제(Deferred Rebate System) 등으로 화주를 유인(구속)한다. '화주가 동맹과 미리 계약을 맺지 않고도 일정기간(4개월) 동안 동맹선을 이용했다는 선적명세서를 제시, 리베이트를 요청하면 운임의 일정률을 환급하는 제도'는 이연환급제가 아니라 성실환급제이다.

<table>
<tr><td rowspan="5">대내적 운영방법</td><td>운임협정<br>(Rate Agreement)</td><td colspan="2">운임경쟁을 지양하기 위해 가맹선주는 공정운임표를 준수해야 하고, 이를 위반할 경우 위약금을 지급해야 한다.</td></tr>
<tr><td>공동계산협정<br>(Pooling Agreement)</td><td colspan="2">각 선사의 일정기간 동안의 총 운임수입에서 항해경비 및 하역비용을 공제한 순 운임수입을 미리 정한 배분율에 따라 배분한다.</td></tr>
<tr><td>항해협정<br>(Sailing Agreement),</td><td colspan="2">동맹선사간 적정한 배선수를 설정 및 유지하여 선복 과잉에 따른 과당경쟁을 방지하려는 것으로서, 배선·지역·수량 협정이 있다.</td></tr>
<tr><td>공동경영<br>(Joint Service)</td><td colspan="2">경쟁배제, 경비절감, 합리적 배선 등을 목적으로 특정 항로의 경영을 일시적으로 통합한다.</td></tr>
<tr><td>맹외선 대책</td><td colspan="2">특정 항로에 싼 운임으로 투입된 맹외선(outsider)의 축출을 위해 일정기간 동안 저운임의 대항선(fighting ship)을 투입한다.</td></tr>
<tr><td rowspan="6">대외적 운영방법</td><td>계약운임제<br>(Dual or Contract Rate System)</td><td colspan="2">일반 화주에게는 일반운임(비계약 운임)을 적용하고, 동맹선사를 이용하겠다고 계약한 화주에게는 일반운임보다 낮은 계약운임(contract rate)을 적용한다.</td></tr>
<tr><td rowspan="3">운임환급제<br>(Freight Rebate System)</td><td colspan="2">일정기간 동안 동맹선에 선적한 화주에게 운임의 일부를 환급해주는 것으로서, 성실환급제와 이연환급제가 있다.</td></tr>
<tr><td>성실환급제<br>(FRS; Fidelity Rebate System)</td><td>일정기간(4개월) 동맹선을 이용했다는 선적명세서를 제시하면, 운임의 일정률을 환급하는 제도</td></tr>
<tr><td>이연환급제<br>(DRS; Deferred Rebate System)</td><td>일정기간(12개월) 동맹선을 이용했다는 선적명세서를 제시하면, 운임의 일정률을 환급하는 제도</td></tr>
<tr><td>우대운임제<br>(Special Rate arrangement)</td><td colspan="2">특정품목 할인율, 프로젝트 화물 할인율 등의 별도 조항을 두고 동맹공동으로 운임을 할인해 준다.</td></tr>
<tr><td>삼중운임제<br>(Triple Rate System)</td><td colspan="2">비계약운임, 계약운임, 특별계약운임을 동시에 적용한다.</td></tr>
</table>

ㄹ. 해상화물운송장은 해상운송인이 운송품의 수취를 증명하고 운송 인수조건을 알기 위한 목적으로 송하인(송화인)에 대해서 발행하는 서류이다. 그러나 해상화물운송장은 선하증권과 달리 비유통성 증권이다. 즉, 유가증권적 성격을 가지지 않는다.

**02** □□□

**나용선 계약에 대한 설명으로 옳은 것은?** 2021. 관세직 7급

① 선주가 선장을 임명하고 지휘·감독한다.

② 용선자는 선복을 이용하고 선주는 운송행위를 한다.

③ 선주는 선원의 급료, 보험료, 항비, 하역비 등을 부담해야 한다.

④ 용선자가 계약기간을 일정기간으로 정하여 임차료를 지불하는 임대차 계약이라고 할 수 있다.

답 ④

용선운송계약(charter party)에는 정기용선계약, 항해용선계약, 나용선계약 등이 있다. 나용선의 경우, '배만 빌리는' 조건이므로 용선자가 선장을 임명·지휘·감독하고, 운송도 해야 하며, 선원의 급료 등도 부담해야 한다. 용선자가 '배를 빌리는' 임대차 계약이라고 할 수 있다.

| | |
|---|---|
| 정기용선계약 (time charter) | 선박에 필요한 모든 용구와 선원까지 승선시킨 선박을 일정기간 용선하여 그 용선기간을 기준으로 보수를 지불하는 해상운송계약 |
| 항해용선계약 (voyage charter) | 특정 항구에서 또 다른 항구까지의 일항차 또는 수개항차에 걸쳐 화물의 운송을 의뢰하는 해상운송계약(trip charter라고도 함) |
| 나용선 계약 (bare boat charter) | 선박 자체만 용선하고, 선원·장비 등은 용선하는 측에서 부담하는 해상운송계약 |

**03** □□□

**해상운송계약에 대한 설명으로 옳은 것은?** 2020. 관세직 7급

① 용선운송계약은 선박회사가 다수의 화주로부터 개개의 물품을 대상으로 개별적으로 운송계약을 체결하는 것을 말한다.

② 개품운송계약은 화주가 선박회사로부터 선복(ship's space)의 전부 또는 일부를 빌려 계약을 체결하는 것을 말한다.

③ 항해용선계약은 화주가 선주로부터 일정 기간 선박을 빌리는 것으로 용선기간에 따라 용선료를 지급하는 것을 말한다.

④ 나용선계약은 용선자가 선주로부터 아무런 장비를 갖추지 않은 선체(bareboat)만 빌리고 선박의 운항에 필요한 선원, 장비, 소모품 등은 용선자가 책임을 지는 것을 말한다.

답 ④

**선지분석**

① '개품운송계약'은 선박회사가 다수의 화주로부터 개개의 물품을 대상으로 개별적으로 운송계약을 체결하는 것을 말한다.

② '용선운송계약'은 화주가 선박회사로부터 선복(ship's space)의 전부 또는 일부를 빌려 계약을 체결하는 것을 말한다.

③ '정기용선계약'은 화주가 선주로부터 일정 기간 선박을 빌리는 것으로 용선기간에 따라 용선료를 지급하는 것을 말한다.

**04** □□□ **다음 중 부정기선 운송서비스의 특성에 대한 설명으로 옳은 것만을 모두 고른 것은?**

2017. 관세직 7급 하반기

ㄱ. 선사는 해운동맹에 가입하는 것이 일반적이다.
ㄴ. 주로 광석, 곡류, 목재 등 살화물(bulk cargo)의 운송에 이용한다.
ㄷ. 표준계약서와 공시 운임률표에 따라 운송서비스를 제공한다.
ㄹ. 일반운송인(common carrier)이 운송서비스를 제공한다.
ㅁ. 완전경쟁적 시장요소가 강하다.
ㅂ. 타 운송서비스에 비해 저가의 운송서비스이다.

① ㄴ, ㅂ ② ㄴ, ㅁ, ㅂ
③ ㄱ, ㄷ, ㄹ ④ ㄴ, ㄹ, ㅁ, ㅂ

답 ②

'부정기선 운송(tramp transportation)'이란 수요에 따라 특별한 제한없이 화물을 운송하는 방식을 말한다. 항로와 화주를 제한하지 않고 화물의 수송 수요에 따라 화주의 요구대로 선박을 투입하여 운송하는 형태이다. 운임은 당사자간의 합의 계약에 의해 결정되고, 선사는 특정 화주를 대상으로 용선운송계약(charter party)을 체결한다. 부정기선 운송은 곡물·광석 등의 살화물(bulk cargo, 산화물)의 운송에 주로 사용한다. 부정기선 운송 시장이 완전경쟁 시장은 아니지만, 다수의 운송사가 견적을 내며 경쟁하기 때문에 '완전경쟁적 시장요소가 강하다'고 말할 수 있다. 용선운송계약을 통한 부정기선 운송은 그 운임이 상대적으로 낮다.

**선지분석**

ㄱ. 부정기선 운송은 화주의 요구에 따라 운송하는 것이므로 동맹선사들끼리 운임을 합의한 해운동맹에 가입하지는 않는다.

ㄷ, ㄹ. 표준계약서와 공시 운임률표에 따라 일반운송인(common carrier)이 운송서비스를 제공하는 것은 정기선 운송(liner transportation)이다.

**05** □□□ **다음은 해상운송에 대한 용어의 설명이다. ㉠ ~ ㉣에 들어갈 용어를 순서대로 바르게 연결한 것은?**

2019. 관세직 7급

> ㄱ. 정박기간을 초과하여 일정기간 선적항 내지 양륙항에 머무른 경우 일정 금액을 지불하기로 용선계약상 미리 약정한 확정손해배상금에 해당하는 것을 ( ㉠ )라 한다.
> ㄴ. 용선계약상 허용된 정박기간이 종료되기 전에 하역이 완료되었을 때 그 절약된 기간에 대하여 선주가 용선자에게 지급하는 보수를 ( ㉡ )라 한다.
> ㄷ. 운임표시 통화의 가치하락으로 선사의 손실을 보전하기 위해 부과되는 할증운임을 ( ㉢ )라 한다.
> ㄹ. 용선자가 용선계약 체결 시 선적하기로 했던 화물의 실적재량을 채우지 못한 경우 그 부족분에 대해서 지급하는 운임으로 일종의 위약금에 해당하는 것을 ( ㉣ )라 한다.

| | ㉠ | ㉡ | ㉢ | ㉣ |
|---|---|---|---|---|
| ① | Demurrage | Despatch Money | BAF | Dead Freight |
| ② | Despatch Money | Demurrage | CAF | Detention Charge |
| ③ | Demurrage | Despatch Money | CAF | Dead Freight |
| ④ | Despatch Money | Demurrage | BAF | Detention Charge |

답 ③

| | |
|---|---|
| 체항료<br>Port Congestion Surcharge | 항만의 하역능력 부족으로 항구에서 선박이 장기간 대기할 경우 발생하는 비용을 화주에게 부담시키는 것 |
| 체선료<br>Demurrage | 약정 기일까지 하역을 완료하지 못한 경우 화주에게 부담시키는 비용 ↔ 조출료(Dispatch[Despatch] Money) |
| 지체료<br>Detention Charge | 화주가 컨테이너 또는 트레일러를 대여 받았을 경우 규정된 시간(Free Time) 내에 반환을 못할 경우 벌과금으로 지불해야 하는 비용 |
| 통화할증료(CAF)<br>Currency Adjustment Factor | 운임표시 통화의 가치하락에 따른 손실을 보전하기 위해 도입한 할증료로서 일정 기간 해당 통화의 가치변동률을 감안하여 기본운임에 일정률 또는 일정액을 부과하는 것 |
| 유류할증료(BAF)<br>Bunker Adjustment Factor | 선박의 주 연료인 벙커유의 가격변동에 따른 손실을 보전하기 위해 부과하는 할증료로서 기본운임에 대하여 일정비율(%) 또는 일정액을 부과하는 것<br>(북미항로 연료할증료: FAF, Fuel Adjustment Factor) |

**06** □□□ **다음 밑줄 친 곳에 들어갈 적절한 용어는?**

2013. 관세직 7급

> ________는 항해용선의 하역작업이 용선계약에서 정한 정박기간 이전에 완료되어, 본선이 조기에 출항하게 되는 경우 절약 일수에 대하여 선주가 화주에게 지급하는 환급금을 말한다.

① Trimming charge
② Demurrage
③ Laydays charge
④ Dispatch money

답 ④

②, ④ 항해용선의 하역작업이 약정 기일 내에 완료되지 못한 경우 선주가 화주에게 그 부담을 전가시키는 비용을 체선료(Demurrage)라 한다. 그 반대로 하역작업이 정박기간 이전에 완료된 경우 선주가 화주에게 지급하는 환급금은 조출료(Dispatch Money, Despatch Money)라 한다.

**선지분석**

① Trimming charges는 화물 정리 비용이다.
③ Laydays charge는 정박일수 증가에 따라 청구되는 비용이다.



**07** □□□

**항공화물요율 중 특정구간에 동일품목이 계속적으로 반복하여 운송되는 품목이거나, 육상이나 해상운송과의 경쟁성을 감안하여 항공운송을 이용할 가능성이 높은 품목에 대하여 적용하기 위해 설정되는 요율은?** 2018. 관세직 7급

① Commodity Classification Rate
② Specific Commodity Rate
③ Bulk Unitization Charge
④ General Cargo Rate

답 ②

특정구간에 특정품목에 대해 설정되는 요율은 Specific Commodity Rate(SCR, 특정품목 할인요율)라고 한다.

| 항공화물 요율 | 내용 |
|---|---|
| 일반화물요율(GCR) General Cargo Rates | 품목분류 요율이나 특정품목 할인요율을 적용받지 않는 모든 화물의 운송에 적용되는 요율 |
| 특정품목 할인요율(SCR) Specific Commodity Rate | 특정구간에 특정품목에 대해 설정되는 요율(특정구간에 동일품목이 계속적으로 반복하여 운송되는 품목이거나, 육상이나 해상운송과의 경쟁성을 감안하여 항공운송을 이용할 가능성이 높은 품목에 대하여 적용하는 요율) |
| 품목분류 요율(Class Rate) Commodity Classification Rate | 몇 가지 특정품목, 또는 특정구간이나 지역 내에서만 적용되는 요율 |
| 단위탑재용기 운임(BUC) Bulk Unitization Charge | 항공사가 송하인 또는 대리점에게 컨테이너 또는 팔레트 단위로 판매할 때 적용하는 요금 |
| 종가 요금 Valuation Charges | 사고 발생 시 항공사의 최대배상한도액(maximum liability)을 초과하는 금액을 배상받기 위해 운송장상에 화물의 가격을 신고하고 종가요금을 지불하는 방식(사고발생 시 실손해액을 배상받을 수 있음) |

**08** □□□

**선하증권의 필수기재사항이 아닌 것은?** 2009. 국제통상직 7급

① 선박의 명칭 · 국적 · 톤수
② 운송물의 외관상태
③ 용선자 또는 송하인의 성명 · 상호
④ 컨테이너 번호 및 봉인 번호

답 ④

상법 제853조에 의한 선하증권의 필수 기재사항은 다음과 같다. 컨테이너 번호 및 봉인번호는 임의 기재사항에 해당한다.

① 선박의 명칭·국적 및 톤수
② 송하인이 서면으로 통지한 운송물의 종류, 중량 또는 용적, 포장의 종별, 개수와 기호
③ 운송물의 외관상태
④ 용선자 또는 송하인의 성명·상호
⑤ 수하인 또는 통지수령인의 성명·상호
⑥ 선적항
⑦ 양륙항
⑧ 운임
⑨ 발행지와 그 발행연월일
⑩ 수통의 선하증권을 발행한 때에는 그 수
⑪ 운송인의 성명 또는 상호
⑫ 운송인의 주된 영업소 소재지

**09** □□□ **선하증권(B/L)에 대한 설명으로 옳은 것은?** 2015. 관세직 7급

① Received B/L은 화물이 특정선박에 적재되었음을 명시한 B/L로 Custody B/L은 Received B/L의 한 형태이다.
② Sea Waybill은 선박회사가 화물을 수취했음을 나타내는 화물수취증이며, Sea Waybill은 배서에 의해 자유롭게 양도가 되는 유통 유가증권이다.
③ Through B/L은 화물을 목적지까지 운송하는데 선주가 도중에 다른 선박회사의 선박을 이용하거나 또는 해상운송과 육상운송 수단을 교대로 이용할 경우 최초의 운송업자가 전 구간의 운송에 대하여 책임을 지고 발행하는 B/L이다.
④ House B/L은 수송할 화물이 컨테이너 1개 분량이 안 되어 운송주선인이 같은 목적지로 가는 화물을 하나의 운송그룹으로 구성하여 선적해 보낼 때 선사가 운송주선인에게 교부하는 B/L이다.

답 ③

Through B/L(통선하증권, 통과선하증권)은 화물의 운송이 복수의 운송수단에 의하여 이루어지는 경우, 최초의 운송인이 목적지까지의 운송계약을 제2차 또는 제3차의 운송인에 갈음하여 모두 함께 체결할 때 발행되는 선하증권이다. 운송 도중 다른 선박회사의 선박을 이용하거나 해상운송·육상운송 수단을 교대로 이용하더라도, 최초의 운송인이 전 구간의 운송에 대하여 책임을 지게 된다.

**선지분석**

① Received B/L(수취 선하증권)은 화물이 운송인에게 인도되었을 때(운송인의 부두창고에 입고되었을 때) 발행되는 B/L이다. 적재가 명시된 B/L은 shipped B/L(선적 선하증권)이라고 한다. 한편, Custody B/L(보관 선하증권)은 화물이 운송인에게 인도되었으나, 아직 선박이 선적항에 도착하지 않았을 때 발행되는 B/L로서, Received B/L의 한 형태이다.

② Sea Waybill은 선박회사가 화물을 수취했음을 나타내는 화물수취증이다. 그러나 비유통성 증권으로서, 배서에 의해 양도할 수 없다.

④ 선사가 운송주선인이나 화주를 상대로 발행하는 B/L은 Master B/L이다. House B/L은 복합운송주선업자(포워더)가 화주를 상대로 발행하는 B/L이다.



**10** □□□ **화물을 목적지까지 운송하는 도중 중간항에서 다른 선박으로 옮겨 실어 최종 목적지까지 운송할 때 발행하는 선하증권은?** 2014. 관세직 7급

① 선적선하증권(Shipped or On Board B/L)
② 수취선하증권(Received for B/L)
③ 통과선하증권(Through B/L)
④ 환적선하증권(Transshipment B/L)

답 ④

환적선하증권(Transshipment B/L)이란 화물을 목적지까지 운송하는 도중 중간항에서 다른 선박으로 옮겨 실어 최종 목적지까지 운송할 때 발행하는 선하증권으로, Direct B/L(환적을 허용하지 않는 선하증권)과 반대되는 개념이다.

**선지분석**

① 선적선하증권(Shipped or On Board B/L)은 화물이 실제로 본선에 적입된 이후에 발행되는 선하증권으로서, 증권면에 'shipped', 'shipped on board', 'received on board' 등이 표시된다.

② 수취선하증권(Received for B/L)은 화물을 선박회사의 부두창고에 입고할 경우 'received for shipment' 형식으로 발행되는 선하증권으로서, 지정선박이 부두에 정박하지 않았거나 입항하지 않았을 때 사용될 수 있다.

③ 통과선하증권(Through B/L)은 화물의 운송이 복수의 운송수단에 의하여 이루어지는 경우, 최초의 운송인이 목적지까지의 운송계약을 제2차 또는 제3차의 운송인에 갈음하여 모두 함께 체결할 때 발행되는 선하증권이다.

**11** □□□ **국제운송에 있어 선적된 화물의 상태에 하자가 있는 경우, 무사고 선하증권(Clean B/L)을 발급받기 위해 송하인이 운송인에게 제공하는 서류는?** 2009. 관세직 7급

① Letter of Indemnity
② Letter of Credit
③ Delivery Order
④ Cover Note

답 ①

파손화물보상장(Letter of Indemnity; L/I)란 국제운송에 있어 선적된 화물의 상태에 하자가 있는 경우, 무사고 선하증권(Clean B/L)을 발급받기 위해 송하인이 운송인에게 제공하는 서류를 말한다. 선박회사가 화물을 인수할 당시 포장상태가 불완전하거나 수량이 부족하여 적요란에 이런 사실이 기재되면, 즉 사고부선하증권(Dirty B/L)이 되면 신용장 매입은행은 매입을 거절한다. 따라서 수출자(송하인)는 선박회사에 L/I를 제출하고 무사고선하증권을 교부받는 것이 일반적이다.

**12** □□□

**다음 제시문의 ㉠, ㉡에 들어갈 용어로 바르게 연결된 것은?** 2013. 관세직 7급

| |
|---|
| ( ㉠ )은 전통적인 선하증권 대신에 그 내용을 전자적으로 작성하고 당사자 간에 EDI 통신문으로 송달하며, ( ㉡ )를 통하여 물품에 대한 권리를 행사하는 양식의 모든 선하증권을 말한다. |

| | ㉠ | ㉡ |
|---|---|---|
| ① | 전자식 선하증권 | 공개키 |
| ② | 전자식 선하증권 | 개인키 |
| ③ | 제3자 선하증권 | 공개키 |
| ④ | 제3자 선하증권 | 개인키 |

답 ②

전자식 선하증권(Electronic B/L)은 선하증권을 종이 서류로 발행하는 대신에 그 내용을 운송인이 전자적으로 작성하여 송하인, 수하인 등에게 EDI(전자자료 교환) 통신문으로 송달하는 선하증권이다. 전자식 선하증권은 화물에 대한 권리를 증명하고 그 화물에 대한 처분권의 이전과 물품의 인도를 이행하기 위해 개인키(개인 인증키)를 사용한다.

**13** □□□

**항공화물운송장(Air Waybill)에 대한 설명으로 옳지 않은 것은?** 2017. 관세직 7급

① 항공화물운송장은 운송계약체결에 대한 문서상의 증명이라고 할 수 있다.
② 항공화물운송장은 유통성 유가증권이라고 할 수 있다.
③ 항공화물운송장은 운송 위탁된 화물을 접수했다는 영수증이다.
④ 항공화물운송장은 기명식으로 발행된다.

답 ②

항공화물운송장(Air Waybill)은 '운송계약 체결에 대한 문서상의 증명'이 되고, '운송 위탁된 화물을 접수했다는 영수증'도 되지만, 기명식으로 되어 있어 항공화물운송장에 기재되어 있는 수하인이 아니면 해당 화물을 인수받을 수 없는 비유통성 증권이다.

**14** □□□

**비유통성 해상화물운송장(Non-negotiable Sea Waybill)에 대한 설명으로 옳지 않은 것은?**

2012. 관세직 7급

① 화물의 수령증, 운송계약의 추정적 증거 및 권리증권으로서 기능한다.
② 비유통성 해상화물운송장은 그 명칭에 관계없이 용선계약에 따른다는 어떤 표시도 포함하지 않아야 한다.
③ 신용장에서 비유통성 해상화물운송장을 요구한 때는 지시식이 아닌 기명식으로 발행한다.
④ 비유통성 해상화물 운송장상의 화주가 본인이라는 확인만으로도 화물의 수령이 가능하다.

답 ①

비유통성 해상화물운송장(Non-negotiable Sea Waybill)은 화물 수령증과 운송계약의 추정적 증거는 될 수 있으나, 권리증권으로 기능하지는 못한다.

**15** □□□

**항공화물운송장(AWB)에 대한 설명으로 옳지 않은 것은?**

2009. 국제통상직 7급

① 기명식으로 발행된다.
② 송하인이 작성한다.
③ 양도성이 있는 유가증권이다.
④ 원본 3부는 운송인용, 수하인용, 송하인용이다.

답 ③

항공화물운송장은 단순한 화물운송장이며, 양도성이 없는 비유가증권이다.

**16** □□□

**선하증권과 항공화물운송장에 대한 설명 중 옳은 것은?**

2009. 관세직 7급

① 선하증권은 일반적으로 화물에 대한 물권적 권리를 나타내는 권리증권이나, 항공화물운송장은 양도성이 없는 비유가증권이다.
② 선하증권은 유통불능증권이나, 항공화물운송장은 일반적으로 유통가능증권이다.
③ 선하증권은 창고반입 후 발행하는 수취식인데 비해 항공화물운송장은 선적 후 발행되는 선적식이다.
④ 선하증권은 일반적으로 송하인이 작성하여 선박회사에 교부하나, 항공화물운송장은 항공회사가 작성하여 송하인에게 교부한다.

답 ①

선하증권은 화물에 대한 물권적 권리를 나타내는 권리증권으로서, 유가증권, 유통증권, 상환증권, 처분증권 등의 성격을 가지고 있다. 그러나 항공화물운송장은 양도성이 없으므로 비유가증권이며, 유통 불능 증권이다. 선하증권과 항공화물운송장의 차이점은 다음과 같다.

| 항공화물운송장 | 선하증권 |
|---|---|
| 단순한 화물운송장이며, 양도성이 없는 비유가증권 | 유가증권이며 상환 증권 |
| 비유통성(유통 불능 증권) | 유통성(유통 가능 증권) |
| 기명식 | 무기명식(지시식) |
| 창고반입 후 발행되는 수취식 | 선적 후 발행되는 선적식 |
| 송하인이 작성하여 항공사에 교부함 | 선박회사가 작성하여 송하인에게 교부함 |

**17** □□□ **물품은 이미 수입지에 도착하였으나 선적서류가 도착하지 않아 선하증권을 입수할 수 없는 경우 물품을 수령하기 위해 수입업자가 신용장 발행은행으로부터 발급받아 운송업자에게 제시하는 서류는?** 2015. 관세직 7급

① 수입담보화물대도(Trust Receipt) ② 부두수취증(Dock Receipt)
③ 수입화물선취보증서(Letter of Guarantee) ④ 화물인도지시서(Delivery Order)

답 ③

수입화물선취보증서(Letter of Guarantee: L/G)란 선하증권이 도착하기 전에 화물을 수취하기 위해, 선하증권의 원본 대신 제출할 수 있도록 수입상과 신용장개설은행이 연대보증한 보증서를 말한다. ①의 수입화물대도(Trust Receipt)와는 다음과 같은 차이가 있다.

| 구분 | L/G(수입화물선취보증서) | T/R(수입화물대도) |
|---|---|---|
| 발행인 | 신용장 개설은행 | 수입상 |
| 수신인 | 선장, 운송인, 선박회사 | 신용장 개설은행 |
| 용도 | 원본선하증권의 제시 없이 화물을 수입상에게 인도함으로써 발생할 수 있는 운송인 등의 손해를 수입상이 배상하기로 하는 약정의 이행을 은행이 보증함 | 수입상이 대금을 지급하기 전에 은행에게 소유권이 있는 물품을 임대 형식으로 인수받으면서 관련 물품의 소유권이 은행에 있음을 확인함 |

**18** □□□ **수입상이 신용장 발행은행에게 일람불로 수입대금을 지급하여야 하나 자금이 없을 경우 신용장 발행은행으로부터 선적서류를 먼저 인도받고자 할 때 제출하는 서류는?** 2009. 관세직 7급

① L/G(Letter of Guarantee) ② T/R(Trust Receipt)
③ B/E(Bill of Exchange) ④ B/L(Bill of Lading)

답 ②

수입화물의 대도(Trust Receipt, T/R)란 개설은행이 수입화물에 대한 담보권과 소유권을 유지하면서 수입업자가 수입대금을 결제하기 전에 수입화물을 처분할 수 있도록 하는 제도를 말한다.

**19** □□□ **복합운송(multimodal transport)에 대한 설명으로 옳지 않은 것은?** 2017. 관세직 7급 하반기

① 해륙복합운송의 예로 OCP(Overland Common Point), IPI(Interior Point Intermodal) 등을 들 수 있다.

② 복합운송의 구성요건은 하나의 운송계약, 하나의 책임주체, 전 구간 단일운임, 서로 다른 운송수단의 결합이다.

③ 운송인의 책임체계 중 하나인 이종책임체계(Network Liability System)에서는 손해발생의 구간이 확인되고 그 구간에 적용될 법에 규정된 책임한도액이 UN 국제복합운송협약의 책임한도보다 높을 경우에는 높은 한도액을 적용한다.

④ 복합운송의 계약운송인은 선박, 트럭, 항공기 등의 운송수단을 직접 보유하지 않으면서 운송주체자로서의 역할과 책임을 다하는 운송인을 말한다.

답 ③

이종책임체계(Network Liability System)란 각 운송 구간에 적용되는 기존의 단일 운송에 관한 법제를 존중하여, 복합운송인의 책임에 관하여는 손해발생구간에 적용되는 운송법(국제조약이나 국내법)을 적용한다. 반면에 '손해발생의 구간이 확인되고 그 구간에 적용될 법에 규정된 책임한도액이 UN 국제복합운송협약의 책임한도보다 높을 경우에는 높은 한도액을 적용'하는 것은 수정 단일책임체계(Modified Uniform Liability System)라고 한다.

**선지분석**

① OCP나 IPI는 해상운송과 육상운송이 결합된 해륙복합운송의 예이다.

| | |
|---|---|
| OCP<br>(Overland Common Point) | 북미 태평양 연안 항만(미국 서해안)에서 하역되어 동부 내륙 지역으로 육상운송되는 화물에 대하여 해상운임을 할인하는 지역을 말한다. 대서양 쪽에서 들어오는 운송에 비하여 운임 경쟁력이 떨어지지 않도록 할인요금을 적용하는 것이다. 한국에서 이 지역으로 화물을 운송하는 것을 오버랜드 수송이라고 하며, 북아메리카 서해안에서 양하되어 철도로 운송되는 화물의 운임률은 오시피율(OCP rate)이라고 한다. |
| IPI<br>(Interior Point Intermodal) | 동아시아에서 북미 서해안까지 해상운송된 후, 북미 서안에서 북미 동안 또는 대서양 걸프만까지 육상 운송되는 국제복합운송을 미니 랜드브리지(Mini Land Bridge)라고 한다. 말하자면 태평양과 대서양 연안을 대륙횡단 철도로 연결하는 것이다. 그러나 미국의 철도 및 도로망을 이용하여 내륙지역의 목적지까지만 화물을 운송하는 것은 마이크로 랜드브리지(Micro Land Bridge)라고 한다. 마이크로 랜드 브리지를 IPI(Interior Point Intermodal)라고도 한다. |

② 복합운송의 구성요건은 하나의 운송계약(일괄 운송계약), 하나의 책임주체(단일의 책임주체), 전 구간 단일운임, 서로 다른 운송수단(운송수단의 다양성)의 결합이다.

④ 복합운송(combined transport, multimodal transport)이란 육상운송, 해상운송, 항공운송 중 두 가지 이상의 운송방식을 복합하여 수행하는 운송형태를 말한다. 다만, 복합운송의 계약운송인은 선박, 트럭, 항공기 등의 운송수단을 직접 보유하지 않으며, 운송주체자로서 역할과 책임을 다할 뿐이다.

**20** □□□

**동아시아에서 북미 서안까지 해상운송된 후, 북미 서안에서 북미 동안 또는 대서양 걸프만까지 육상운송되는 국제복합운송 경로로 옳은 것은?** 2018. 관세직 7급

① Trans Siberian Railroad
② Trans China Railroad
③ Mini Land Bridge
④ Trans Asian Railway

답 ③

동아시아에서 북미 서안까지 해상운송된 후, 북미 서안에서 북미 동안 또는 대서양 걸프만까지 육상운송되는 국제복합운송 경로를 미니 랜드브리지(Mini Land Bridge)라고 한다. 마치 미국의 내륙을 태평양과 대서양을 잇는 다리(bridge)처럼 사용하는 것이다.

**선지분석**

① Trans Siberian Railroad: 시베리아 횡단 철도를 말한다. 이 철도를 경유하여 극동, 동남아, 호주 등과 유럽대륙, 스칸디나비아반도를 연결하는 복합운송 경로를 시베리아 랜드브리지(SLB; Siberian Land Bridge)라고 한다.
② Trans China Railroad: 중국 대륙 철도를 말한다. 이 철도와 실크로드를 이용하여 극동지역과 유럽지역을 연결하는 복합운송 경로를 차이나 랜드브리지(CLB; China Land Bridge)라고 한다.
④ Trans Asian Railway: 아시아 횡단 철도를 말한다. 여기에는 한국(부산)에서 유럽까지 연결되는 동북아노선을 포함하여, 북부노선, 남부노선, 동남아노선의 4개 노선이 있다.

**21** □□□

**포워더가 외국의 수입업자 1인으로부터 위탁을 받아 한국 내 다수의 수출업자로부터 LCL화물을 집화하여 컨테이너에 적입 후 FCL로 만들어 수입업자에게 운송하는 컨테이너화물 운송방식은?** 2011. 관세직 7급

① CY/CY
② CFS/CY
③ CY/CFS
④ CFS/CFS

답 ②

한국 내 다수의 수출업자(다수의 송하인)로부터 외국의 수입업자 1인(단일의 수하인)에게 운송할 때 컨테이너 화물 운송 방식은 CFS/CY이다.

| 표시 | | | 내용 |
|---|---|---|---|
| CFS/CFS | LCL/LCL | Pier to Pier | 다수의 송하인과 다수의 수하인 |
| CFS/CY | LCL/FCL | Pier to Door | 다수의 송하인과 단일의 수하인 |
| CY/CFS | FCL/LCL | Door to Pier | 단일의 송하인과 다수의 수하인 |
| CY/CY | FCL/FCL | Door to Door | 단일의 송하인과 단일의 수하인 |

**22** □□□ **운송수단별 손해 발생 구간에 따라 운송인의 책임한도액이 다르다. 철도운송에 적용되는 책임한도액을 정한 국제규칙 또는 조약은?** 2010. 관세직 7급

① Hague - Visby 규칙 ② CIM 규칙
③ CMR 규칙 ④ Warsaw 조약

답 ②

- Hague - Visby 규칙은 해상운송에 있어 운송인과 화주의 책임범위에 대한 국제규칙으로서, Hague 규칙을 일부 개정한 것이다.
- CIM 규칙은 개정 국제철도화물운송조약, CMR 규칙은 국제도로화물운송조약이다. 육상운송에 이 두 가지 조약의 영향을 받게 되며, 이 조약에 의한 화물상환증(waybill)이 운송증권으로 발행되고 있다. CIM은 철도운송에 적용되는 책임한도액을 정한 국제조약으로서 원래의 명칭은 국제철도물품운송조약(International Convention concerning the Carriage of Goods by Rail)이다. CMR은 국제 간 육로로 화물을 운송할 때 적용되는 운송조약으로서, 주로 운송인의 책임에 관하여 규정하였다. 원래의 명칭은 국제도로물품운송계약에 관한 협약(Convention Relative au Contract de Transport International de Marchandise Par Route)이다.
- Warsaw(바르샤바) 조약은 항공운송에 있어서의 책임범위를 규정한 국제조약이다.

**23** □□□ **다음 내용은 선하증권에 관한 일반적인 신용장 조건이다. 이에 대한 설명 중 옳지 않은 것은?** 2009. 관세직 7급

| |
|---|
| Full set of clean on board ocean/marine bill of lading made out to the order of (Issuing bank) marked freight prepaid and notify accountee. |

① full set: 선하증권의 전통요건(원본 3부)
② clean bill of lading: 무사고선하증권
③ freight prepaid: 운임지급조건(운임선불)
④ notify accountee: 착화통지처(수출상)

답 ④

수입화물이 목적항에 도착하면 운송업자가 화물도착통지서(A/N: Arrival Notice)에 의해 화물도착을 통지한다. 그 통지를 받는 당사자를 착화통지처(적하통지처)라 하며, 영어로는 Notify Party라고 표시한다. 신용장 거래를 하는 경우에는 수입화물을 담보로 취득하여야 하는 개설은행을 수하인(Consignee)으로 하고, 신용장상에 Notify Accountee라는 문언으로 수입자를 착화통지처(Notify Party)로 지정하게 된다. 즉, Notify Accountee는 수출자가 아닌 수입자이다.

## 2 | 해상보험

**01** □□□

**보험계약의 성립에 따라 당사자는 해당 약관에 따른 권리와 의무가 있다. 즉 보험자는 손해발생 시 손해를 보상하고, 피보험자는 위험의 변경사실을 통지하거나 손해발생사실을 통보할 의무가 있다. 해상보험계약의 효력소멸과 관련하여 옳지 않은 것은?** 2010. 관세직 7급

① 피보험이익 및 위험이 소멸하면 해당 보험계약의 효력이 소멸한다.
② 보험자가 파산하게 되는 경우 피보험자는 계약을 해지할 수 있다.
③ 고지의무 위반의 내용에는 불고지(non - disclosure)와 부실고지(misrepresentation) 등이 있다.
④ 위험의 변경으로 인해 위험이 증가하는 경우 보험자는 보험료를 증액하거나 해지할 수 없다.

답 ④

보험자는 보험계약의 체결에 즈음하여 보험계약자가 알려준 위험사정을 근거로 위험을 평가하여 인수하게 된다. 이때 보험자는 책임이 발생하고 있는 기간 동안은 이 위험사정이 자연적인 변화를 제외하고는 변경되지 않을 것을 전제로 해서 보험계약을 체결한다. 따라서 보험기간 중에 이러한 위험이 현저하게 변경 또는 증가되는 경우에는 최초의 대등적인 계약관계가 무너져 새로운 계약관계의 조정을 필요로 한다. 위험변경에는 피보험자나 보험계약자의 고의 또는 중대한 과실로 인하여 위험이 현저하게 증가 또는 변경되는 주관적 위험변경과, 피보험자나 보험계약자의 귀책사유 없이 위험이 증가 또는 변경되는 객관적 위험변경이 있다. 이 중 객관적 위험변경에 대해 MIA에서는 규정이 없으며, 상법에서도 해상보험에 별도로 규정한 내용은 없다. 다만 상법의 보험 일반 부분에 그 내용이 규정되고 있다. 객관적 위험변경이 발생한 경우 보험계약자 또는 피보험자는 위험이 현저하게 증가 또는 변경된 사실을 지체 없이 보험자에게 통지하여야 한다. 이 통지의무를 이행한 때에는 1개월 이내에 보험료 증액을 청구하거나 계약을 해지할 수 있으며, 통지의무를 해태한 경우 이 사실을 안 날로부터 1개월 이내에 보험계약을 해지할 수 있다.

**02** □□□

**다음 중 (가) ~ (다)에 들어갈 해상보험에 대한 용어를 바르게 짝지은 것은?** 2022. 관세직 7급

> 보험사고의 발생으로 피보험자가 보험자로부터 보상받는 손해보상액은 [ (가) ]이며, 보험사고 발생 시 보험자가 보상하는 최고 한도액은 [ (나) ]이다. 또한 전액보험(full insurance)의 경우 [ (나) ]는 [ (다) ]와/과 일치한다.

| | (가) | (나) | (다) |
|---|---|---|---|
| ① | Claim Amount | Amount Insured | Insurable Value |
| ② | Amount Insured | Claim Amount | Insurance Premium |
| ③ | Claim Amount | Amount Insured | Insurance Premium |
| ④ | Amount Insured | Claim Amount | Insurable Value |

답 ①

보험가액, 보험금액, 보험금, 보험료를 구분해야 한다.

| | |
|---|---|
| 보험가액<br>Insurable Value | 사고가 발생한 경우 피보험자가 입게 될 손해의 최고 한도액 |
| 보험금액<br>Amount Insured | 손해발생 시 보험자가 부담하는 보상책임의 최고 한도(전액보험은 보험가액과 보험금액이 일치한다. 보험가액이 더 크면 일부보험, 보험금액이 더 크면 초과보험이라고 한다) |
| 보험금<br>Claim Amount | 손해발생 시 보험금 수령인이 실질적으로 받는 보상금액 |
| 보험료<br>Insurance Premium | 보험자가 보험계약자로부터 받는 대금 |



**03** □□□

**해상보험 용어에 대한 설명으로 옳지 않은 것은?** 2017. 관세직 7급 하반기

① 대위(subrogation)란 피보험자가 보험자로부터 손해보상을 받으면 피보험자가 보험의 목적에 대해 가지는 권리 및 제3자에 대해 가지는 권리를 보험자에게 이전하는 것이다.

② 공동해손(general average)이란 선박 및 적하가 공동의 위험에 처했을 때 그 위험을 피하거나 경감하기 위하여 선박 또는 적하에 대해 선장이 고의로 합리적이고 이례적인 처분(희생)을 하거나 비용을 지출하여 발생된 손해를 말한다.

③ 보험료(premium)란 보험계약 체결 시 보험자가 위험을 담보하는 대가로 보험계약자가 보험자에게 지급하는 금액을 말한다.

④ 보험가액(insurable value)이란 손해 발생 시 보험자가 부담하는 보상책임의 최고 한도이며 당사자 간에 미리 약정한 금액이다.

답 ④

'손해 발생 시 보험자가 부담하는 보상책임의 최고 한도이며 당사자 간에 미리 약정한 금액'은 보험금액(amount insured)이라고 한다.

**04** □□□

**해상손해의 종류에 대한 설명으로 옳지 않은 것은?** 2021. 관세직 7급

① 특별비용은 피보험목적물의 안전이나 보존을 위하여 보험자의 대리인에 의해 지출된 비용으로 단독해손에 포함된다.

② 구조료는 구조계약에 의하지 않고 제3자에 의해 자발적으로 구조되었을 때 구조한 자에게 법에 의해 지불하는 비용을 말한다.

③ 손해방지비용은 실질적인 위험에 처했을 때 손해를 방지 또는 경감하기 위해서 피보험자 또는 그의 대리인이 합리적으로 지출한 비용을 말한다.

④ 공동해손분담금은 보험자가 공동해손으로 손해를 본 피보험자에게 보상한 후 공동해손행위를 통하여 혜택을 본 당사자에게 분담을 청구하는 것을 말한다.

답 ①

'피보험목적물의 안전이나 보존을 위하여 보험자의 대리인에 의해 지출된 비용'은 특별비용(particular charges)에 대한 맞는 설명이다. 특별비용에 공동해손비용이나 구조료는 포함되지 않는다. 해상손해에는 물적손해(단독해손 포함), 비용손해(특별비용 포함), 책임손해로 구분되는데, 특별비용은 비용손해에 해당한다.

**05** □□□

**해상손해에서 비용손해에 해당하지 않는 것은?** 2016. 관세직 7급

① Salvage Charge ② Particular Charge

③ Sue and Labour Charge ④ Demurrage

답 ④

비용손해란 해상위험이 발생하여 그 결과 지출되거나, 또는 위험을 방지하기 위해서 지출된 비용에 관한 손해를 말한다. 여기에는 구조료(Salvage Charge), 특별비용(Particular Charge), 손해방지비용(Sue and Labour Charge) 등이 있다. 체선료(Demurrage)는 약정 기일까지 하역을 완료하지 못한 경우 화주에게 부담시키는 비용으로, 이것은 손해가 아니라 '부대비용'이다.

## 06 □□□

**다음 중 영국해상보험법(MIA)상 현실전손(actual total loss)에 해당하는 손해만을 모두 고르면?**

2020. 관세직 7급

> ㄱ. 피보험자가 보험의 목적물에 대한 소유권을 박탈당하고 이를 회복할 수 없는 경우
> ㄴ. 보험목적물인 선박이 담보위험에 의하여 심하게 손상되었을 경우에 그 손상을 수리하는 비용이 수리 후의 선박 가액을 초과하는 경우
> ㄷ. 해상사업에 종사하는 보험목적물인 선박이 행방불명이 되고 상당한 기간 경과 후까지 그 소식을 모를 경우
> ㄹ. 보험목적물인 화물이 손상되었을 경우에 수리하는 비용과 그 화물을 목적항까지 수송하는 비용이 도착시의 화물가액을 초과하는 경우

① ㄱ, ㄷ　　② ㄱ, ㄹ
③ ㄴ, ㄷ　　④ ㄴ, ㄹ

답 ①

해상손해에는 물적손해, 비용손해, 책임손해가 있다. 이 중 물적손해는 다시 전손과 분손으로 나뉜다. 현실전손(actual total loss)은 물적손해의 전손에 포함된다.

| | | |
|---|---|---|
| 전손<br>total loss | 현실전손<br>actual total loss | • 보험의 목적물이 실체적으로 멸실된 경우<br>• 보험의 목적물이 본래의 성질을 상실한 경우<br>• 피보험자가 보험의 목적물에 대한 소유권을 박탈당하고 이를 회복할 수 없는 경우<br>• 해상사업에 종사하는 보험목적물인 선박이 행방불명이 되고 상당한 기간 경과 후까지 그 소식을 모를 경우 |
| | 추정전손<br>constructive total loss | • 보험목적물인 선박이 담보위험에 의하여 심하게 손상되었을 경우에 그 손상을 수리하는 비용이 수리 후의 선박 가액을 초과하는 경우<br>• 보험목적물인 화물이 손상되었을 경우에 수리하는 비용과 그 화물을 목적항까지 수송하는 비용이 도착시의 화물가액을 초과하는 경우<br>• 보험목적물에 대한 피보험자의 지배력이 상실되어 회복되는 데 상당한 기간이 필요한 경우 |

## 07 □□□

**공동해손의 성립요건에 대한 설명으로 옳지 않은 것은?**

2022. 관세직 7급

① 공동해손 행위로 발생하는 선체·장비·화물 등의 희생손실이나 비용손실은 통상적이어야만 한다.
② 공동해손 행위는 어떠한 목적을 가지고 자발적으로 이루어져야 한다.
③ 공동해손 행위와 그에 따라 발생하는 손해와 비용은 모두 합리적이어야 한다.
④ 공동해손이 성립되기 위해서는 위험이 앞으로 발생할 수 있을 것이라는 막연한 우려가 아닌 현재 절박하게 닥쳐오는 위험이 있어야 한다.

답 ①

우리나라 상법에서 공동해손(general average)이란 '선박과 적하의 공동위험을 면하기 위한 선장의 선박 또는 적하에 대한 처분으로 인하여 생긴 손해 또는 비용'으로 정의한다(상법 제865조). 선장의 처분에 따라서 공동해손인 손해 또는 비용이 발생한 경우 손해를 본 자 또는 비용을 지출한 자는 다른 이해관계인에 대하여 일정한 비율에 따른 분담금(分擔金)을 청구할 수가 있다(상법 제866조). 공동해손이 성립되기 위해서는 ① 위험이 현실적으로 절박하여야 하고, ② '다수의 공동안전'이라는 목적을 가지고 자발적으로 이루어져야 하고, ③ 그 손해와 비용은 합리적이어야 한다. 공동해손은 해상사고에 대해 긴급하게 조치를 내림으로써 생기는 손실이므로, '통상적'이지 않다.

**08** □□□

**해상보험에 관한 설명 중 옳지 않은 것은?** 2009. 관세직 7급

① 일반적으로 CIF 계약에서는 매도인이 보험계약자가 되고 매수인이 피보험자가 되는 반면, FOB 계약에서는 매수인이 보험계약자인 동시에 피보험자가 된다.
② 해상보험에서 근인주의란 보험자가 피보험위험에 근인하여 발생한 손해에 대해 보상책임을 지는 것을 말하며, 최근에는 근인을 손해발생과 시간적으로 가까운 원인보다는 효과면에서 가장 지배적인 영향력을 끼친 원인으로 해석하고 있다.
③ 추정전손은 현실적으로 전손된 것은 아니지만 손해의 정도가 심하여 피보험 목적물이 가진 본래의 용도에 사용할 수 없거나, 손상을 수리하는 비용이 수리 후 그 목적물이 갖는 시가보다 클 경우 성립되며 반드시 피보험자의 대위가 있어야 한다.
④ 1982년 개정된 협회적하약관의 세 가지 기본약관 ICC(A), ICC(B), ICC(C) 중 보험자의 담보범위가 가장 큰 것은 ICC(A)이다.

답 ③

보험의 목적이 현실전손으로 될 것이 불가피하다고 인정될 경우, 즉 보험의 목적에 대한 피보험자의 지배력이 상실되어 회복하는데 상당한 기간이 필요하거나 또는 그 회복비용이 회복되었을 때의 화물의 가액을 초과할 것으로 예상될 때 및 화물이 훼손되어 그 수리비(목적지까지 수송함에 소요될 비용이 있는 경우 이를 포함)가 도착 후의 화물가액을 초과하게 될 경우에, 보험목적물을 보험자에게 정당하게 위부함으로써 추정전손(constructive total loss)이 성립된다. 만약 위부(Abandonment)를 하지 않을 경우에는 분손으로 처리될 수 있다. ③에서 '대위'라는 용어는 '위부'로 바꾸어야 한다.

**09** □□□

**해상운송과정에서 발생한 손해 중에서 위부를 행사할 수 있는 것은?** 2013. 관세직 7급

① 공동해손
② 분손
③ 추정전손
④ 모든 형태의 손해

답 ③

위부(Abandonment)란 '추정전손'이 있는 경우 전손보험금의 청구를 위해서 보험의 목적에 잔존하고 있는 피보험자의 이익을 보험자에게 임의로 양도하는 것을 말한다. 선박 또는 적하의 점유를 상실하여 회복할 가능성이 없거나 회복비용이 과다한 경우, 선박의 수선비용, 적하의 수선비용 등이 과다한 경우 피보험자는 이를 위부할 수 있다.

**10** □□□

**해상보험에서 위부(abandonment)에 대한 설명 중 옳은 것은?** 2007. 관세직 7급

① 보험자가 보험금을 지급한 경우 피보험자가 가지고 있던 소유 권리와 손해를 발생하게 한 과실이 있는 자에 대한 구상권을 보험자가 대신할 수 있는 권리이다.
② 만일 위부가 보험자에 의해서 수락되지 않으면, 그 손해는 전손(total loss)으로 처리된다.
③ 위부의 원인이 보험의 목적 일부에 대하여 생긴 때에는 그 부분에 대해서만 위부를 할 수 없다.
④ 위부는 무조건이어야 한다.

답 ④

위부(Abandonment)란 추정전손이 있는 경우 전손보험금의 청구를 위해서 보험의 목적에 잔존하고 있는 피보험자의 이익을 보험자에게 임의로 양도하는 것을 말한다. 위부는 무조건적이어야 한다. 위부가 성립하기 위해서는 피보험자의 위부에 대한 보험자의 승인이 필요한데, 이러한 승인이 이루어진 경우에는 철회가 불가능하다.

**선지분석**

① 보험자가 보험금을 지급한 경우 피보험자가 가지고 있던 소유 권리와 손해를 발생하게 한 과실이 있는 자에 대한 구상권을 보험자가 대신할 수 있는 권리는 '대위'이다.
② 만일 위부가 보험자에 의해서 수락되면 그 손해가 전손(total loss)으로 처리되지만, 보험자에 의해 수락되지 않으면 분손으로 처리된다.
③ 위부는 보험의 목적 전부에 대하여 위부하여야 한다. 그러나 위부의 원인이 보험의 목적 일부에 대하여 생긴 때에는 그 부분에 대하여만 위부할 수 있다.

**11** □□□

**해상보험에서 손해방지비용(Sue and Labour Charge)에 대한 설명으로 옳지 않은 것은?**

2015. 관세직 7급

① 손해방지비용은 합리적이고 적절하게 발생된 것이어야 한다.
② 보험목적물의 피보험자 또는 그의 대리인 이외의 제3자에 의한 손해방지행위에 대해서는 보상하지 않는다.
③ 정당한 손해방지 행위가 시도된 경우 손해에 대한 보상액과 합산하여 보험가입 금액을 초과하지 않는 범위 내에서만 손해방지비용 전액을 보상한다.
④ 보험증권상의 담보위험으로 인하여 발생한 손해를 방지 또는 경감하기 위해 지출된 비용이어야 한다.

답 ③

손해방지비용(sue and labour charge)은 피보험위험이 발생하였을 경우 이로 인한 보험 목적의 손해를 방지 또는 경감하기 위해서 피보험자 또는 그의 사용인 및 대리인이 지출한 비용이다. 보험계약자와 피보험자는 손해의 방지와 경감을 위하여 노력하여야 한다. 그러나 이를 위하여 필요 또는 유익하였던 비용과 보상액이 보험금액을 초과한 경우라도 보험자가 이를 부담한다(상법 제687조, 손해방지의무).

**12** □□□

**보험자의 담보위험 범위가 넓은 조건부터 순서대로 바르게 나열된 것은?**

2012. 관세직 7급

① TLO > WA > A/R > FPA
② A/R > FPA > WA > TLO
③ WA > TLO > A/R > FPA
④ A/R > WA > FPA > TLO

답 ④

보험자의 담보위험 범위가 넓다는 것은 보험이 커버(cover)하는 범위가 넓다는 뜻이다. 구협회적하약관에 의한 담보조건을 담보위험 범위가 넓은 것부터 순서대로 나열하면 'A/R > WA > FPA > TLO'이다.

| | |
|---|---|
| 전위험담보(A/R) | 전위험담보(All Risks)란 항해에 관한 우연한 사고로 발생한 모든 손해를 포함하는 보험조건으로서, 이 경우 보험료가 가장 고율이며 손해보상의 범위가 넓다. |
| 분손담보(WA) | 분손담보(With Average)란 피보험목적물의 전손과 공동해손은 물론이고, 단독해손에 의한 손해까지도 보상해 주는 조건을 말한다. |
| 분손부담보(FPA) | 분손부담보(Free from Particular Average)란 피보험목적물의 전손의 경우는 물론이고 분손 중 공동해손의 경우와 손해방지비용·구조비·특별비용·특정분손 등의 손해를 보상하는 조건이다. 단독해손 이외의 모든 손해를 보상한다. |
| 전손담보(TLO) | 전손담보(Total Loss Only)란 피보험목적물이 전손되었을 경우에만 손해를 보상하는 조건이다. 분손, 즉 공동해손이나 단독해손의 경우에는 보상하지 않는다. |

**13** □□□ **다음 중 신협회적하약관 ICC(C)(2009)에 열거된 담보위험만을 모두 고르면?** 2019. 관세직 7급

ㄱ. jettison
ㄴ. fire or explosion
ㄷ. washing overboard
ㄹ. general average sacrifice
ㅁ. discharge of cargo at a port of distress

① ㄱ, ㄴ
② ㄱ, ㄴ, ㄷ
③ ㄱ, ㄴ, ㄹ, ㅁ
④ ㄱ, ㄴ, ㄷ, ㄹ, ㅁ

답 ③

ICC(C)에 열거된 담보위험은 다음과 같다. 갑판 유실(washing overboard)은 ICC(A), ICC(B)에서는 담보위험에 포함되지만, ICC(C)에서는 담보위험에 포함되지 않는다.

| 보상하는 손해 | ICC(C) |
|---|---|
| 화재, 폭발 (fire or explosion) | ○ |
| 좌초, 교사, 침몰, 전복 | ○ |
| 육상운송 용구의 전복 또는 탈선 | ○ |
| 본선, 부선, 운송용구의 타물과의 충돌, 접촉 | ○ |
| 피난항에서의 화물의 하역 (discharge of cargo at a port of distress) | ○ |
| 지진, 화산의 분화, 낙뢰 | × |
| 공동해손 희생 (general average sacrifice) | ○ |
| 투하로 인한 손해 (jettison) | ○ |
| 갑판 유실 (washing overboard) | × |
| 본선, 부선, 선창, 운송용구, 컨테이너, 지게차 또는 보관장소에 해수, 호수, 강물의 유입 | × |
| 본선, 부선에 선적 또는 하역작업 중 바다에 떨어지거나 갑판에 추락하여 발생한 포장단위당 전손 | × |
| 상기 이외의 멸실·손상의 일체의 위험 | × |
| 공동해손 구조비 | ○ |
| 쌍방과실 충돌 | ○ |

**14** □□□

**신협회적하약관인 ICC(C)에서 담보하는 위험에 해당하는 것은?** 2017. 관세직 7급 하반기

① 육상 운송용구의 탈선
② 낙뢰
③ 갑판 유실
④ 운송용구에의 해수 유입

답 ①

ICC(C) 조건에서 육상운송 용구의 전복 또는 탈선은 담보한다. ICC(C) 조건에서 담보하지 않는 위험은 다음과 같다.

- 지진, 화산의 분화, 낙뢰
- 갑판유실
- 본선, 부선, 선창, 운송용구, 컨테이너, 지게차 또는 보관장소에 해수, 호수, 강물의 유입
- 본선, 부선에 선적 또는 하역작업 중 바다에 떨어지거나 갑판에 추락하여 발생한 포장단위당 전손
- 상기 이외의 멸실·손상의 일체의 위험

**15** □□□

**해상보험에서 ICC(C) 조항의 담보위험에 해당되지 않는 것은?** 2007. 관세직 7급

① 화재
② 좌초
③ 충돌
④ 낙뢰

답 ④

ICC(C) 조건에서 담보하지 않는 위험은 다음과 같다.

- 지진, 화산의 분화, 낙뢰
- 갑판유실
- 본선, 부선, 선창, 운송용구, 컨테이너, 지게차 또는 보관장소에 해수, 호수, 강물의 유입
- 본선, 부선에 선적 또는 하역작업 중 바다에 떨어지거나 갑판에 추락하여 발생한 포장단위당 전손
- 상기 이외의 멸실·손상의 일체의 위험

**16** □□□

**적하보험증권의 ICC(C) 조건에서 담보되지 않는 손해는?** 2010. 국제통상직 7급

① 투하
② 화재 또는 폭발
③ 과도에 의한 갑판상 유실
④ 공동해손 희생

답 ③

ICC(C) 조건에서는 지진, 화산의 분화, 낙뢰, 갑판유실, 해수나 강물의 유입, 추락으로 인한 포장단위당 전손 및 명시되지 않은 일체의 위험에 대하여 담보하지 않는다.

**17** ☐☐☐ **해상적하보험에서는 협회적하약관(ICC)을 사용한다. 다음 중 ICC(C) 조건에서 담보하는 위험으로 옳지 않은 것은?** 2011. 관세직 7급

① 화재, 폭발
② 지진, 화산의 분화, 낙뢰
③ 육상운송용구의 전복 또는 탈선
④ 복선, 부선, 그 밖의 운송용구의 물 이외의 타물체와의 접촉

답 ②

ICC(C) 조건에서는 지진, 화산의 분화, 낙뢰, 갑판유실, 해수나 강물의 유입, 추락으로 인한 포장단위당 전손 및 명시되지 않은 일체의 위험에 대하여 담보하지 않는다.

**18** ☐☐☐ **협회적하약관 제4조(일반면책약관)에서 규정하고 있는 면책 위험이 아닌 것은?** 2009. 관세직 7급

① 피보험자의 고의적인 악행에 기인하는 멸실, 손상
② 원자력 또는 핵의 분열, 융합에 의한 멸실, 손상
③ 피보험 목적물의 통상적 누손
④ 전쟁, 내란, 혁명 또는 이로 인하여 발생한 멸실, 손상

답 ④

신협회적하약관 제4조의 일반면책약관의 내용은 다음과 같다. 전쟁면책조항은 신협회적하약관 제6조에 규정되어 있다.

| | |
|---|---|
| 제1항<br>제5항 | ① 피보험자의 고의적 불법행위(악행)에 의한 손해<br>② 통상의 누손<br>③ 통상의 중량·용적의 부족이나 자연소모<br>④ 포장 또는 준비의 불완전이나 부적절에 의한 손해<br>⑤ 물품 고유의 하자 또는 성질에 의한 손해<br>⑥ 지연에 근인하여 생긴 손해 |
| 제6항<br>제8항 | ⑦ 본선의 소유자·관리자·용선자·운항자의 지급불능이나 채무불이행으로 인한 손해<br>⑧ 원자력이나 핵, 방사능이나 방사성 무기의 사용으로 인한 손해 |
| | ⑨ 제3자의 고의적인 훼손이나 파괴(악의손해) |

**19** □□□ 신 협회적하약관 ICC(A)(2009) 제11조, 제17조의 내용이다. ㉠ ~ ㉢에 들어갈 용어를 순서대로 바르게 나열한 것은? 2018. 관세직 7급

> 11.1 In order to recover under this insurance the Assured must have an ( ㉠ ) in the subject-matter insured at the time of the loss.
>
> 11.2 Subject to Clause 11.1 above, the Assured shall be entitled to recover for insured loss occurring during the period covered by this insurance, notwithstanding that the loss occurred before the contract of insurance was concluded, unless the ( ㉡ ) were aware of the loss and the Insurers were not.
>
> 17. Measures taken by the Assured or the Insurers with the object of saving, protecting or recovering the subject-matter insured shall not be considered as a waiver or acceptance of ( ㉢ ) or otherwise prejudice the rights of either party.

| | ㉠ | ㉡ | ㉢ |
|---|---|---|---|
| ① | insurable interest | Assured | abandonment |
| ② | insurable interest | Insurers | abandonment |
| ③ | insurable value | Insurers | subrogation |
| ④ | insurable value | Assured | subrogation |

답 ①

11.1 이 보험에 따라 보상받기 위해서는 피보험자(the Assured)가 손해 시점에 보험에 가입된 보험목적물에 대한 피보험이익(insurable interest)을 가지고 있어야 한다.

11.2 위의 11.1에 따라, 손해가 보험계약 체결 전에 발생했고 피보험자(the Assured)는 그 손해를 알고 있었지만 보험자들(the Insurers)은 알지 못했던 경우를 제외하고는 피보험자(the Assured)는 손해에 대한 보상을 받을 권리가 있다.

17. 보험목적물을 구하고, 보호하고, 복구하기 위해 피보험자나 보험자들이 취한 조치는 포기나 위부(abandonment)의 수락, 상대방 권리의 침해로 보지 않는다.

**20** □□□ **다음은 협회적하약관(Institute Cargo Clauses, 2009) 제13조에 대한 내용이다. ㉠ ~ ㉢에 해당하는 용어가 바르게 연결된 것은?** 2016. 관세직 7급

> No claim for ( ㉠ ) shall be recoverable hereunder unless the subject-matter insured is reasonably ( ㉡ ) either on account of its ( ㉢ ) appearing to be unavoidable or because the cost of recovering, reconditioning and forwarding the subject-matter insured to the destination to which it is insured would exceed its value on arrival.

| | ㉠ | ㉡ | ㉢ |
|---|---|---|---|
| ① | Constructive Total Loss | abandoned | actual total loss |
| ② | Constructive Total Loss | subrogated | actual total loss |
| ③ | actual total loss | abandoned | Constructive Total Loss |
| ④ | actual total loss | subrogated | Constructive Total Loss |

답 ①

추정전손(Constructive Total Loss)에 의한 보험금 청구는 보험목적물의 현실전손(actual total loss)을 피할 수 없어 보이거나, 그 회복이나 정상화시키는 비용, 목적지까지 운송하는 비용이 도착시 가치를 초과하는 경우에 합리적으로 위부함(abandoned)으로써 가능하다.

**21** □□□ **위부(abandonment)와 대위(subrogation)에 대한 설명으로 옳지 않은 것은?** 2012. 관세직 7급

① 위부란 보험자가 피보험자에게 보험금을 지급한 경우 피보험 목적물에 대한 일체의 권리와 손해발생에 과실이 있는 제3자에 대한 구상권 등을 승계하는 것을 말한다.
② 위부는 해상보험의 특유한 제도이나 대위의 원칙은 모든 손해보상계약에 적용되기 때문에 해상보험에 한정된 원칙은 아니다.
③ 대위는 전손과 분손에 대하여 모두 적용되지만, 위부는 추정 전손(constructive total loss)의 경우에만 적용된다.
④ 대위는 보험자의 위부 승낙의 여부와 상관없이 보험자에게 이전되는 권리이다.

답 ①

보험자가 보험사고로 인한 손해를 피보험자에게 보상하는 경우 그 피보험자 또는 보험계약자가 보험의 목적이나 제3자에 대하여 가지고 있던 권리를 보험자가 취득하는 것은 대위(Subrogation)이다.

**22** □□□

**'피보험목적물을 구조·보호 또는 복구하기 위한 피보험자 또는 보험자의 조치는 위부의 포기 또는 승낙으로 간주되지 아니하며, 또한 각 당사자의 권리를 침해하지 않는다.'라는 내용을 규정한 협회적하약관은?** 2010. 국제통상직 7급

① Constructive Total Loss Clause
② Transit Clause
③ Waiver Clause
④ Insurable Interest Clause

답 ③

Waiver Clause는 포기 약관이라고 한다. 이 약관은 추정전손에 있어, 피보험자가 보험자에게 위부 통지를 하였다면, 보험자의 위부의 수락 여부를 결정하기 전에 보험자나 피보험자가 피보험목적물의 회복, 구조 또는 보존을 위하여 필요한 조치를 취한다고 해서 이를 위부의 수락이나 포기로 간주하지 않는다는 취지의 약관이다.

**선지분석**

① Constructive Total Loss Clause: 추정전손 약관이라고 한다. 추정전손의 요건을 규정한 약관으로서, 전손이 불가피하거나 회복비용이 보험금액을 초과하여 이를 보험자에게 위부한 경우에만 추정전손으로 간주한다는 취지의 약관이다.
② Transit Clause: 운송약관 또는 창고간 약관이라고 한다. 해상보험에서 보험자의 책임의 시기와 종기, 즉 담보기간을 규정한 약관이다.
④ Insurable Interest Clause: 피보험이익 약관이라고 한다. 보험계약 체결 전에 발생한 손해라 할지라도 손해발생시에 피보험이익이 존재하고 손해발생 사실이 피보험자가 몰랐다면 보험자로 하여금 보상하도록 한 약관이다.

**23** □□□

**수출보험에 관한 설명 중 옳지 않은 것은?** 2008. 관세직 7급

① 주로 수출상품의 대금 결제와 관련된 위험을 담보하는 것이다.
② 수출보험이 담보하는 위험의 범위, 보상률 및 보험료율의 조정을 통해 수출업자의 활동을 촉진 또는 제한할 수 있다.
③ 주로 이윤을 추구하는 민간보험업자가 다룰 수 없는 분야를 대상으로 한다.
④ WTO 체제하에서 수출보험제도를 운영하는 것이 금지된다.

답 ④

수출보험이란 통상의 해상보험으로 담보될 수 없는 위험, 즉 정치적 위험이나 신용위험으로 인하여 수출자 등이 입게 되는 손실을 보상함으로써 궁극적으로 수출진흥을 도모하기 위한 비영리 정책보험을 말한다. 민간보험업자가 수출보험을 운영하는 경우 수출지원정책을 견지하기보다는 이윤추구의 입장에서 담보하는 위험의 범위가 제한적일 수밖에 없으므로 수출보험은 민간보험업자가 다룰 수 없는 이러한 분야를 대상으로 한다. 수출보험은 무역보험에 포함된다. 무역보험에는 수출보험과 수입보험이 있으며, 현재 이 보험을 담당하는 기관은 한국무역보험공사이다.

CHAPTER
4
# 수출입 통관 및 원산지 판정

## 1 | 수출입 통관

**01** □□□ **수출·입통관에 대한 설명으로 옳지 않은 것은?** 2014. 관세직 7급

① 수출신고는 관세사, 하주, 선주만이 할 수 있다.
② 수출통관절차에는 수출 대상 물품의 검사도 포함된다.
③ 수출통관이란 내국물품을 외국으로 반출하는 것과 관련하여 법령상의 규제 사항을 확인·집행하는 것이다.
④ 수입통관이란 수입신고를 받은 세관장이 수입신고사항을 확인하여 일정한 요건을 충족시킬 때 수입신고수리를 하는 처분이다.

답 ①

수입신고, 수출신고, 반송신고는 화주(貨主, 하주 荷主) 또는 관세사 등(관세사, 관세법인, 통관취급법인)의 명의로 하여야 한다. 다만, 수출신고의 경우에는 화주에게 해당 수출물품을 제조하여 공급한 자의 명의로 할 수 있다(법 제242조). 그러나 '선주'는 수출신고인이 되지 못한다.

**02** □□□ **현행 우리나라 관세법에 규정된 세율로서 탄력관세(flexible tariff)가 아닌 것은?** 2011. 관세직 7급

① 보복관세
② 선택관세
③ 상계관세
④ 조정관세

답 ②

선택관세는 종가세와 종량세의 방식으로 모두 세액 계산을 한 후 그 중 세액이 많은 것 또는 적은 것을 선택하는 방식의 관세로서, 우리나라 관세법에서 채택하고 있지만 '탄력관세'는 아니다. 선택관세는 과세방법 중의 하나일 뿐이다. 우리나라 관세법 제51조부터 제75조까지에 규정된 탄력관세는 다음과 같다.

| 명칭 | 근거 조항 | 제정 근거 |
|---|---|---|
| 덤핑방지관세 | 법 제51조 ~ 제56조 | 기획재정부령 |
| 상계관세 | 법 제57조 ~ 제62조 | 기획재정부령 |
| 보복관세 | 법 제63조 ~ 제64조 | 대통령령 |
| 긴급관세 | 법 제65조 ~ 제67조 | 기획재정부령 |
| 특정국물품긴급관세 | 법 제67조의2 | 기획재정부령 |
| 농림축산물에 대한 특별긴급관세 | 법 제68조 | 기획재정부령 |
| 조정관세 | 법 제69조 ~ 제70조 | 대통령령 |
| 할당관세 | 법 제71조 | 대통령령 |
| 계절관세 | 법 제72조 | 기획재정부령 |
| 편익관세 | 법 제74조 ~ 제75조 | 대통령령 |

**03** □□□ **외국의 물품이 정상가격 이하로 수입되어 국내산업이 실질적인 피해를 받거나 받을 우려가 있는 경우, 또는 국내산업의 발전이 실질적으로 지연된 경우에 추가적으로 부과하는 관세는?**

2015. 관세직 7급

① 덤핑방지관세　　② 상계관세
③ 긴급관세　　④ 보복관세

답 ①

국내산업에 이해관계가 있는 자로서 대통령령으로 정하는 자 또는 주무부장관이 부과요청을 한 경우로서 외국의 물품이 대통령령으로 정하는 정상가격 이하로 수입되어, 국내산업이 실질적인 피해를 받거나 받을 우려가 있는 경우 또는 국내산업의 발전이 실질적으로 지연된 경우에 해당하는 것으로 조사를 통하여 확인되고, 해당 국내산업을 보호할 필요가 있다고 인정되는 경우에는 기획재정부령으로 그 물품과 공급자 또는 공급국을 지정하여 해당 물품에 대하여 정상가격과 덤핑가격 간의 차액에 상당하는 금액 이하의 관세(덤핑방지관세)를 추가하여 부과할 수 있다(관세법 제51조). 여기에서 '정상가격 이하로 수입'을 덤핑(dumping)이라 한다.

**04** □□□ **괄호 안에 공통으로 들어갈 용어에 해당하는 것은?**

2019. 관세직 7급

> (　　)은/는 수출국의 생산자 혹은 수출업자가 수출국 내에서 통상적으로 거래되는 가격(정상가격)보다 낮은 가격으로 동종상품을 수출하는 것이다. 비록 세계무역기구(WTO) 규범이 이를 규제하고 있어도 국제무역에 있어서 (　　)은/는 매우 흔하게 발생한다. WTO 규범은 외국의 수출기업이 국내시장에서 (　　) 행위를 하여 국내 동종산업이 피해를 입을 경우 수입국(자국)의 관세부과를 허용하고 있다.

① 수출보조금　　② 덤핑
③ 수입할당　　④ 최적관세

답 ②

'정상가격'보다 낮은 가격으로 동종상품을 수출하는 것을 '덤핑(dumping)'이라 한다.

**05** □□□ **반덤핑관세에 관한 설명 중 옳지 않은 것은?** 2009. 관세직 7급

① 덤핑마진(dumping margin)은 수출국내의 정상가격과 수출가격의 차이로 정의된다.
② 덤핑은 국제적 가격차별화(price discrimination)의 일종으로 일반적으로 수요가 탄력적인 시장에서 높은 가격을 설정한다.
③ 덤핑행위는 불공정한 거래로 간주되기 때문에 덤핑마진에 해당하는 반덤핑관세를 부과함으로써 덤핑의 효과를 상쇄시킬 수 있다.
④ 반덤핑관세 부과는 대표적인 무역구제조치 중의 하나이다.

답 ②

반덤핑관세는 덤핑이라는 불공정무역행위에 의하여 저가수입되는 품목에 대하여 수입국 정부가 할증부과하는 관세이다. 덤핑이 국제적 가격차별화(price discrimination)의 일종인 것은 맞지만 수요가 탄력적인 시장, 즉 수요가 가격에 민감하게 반응하는 시장에서는 저가 공세를 하게 된다.

**06** □□□ **탄력관세에 대한 설명으로 옳은 것은?** 2021. 관세직 7급

① 반덤핑관세는 산업구조의 변동 등으로 물품 간의 세율 불균형이 심하여 이를 시정할 필요가 있는 경우에 100분의 100에서 해당 물품의 기본세율을 뺀 율을 기본세율에 더한 율의 범위에서 부과할 수 있는 관세이다.
② 상계관세는 주무부장관이 부과요청을 한 경우로서, 외국에서 제조·생산 또는 수출에 관하여 직접 또는 간접으로 보조금이나 장려금을 받은 물품의 수입으로 인하여 국내산업이 실질적인 피해를 받거나 받을 우려가 있는 경우 조사를 통하여 확인되고, 해당 국내산업을 보호할 필요가 있다고 인정되는 경우에는 기획재정부령으로 그 물품과 수출자 또는 수출국을 지정하여 그 물품에 대하여 해당 보조금등의 금액 이하를 추가하여 부과하는 관세이다.
③ 긴급관세는 교역상대국이 우리나라의 수출물품 등에 대하여 관세 또는 무역에 관한 국제협정이나 양자 간의 협정 등에 규정된 우리나라의 권익을 부인하거나 제한하는 행위를 하여, 우리나라의 무역이익이 침해되는 경우에는 그 나라로부터 수입되는 물품에 대하여 피해상당액의 범위에서 부과하는 관세이다.
④ 편익관세는 원활한 물자수급 또는 산업의 경쟁력 강화를 위하여 특정물품의 수입을 촉진할 필요가 있는 경우에 100분의 40의 범위의 율을 기본세율에서 빼고 부과할 수 있는 관세이다.

답 ②

① '산업구조의 변동 등으로 물품 간의 세율 불균형이 심하여 이를 시정할 필요가 있는 경우에 100분의 100에서 해당 물품의 기본세율을 뺀 율을 기본세율에 더한 율의 범위에서 부과할 수 있는 관세'는 조정관세이다.
③ '교역상대국이 우리나라의 수출물품 등에 대하여 관세 또는 무역에 관한 국제협정이나 양자 간의 협정 등에 규정된 우리나라의 권익을 부인하거나 제한하는 행위를 하여, 우리나라의 무역이익이 침해되는 경우에는 그 나라로부터 수입되는 물품에 대하여 피해상당액의 범위에서 부과하는 관세'는 보복관세이다.
④ '원활한 물자수급 또는 산업의 경쟁력 강화를 위하여 특정물품의 수입을 촉진할 필요가 있는 경우에 100분의 40의 범위의 율을 기본세율에서 빼고 부과할 수 있는 관세'는 할당관세이다.

**07** □□□

**탄력관세(flexible duties) 제도에 대한 설명으로 옳지 않은 것은?** 2013. 관세직 7급

① 반덤핑관세(anti-dumping duties)는 자국 상품의 수출증대를 위하여 수출가격을 낮추어서 수출하는 경우에 수입국에서 수입증가를 방지하고 국내 산업을 보호할 목적으로 기본관세 이외에 덤핑마진 금액 이하의 관세를 부과하는 것이다.
② 활척관세(sliding duties)는 특정물품의 수입가격이 인상될 때 저율의 관세를 부과하고, 수입가격이 인하될 때 고율의 관세를 부과하여 수입물품의 국내가격 안정과 수급균형을 위해 적용된다.
③ 탄력관세제도는 조세법률주의의 예외적인 조치로 급변하는 국제경제환경에 대처하여 관세정책을 수행할 수 있도록 행정부에 일정한 범위 내에서 관세율 조정권을 위임하여 관세율을 탄력적으로 조정하거나 변경할 수 있도록 하는 것이다.
④ 상계관세(countervailing duties)는 특정물품의 수입급증으로 인하여 국내산업에 중대한 피해를 가져오거나 피해의 위협이 존재하는 경우 이에 대응하기 위해 부과하는 것이다.

답 ④

'특정물품의 수입급증으로 인하여 국내산업에 중대한 피해를 가져오거나 피해의 위협이 존재하는 경우 이에 대응하기 위해 부과하는' 탄력관세는 긴급관세이다. 상계관세(countervailing duties)는 보조금 등을 지급받은 물품이 수입되어 국내산업에 피해를 입히는 경우, 보조금 등의 금액 이하의 관세를 실행관세에 추가하여 부과하는 탄력관세이다.

**08** □□□ **수출국 정부로부터 보조금을 지급받아 저렴하게 생산된 제품의 수입으로 인해 수입국 산업이 실질적인 피해를 보았거나 피해를 볼 우려가 있을 때, WTO 협정에 근거하여 수입국 정부가 취할 수 있는 자국 산업 보호조치는?** 2009. 관세직 7급

① 수출보조금 지급　　② 긴급수입제한조치
③ 상계관세 부과　　④ 반덤핑관세 부과

답 ③

외국의 정부나 공공기관으로부터 보조금 또는 장려금을 지급받은 물품이 수입되는 경우 저가수입이 이루어져, 해당 수입국의 국내산업에 피해가 발생할 수 있다. 이런 경우 보조금 등의 금액 이하의 관세를 실행관세에 추가하여 부과하는 것을 상계관세라 한다.

**09** □□□ **WTO 보조금 및 상계조치협정에 대한 설명으로 옳지 않은 것은?** 2016. 관세직 7급

① 수출실적에 따라 지급되는 보조금은 상계가능보조금(actionable subsidy)에 속한다.
② 중앙정부뿐 아니라 지방정부도 보조금 규정상 정부의 범위에 포함된다.
③ 세액공제와 같이 정부가 받아야 할 세입을 포기하거나 징수하지 않는 경우는 정부의 재정적 지원에 포함된다.
④ 수입물품 대신 국내물품을 사용하는 것에 대해 제공되는 수입대체보조금은 금지보조금(prohibited subsidy)이다.

답 ①

WTO 보조금 및 상계조치에 관한 협정(SCM, Agreement on Subsidies and Countervailing Measures)은 보조금에 관한 정의를 포함하고 있으며, 보조금에 있어서 특정성(specificity)의 개념을 도입하였다. SCM은 보조금을 금지보조금(Prohibited Subsidies), 조치가능보조금(Actionable Subsidies), 허용보조금(Non-actionable Subsidies)으로 나누어 규율하고 있다.

| | |
|---|---|
| 금지보조금 | 수출실적에 따라 지급되거나, 수입품 대신 국내 상품을 사용하는 것을 조건으로 지급되는 보조금 |
| 조치가능보조금 | 제소국이 해당 보조금이 제소국의 이익에 부정적 효과를 미친다는 것을 입증하지 못하면 허용하게 되는 보조금 |
| 허용 보조금 | 보조금이 지급되더라도 WTO 협정이나 수입국의 제재 조치를 받지 않는 보조금 |

①, ④ 수출실적에 따라 지급되는 보조금은 금지보조금이다. 수입물품 대신 국내물품을 사용하는 것에 대해 제공되는 수입대체보조금도 금지보조금이다.

**선지분석**

② 중앙정부, 지방정부, 공공기관의 재정적 지원은 모두 보조금의 범위에 포함된다.

③ 상계관세 부과 대상이 되는 보조금이란 다음의 것들을 말한다.

| | |
|---|---|
| 보조금 | 정부, 공공기관의 재정적 기여 |
| | 정부가 직접 또는 정부가 민간기관에 위임한<br>1. 자금의 직접 이전(무상지원, 대출, 지분참여)<br>2. 채무부담 직접 이전(대출보증)<br>3. 세입 포기(세액 공제)<br>4. 상품·서비스의 제공 및 구매 |

**10** □□□ **WTO 보조금 및 상계관세 협정문에서는 보조금을 그 성격에 따라 세 가지로 분류하고 있다. 다음 중 그 세 가지 분류에 해당되지 않는 것은?** 2015. 관세직 7급

① 금지보조금(Prohibited Subsidies)
② 생산보조금(Production Subsidies)
③ 조치가능보조금(Actionable Subsidies)
④ 허용보조금(Non-actionable Subsidies)

답 ②

WTO 보조금 및 상계조치에 관한 협정(SCM, Agreement on Subsidies and Countervailing Measures)에서는 보조금을 금지보조금(Prohibited Subsidies), 조치가능보조금(Actionable Subsidies), 허용보조금(Non-actionable Subsidies)으로 나누어 규율하고 있다.

| | |
|---|---|
| 금지보조금 | 수출실적에 따라 지급되거나, 수입품 대신 국내 상품을 사용하는 것을 조건으로 지급되는 보조금을 말한다. 이러한 보조금은 국제무역을 왜곡시켜 다른 국가에 피해를 줄 수 있으므로 금지보조금으로 규정하였다. |
| 조치가능보조금 | 제소국이 해당 보조금이 제소국의 이익에 부정적 효과를 미친다는 것을 입증하지 못하면 허용하게 되는 보조금을 말한다. |
| 허용보조금 | 보조금이 지급되더라도 WTO 협정이나 수입국의 제재 조치를 받지 않는 보조금을 말한다. 여기에는 특정성이 없는 보조금과, 특정성이 있더라도 연구활동 지원, 낙후지역 제공, 환경개선 등을 위한 보조금이 해당된다. |

**11** □□□ **WTO 보조금 및 상계조치협정(Agreement of Subsidies and Countervailing Measures)에서 회원국에게 허용하는 보조금의 종류만을 모두 고르면?** 2018. 관세직 7급

ㄱ. 낙후된 지역 개발에 대한 지원
ㄴ. 산업연구와 경쟁 전 개발활동을 위한 보조금
ㄷ. 특정성(specificity)이 없는 보조금
ㄹ. 새로운 환경법·규정에 기존 시설의 적용을 촉진시키기 위한 지원

① ㄱ
② ㄱ, ㄴ
③ ㄱ, ㄴ, ㄷ
④ ㄱ, ㄴ, ㄷ, ㄹ

답 ④

SCM에서는 특정성이 없는 보조금 뿐만이 아니라, 특정성이 있으나 산업연구와 경쟁 전 개발활동을 위한 보조금, 낙후된 지역 개발에 대한 지원, 새로운 환경법·규정에 기존 시설의 적용을 촉진시키기 위한 지원을 위한 보조금도 허용되는 보조금으로 본다.

**12** □□□

**WTO 보조금협정(SCM)에서 규정하고 있는 허용보조금에 속하지 않은 것은?** 2011. 관세직 7급

① 국산품사용지원 보조금
② 환경개선지원 보조금
③ 낙후지역지원 보조금
④ 연구개발지원 보조금

답 ①

WTO 보조금 협정(SCM)의 보조금에는 금지보조금, 허용보조금, 조치가능보조금이 있다. 이 중 허용보조금이란 WTO 분쟁 해결 절차의 제소 대상이 될 수 없는 보조금을 말한다. 허용보조금에는 특정성이 없는(non specific) 보조금과 특정성이 있으나(specific) 허용되는 보조금이 있다. 후자에는 ① 기업 및 연구기관의 연구 활동 지원에 제공되는 보조금(연구개발지원 보조금), ② 지역 개발의 일반적인 틀에 따라 낙후 지역에 제공되는 보조금(낙후지역지원 보조금), ③ 새로운 환경을 지원하고 환경을 개선하기 위한 보조금(환경개선지원 보조금)이 포함된다.

**13** □□□

**괄호 안에 들어갈 용어로 옳은 것은?** 2016. 관세직 7급

(　　　　)란 일시적인 경제 사정에 대응하기 위한 제도로 특정 품목의 수입증대로 인하여 국내산업의 피해가 우려될 경우나 국내소비생활 질서를 문란하게 하는 품목에 대해 관세를 상향 조정하여 부과하는 것이다.

① 편익관세
② 계절관세
③ 상계관세
④ 조정관세

답 ④

'특정 품목의 수입증대'로 인하여 '국내산업의 피해가 우려될 경우나 국내소비생활 질서를 문란하게 하는 품목'에 대해 관세를 '상향조정(인상)'하는 탄력관세는 조정관세이다.

**14** □□□

**관세의 무역정책 수단으로서의 기능에 대한 설명으로 옳지 않은 것은?** 2010. 관세직 7급

① 수입되는 외국물품에 관세를 부과함으로써 관련 국내경쟁재의 생산을 증가시켜, 상대적으로 국내산업을 보호하는 기능을 갖는다.
② 관세는 국가의 재정수입을 증대시키는 기능을 갖는다.
③ 수입되는 외국물품에 관세를 부과함으로써 수입물품의 국내가격을 하락시켜, 수입물품의 국내소비를 촉진시키는 기능을 갖는다.
④ 관세는 수입물품의 수입억제효과를 가져오므로, 국제수지를 개선시키는 기능을 갖는다.

답 ③

수입되는 외국물품에 관세를 부과하면 수입물품의 국내가격을 상승시켜 수입물품의 국내소비를 억제시키는 효과가 있다. 이를 소비효과(consumption effect)라 한다. 이는 추가적으로 국내생산품의 판매가격도 상승시키는 효과를 발생시키기도 한다.

**15** □□□

**다음 설명에 따라 실효보호율을 계산하면?** 2013. 관세직 7급

> A제품 1단위의 최종재 가격이 10만원이고 그에 대한 관세율이 30%이다. A제품 생산에 소요되는 B원재료의 가격은 5만원이고 그에 대한 관세율이 20%임을 가정한다.

① 20% ② 30%
③ 40% ④ 50%

답 ③

관세의 실효보호율이란 완제품과 투입재에 관세를 부과하기 전과 부과한 후에 부가가치가 변화하는 비율이다. 완제품 가격(최종재 가격)이 10만원, 완제품 관세율이 30%, 투입재 가격(제품 생산에 소요되는 원재료의 가격)이 5만원, 투입재 관세율이 20%라면, 관세의 실효보호율은 다음과 같다.

$$\frac{\text{수입완제품에 부과되는 관세율} \times \text{완제품 가격} - \text{투입재에 부과되는 관세율} \times \text{투입재가격}}{\text{완제품가격} - \text{투입재가격}}$$

$$= \frac{30\% \times 10\text{만원} - 20\% \times 5\text{만원}}{10\text{만원} - 5\text{만원}} = 40\%$$

**16** □□□ **특정 재화의 생산에 있어서 수입원자재가 전혀 사용되지 않았을 경우에 그 재화에 대한 관세의 실효보호율은 명목 보호율과 비교하여 어떻게 나타나는가?** 2007. 관세직 7급

① 동일 재화의 명목 수입관세율과 보호효과가 동일하다.
② 동일 재화의 명목 수입관세율보다 보호효과가 크다.
③ 동일 재화의 명목 수입관세율보다 보호효과가 적다.
④ 동일 재화에 대한 명목 수입관세율과 비교할 수 없다.

답 ①

관세의 실효보호율이란 완제품과 투입재에 관세를 부과하기 전과 부과한 후에 부가가치가 변화하는 비율로서, 완제품에 적용되는 명목 관세율 뿐만이 아니라 투입재(수입원료)에 적용되는 관세율도 함께 고려하여야 한다는 문제 제기에서 생겨난 것이다.

$\frac{\text{수입완제품에 부과되는 관세율} \times \text{완제품 가격} - \text{투입재에 부과되는 관세율} \times \text{투입재가격}}{\text{완제품가격} - \text{투입재가격}}$ 이라는 실효보호율 산출식에서 수입원자재가 전혀 사용되지 않았다면,

이 산출식은 $\frac{\text{수입완제품에 부과되는 관세율} \times \text{완제품 가격}}{\text{완제품가격}}$ 으로 간단하게 정리할 수 있다. 즉 수입완제품에 부과되는 관세율(동일 재화의 명목수입관세율)과 실효보호율이 같아지게 된다.

**17** □□□ **(가), (나)에 들어갈 비관세장벽(NTB)의 종류에 대한 용어를 바르게 짝지은 것은?** 2022. 관세직 7급

> (가) 는 수출국이 특정국가에 대해 수출량을 자율적으로 규제하는 것을 의미하며, 일반적으로 수입국의 압력이나 요청에 의해 이루어진다. (나) 는 정책당국이 특정한 정책목표를 달성하기 위해 기업들의 수출 및 생산활동에 제공하는 금융이나 조세상의 각종 지원수단을 의미한다.

| | (가) | (나) |
|---|---|---|
| ① | Orderly Marketing Agreement | Government Procurement |
| ② | Voluntary Export Restraint | Subsidy |
| ③ | Orderly Marketing Agreement | Subsidy |
| ④ | Voluntary Export Restraint | Government Procurement |

답 ②

(가) '수출국이 특정국가에 대해 수출량을 자율적으로 규제하는' 비관세장벽은 수출자율규제(VERs; Voluntary Export Restraints)이다. '자율'이라고는 하지만, 양 국가간에 협정을 맺거나 수입국의 압력이나 요청에 의해 이루어진다.

(나) '정책당국이 특정한 정책목표를 달성하기 위해 기업들의 수출 및 생산활동에 제공하는 금융이나 조세상의 각종 지원수단'은 보조금 지급(Subsidy)을 말한다. 보조금이란 정부가 국내생산자에게 주는 일방적인 특혜이다.

**18** □□□

**여타 비관세장벽에 비해 수출국의 반발을 미리 회피할 수 있으면서도 동시에 수입국 입장에서 직접적인 수입억제효과를 볼 수 있는 비관세장벽은?** 2017. 관세직 7급 하반기

① 자율수출규제(voluntary export restraints)
② 수출보조금(export subsidy)
③ 생산보조금(production subsidy)
④ 수입자율확대(voluntary import expansions)

답 ①

'여타 비관세장벽에 비해 수출국의 반발을 미리 회피할 수 있으면서도 동시에 수입국 입장에서 직접적인 수입억제효과를 볼 수 있는 비관세장벽'은 수출자율규제(자율수출규제, VERs; voluntary export restraints)이다. 자율(voluntary)이라고는 하지만, 양 국가 간에 협정을 맺거나 수입국의 압력이나 요청에 의해 이루어진다.

**선지분석**

②, ③ 수출보조금(export subsidy), 생산보조금(production subsidy) 등의 보조금은 수출물품의 경쟁력을 높이기 위해 수출국 정부가 개입하는 것이므로, 이것도 비관세장벽이 된다.
④ 수입자율확대(VIEs; voluntary import expansions)는 수입국이 수출국의 상품을 많이 사주는 것이다. 이것도 자율(voluntary)이라는 말이 붙어 있지만, 수출국이 압박하여 수입국이 수입량을 확대하는 형태이다.

**19** □□□

**비관세장벽(NTB)의 조치가 아닌 것은?** 2019. 관세직 7급

① Orderly Marketing Agreement
② Countervailing Duties
③ Tariff Quota
④ Generalized System of Preference

답 ④

비관세장벽(NTB; Non-Tariff Barriers)이란 외국의 수출자와 국내의 수입자에게 추가의 비용과 고도의 위험을 부담시켜 수입가격을 인상하고 수입량을 감소시키려는 목적하에 실시되는 관세 이외의 모든 무역장벽을 의미한다. 비관세장벽에는 수입할당제, 수출자율규제, 시장질서협정 등이 있다. 일반특혜관세(Generalized System of Preference)는 개발도상국에서 수입되는 물품에 대해 선진국이 일방적으로 낮은 세율을 적용하는 관세 제도로서, 이것은 관세 장벽이라기보다는 관세 특혜제도이다.

**선지분석**

① 시장질서협정(Orderly Marketing Agreement): 수입국의 시장교란을 방지할 목적으로 국가 상호 간 협정에 의해 일부 생산물의 수출을 자율적으로 규제하는 무역정책수단으로 비관세 장벽 조치이다.
② 상계관세(Countervailing Duties)란 보조금 등의 금액 이하의 관세를 실행관세에 추가하여 부과하는 관세 장벽이다(문제는 이렇게 출제되었으나, 상계관세는 '관세장벽'으로 보아야 한다. 비관세장벽으로 문제를 내려면 '보조금 지급(Subsidy)'이라고 해야 한다).
③ 관세할당(Tariff Quota)은 일정 수입량까지는 낮은 세율을 적용하고, 그 기준을 초과하는 경우 고율의 관세를 적용하는 관세 장벽이다.



**20** □□□ **비관세장벽에 대한 설명으로 옳지 않은 것은?** 2014. 관세직 7급

① 수출자율규제 - 수출국이 수입국의 국내시장 교란을 방지하기 위해 자율적으로 수출량을 일정하게 제한하는 조치
② 수입할당제 - 수입국 정부가 일정 수준까지의 수입량을 허용하고 그 이상의 수입은 허용하지 않는 조치
③ 수출입링크제 - 수입을 하는 기업에 대해 정부가 일정량 이상을 수출하도록 강제하는 조치
④ 수출보조금 - 수출국의 정부 또는 공공단체가 수출실적에 따라 일정률의 보조금을 해당 기업이나 수출업자에게 지급하는 조치

답 ③

수출입링크제(링크제 무역, link system)란 수출과 수입을 연계시켜서 일정한 수출·수입과 교환할 것을 조건으로 수입·수출을 허용하는 제도로써, 수출의무제와 수입권리제가 있다. 수출의무제는 먼저 원료 등의 수입을 허가한 후, 일정한 기간 안에 그 원료를 사용하여 만든 '제품의 수출을 의무화'시키는 방식이고, 수입권리제는 상품수출 실적에 따라 '수입할 수 있는 권리를 부여'하는 방식이다. 수출입링크제는 지역별로 수출입이 링크되기도 하고, 상품별로 수출입이 링크되기도 한다.

**21** □□□ **보호무역정책으로써 관세부과와 수입할당(import quota)의 차이점으로 옳지 않은 것은?** 2012. 관세직 7급

① 관세는 수입규제 효과가 불확실한 반면 수입할당의 경우 수입량을 일정 수준으로 확실하게 제한할 수 있다.
② 관세가 수입가격에 대한 규제임에 반해 수입할당은 수입량 자체에 대한 직접규제이다.
③ 관세부과 시 발생하는 재정수입만큼 수입할당에서도 그 수입이 정부에 귀속된다.
④ 수입할당을 배분받은 사람은 수입가격과 국내가격의 차익을 얻을 수 있으므로 정부의 수입할당 배분문제가 발생한다.

답 ③

수입할당제(import quota system)는 수입상품의 수량을 직접 규제하여 수입을 제한하는 수량적 보호무역정책으로서, 수입국이 일방적으로 수입수량을 제한하는 일방적 할당제와, 수출입국 당사자 간에 사전협정을 체결하여 수입수량을 제한하는 협정할당제가 있다. 무역정책으로써 관세를 부과하는 경우 규제당사국 정부가 관세를 조세수입원으로 활용할 수 있으나, 수입할당제에서는 높아진 가격으로 인한 추가이윤이 제품수입을 허가받은 업자의 이윤으로 귀속된다는 점에 차이가 있다.

**22** □□□

**비관세 무역정책수단에 대한 설명으로 옳은 것은?** 2018. 관세직 7급

① 기술규제는 제품의 표준이나 규격에 대한 인준·허가 등에 제한을 가하여 수입절차를 까다롭게 하고 수출비용을 증가시키는 규제방법이다.
② 수출자율규제(VER)는 수출국이 자국의 수출증대를 목적으로 수입국으로 하여금 당해 제품의 목표 수입량 또는 목표 시장 점유율을 설정하고 그 수준까지 수입을 자율적으로 확대하게 하는 제도이다.
③ 수입할당제도(Import Quota)는 정부가 정한 일정 수량까지는 저율의 관세를 부과하고, 일정 수량을 초과하여 수입할 때는 고율의 관세를 부과하는 제도이다.
④ 수출신용제도는 국가가 수출상의 위험을 담보함으로써 수출을 지원하는 제도이다.

답 ①

**선지분석**

② '수출국이 자국의 수출증대를 목적으로 수입국으로 하여금 당해 제품의 목표 수입량 또는 목표 시장 점유율을 설정하고 그 수준까지 수입을 자율적으로 확대하게 하는 제도'는 수출자율규제(VERs)가 아니라 수입자율확대(VIEs)이다.
③ '정부가 정한 일정 수량까지는 저율의 관세를 부과하고, 일정 수량을 초과하여 수입할 때는 고율의 관세를 부과하는 제도'는 할당관세로서, 관세장벽에 해당한다. 수입할당제도(Import Quota, IQ제)는 수입상품의 수량을 직접 규제하여 수입을 제한하는 수량적 보호무역정책이다.
④ 수출신용제도는 국가가 수출상의 위험을 담보함으로써 수출을 지원하는 제도로서, 비관세장벽으로 보기 어렵다.

## 2 | 원산지 판정

**01** □□□ **무역 거래 물품의 원산지 결정기준 중 실질적 변형기준에 해당하지 않는 것은?** 2017. 관세직 7급

① 세번변경기준
② 부가가치기준
③ 가공공정기준
④ 완전생산기준

답 ④

원산지 결정기준 중 2개국 이상에 걸쳐 생산, 가공, 제조된 물품의 경우에는 '실질적 변형기준'을 적용한다. 실질적 변형기준에는 세번변경기준, 부가가치기준, 가공공정기준이 있다. 완전생산기준은 하나의 국가에서 전부 생산된 물품에 적용하는 원산지 결정기준이다.

**02** □□□ **대한민국을 원산지로 하는 물품에 해당하는 것으로 옳은 것은?** 2014. 관세직 7급

① 대한민국 영토 내에서 채굴한 광물
② 공해상에서 중국 선박이 포획한 수산물
③ 일본에서 생산되어 대한민국으로 수입된 공산품
④ 일본에서 가공·제조되어 한국으로 수입되었다가 그대로 중국으로 수출된 공산품

답 ①

수입물품의 전부가 하나의 국가에서 채취되거나 생산된 물품(완전생산물품)인 경우에는 그 국가를 그 물품의 원산지로 한다. 해당국 영역에서 생산한 광산물, 농산물 및 식물성 생산물은 완전생산물품으로 보므로, '대한민국 영토 내에서 채굴한 광물'의 원산지는 대한민국이 된다.

**선지분석**

② '해당국 선박에 의하여 해당국 이외 국가의 영해나 배타적 경제수역이 아닌 곳에서 채포(採捕)한 어획물, 그 밖의 물품'도 완전생산물품으로 그 '해당국'이 원산지가 된다. '공해상에서 중국 선박이 포획한 수산물'은 중국산이다.
③ '일본에서 생산되어 대한민국으로 수입된 공산품'은 생산지가 중요한 것이므로 일본산이다.
④ '일본에서 가공·제조되어 한국으로 수입되었다가 그대로 중국으로 수출된 공산품'은 한국을 단순 경유한 것이므로, 해당 물품이 가공·제조된 일본이 원산지가 된다.

**03** □□□ **대외무역법상 원산지 판정에 대한 설명으로 옳지 않은 것은?** 2013. 관세직 7급

① 원산지 판정의 기준은 대통령령으로 정하는 바에 따라 산업통상자원부장관이 정하여 공고한다.

② 원산지 판정의 요청, 이의제기 등 원산지 판정의 절차에 필요한 사항은 산업통상자원부장관이 정한다.

③ 산업통상자원부장관은 필요하다고 인정하면 수출 또는 수입물품 등의 원산지 판정을 할 수 있다.

④ 무역거래자 또는 물품 등의 판매업자 등은 수출 또는 수입물품 등의 원산지 판정을 산업통상자원부장관에게 요청할 수 있다.

답 ②

원산지 판정의 요청, 이의 제기 등 원산지 판정의 절차에 필요한 사항은 '대통령령'으로 정한다(대외무역법 제34조 제7항).

CHAPTER 5

# 무역분쟁 해결

## 1 | 무역클레임

**01** □□□

**무역클레임의 해결방법에 관한 설명으로 옳지 않은 것은?** 2008. 관세직 7급

① 알선은 공정한 제3자가 클레임에 개입하여 당사자 간에 원만한 타협이 이루어지도록 조언함으로써 분쟁을 해결하는 방법이다.
② 조정은 흔히 중재의 전단계로서 시도되며, 조정안은 강제집행력을 가지기 때문에 당사자가 조정안을 거부할 수 없다.
③ 중재에 의하여 클레임을 해결하려면 반드시 관계당사자 사이에 서면으로 표시된 중재계약이 있어야 한다.
④ 무역거래에서 클레임의 상대방은 계약당사자이므로 대부분 수출업자 또는 수입업자가 된다. 그러나 선박회사, 보험회사, 관련 은행 등 제3자도 클레임의 당사자가 될 수 있다.

답 ②

조정은 양 당사자가 공정한 제3자를 조정인으로 선임하고 조정인이 제시하는 조정안에 합의함으로써 분쟁을 해결하는 방법이다. 조정은 우리나라 중재 규칙상 중재 신청 후 당사자 쌍방의 요청이 있을 때 중재원 사무국이 조정인을 선정, 조정을 시도할 수 있고 조정이 성립되면 화해에 의한 판정 방식으로 처리, 중재판정과 동일한 효력이 있다. 양 당사자에 의하여 조정안이 받아들여지면 조정안은 강제집행력을 가지지만, 조정안이 어느 한 당사자에 의하여 거부되면 강제집행력이 발생하지 않는다.

**02** □□□

**대체적 분쟁해결(ADR: Alternative Dispute Resolution)의 장점으로 옳지 않은 것은?** 2016. 관세직 7급

① 시간과 비용을 절약할 수 있다.
② 분쟁당사자 간의 합의가 존중된다.
③ 절차는 공개되지만 개인의 비밀은 유지된다.
④ 해당 분야의 전문가들이 판정을 함으로써 전문성이 보장된다.

답 ③

대체적 분쟁해결(ADR: Alternative Dispute Resolution)이란 소송절차에 의한 판결에 의하지 아니하고 분쟁을 해결하는 제도로서, '대안적 분쟁해결'이라고도 한다. 무역거래를 비롯한 사적거래에서 발생하는 분쟁을 재판이 아닌 조정(Mediation)이나 중재(Arbitration) 등의 방법으로 해결하는 것을 ADR이라 하며, 다음과 같은 특징이 있다.

1. (소송에 비하여) 시간과 비용을 절약할 수 있다.
2. 분쟁 당사자 간의 합의가 존중되며, 당사자 자치의 원칙이 분쟁해결에 반영된다.
3. 해당 분야의 전문가들이 판정함으로써 전문성이 보장된다.
4. 법률 이외에도 상관습, 사회규범, 개인의 이해관계 등을 판단기준으로 하므로, 엄격한 법치주의가 완화되어 적용된다.
5. 공개적이거나 공공적이 아닌 사적인 절차 진행이 이루어지므로, 절차와 개인의 비밀이 모두 유지된다. 중재의 경우 그 절차가 비공개로 진행되고 중재판정의 내용이 공표되지 않는다. 따라서 분쟁의 내막이나 영업의 비밀이 외부에 누설되지 않고, 사업의 연장선상에서 분쟁해결을 도모할 수 있게 된다.

**03** □□□

**환경 관련 무역 분쟁과 관련된 내용으로 옳지 않은 것은?** 2014. 관세직 7급

① 국가 간 환경 기준 차이로 인한 무역 불균형 현상은 무역 분쟁의 한 원인이 될 수 있다.
② 경제 개발을 우선시하는 개발도상국과 환경 보호를 주장하는 선진국 간의 갈등이 있다.
③ 환경 규제 자체가 보호무역의 수단이 될 수 있다.
④ 개발도상국들은 국제적으로 통일된 환경 기준이 자신들에게 더 유리한 것으로 주장하고 있다.

답 ④

전세계적인 환경 문제가 대두되면서, 선진국은 자국의 환경 보호를 위한 각종 대책을 세우고 있고 전세계적으로 통일된 환경 기준이 필요하다고 역설한다. 한편 선진국들은 개발도상국에 환경 위협적인 산업이 성장하도록 부추기거나 직접 공장설비 등을 진출시키기도 한다. 이에 따라 개발도상국들은 선진국이 요구하는 통일된 환경 기준을 공유하기가 어려운 실정이다.

## 2 | 상사중재제도

**01** □□□

**상사중재제도의 장점으로 옳지 않은 것은?** 2014. 관세직 7급

① 분쟁이 신속히 해결된다.
② 중재는 공개로 진행된다.
③ 비용이 적게 든다.
④ 법관(중재인)을 실정에 맞게 선정할 수 있다.

답 ②

중재(arbitration)란 분쟁 당사자 간의 합의 곧 중재계약에 따라 사법상의 법률관계에 의한 현존 또는 장래에 발생할 분쟁의 전부 또는 일부를 법원의 판결에 의하지 아니하고 사인인 제3자를 중재인으로 선정하여 중재인의 판정에 맡기는 동시에 그 판정에 복종함으로써 분쟁을 해결하는 자주법정제도이다. 상사중재의 심리는 '비공개'로 진행된다. 심문절차 및 판정문이 공개되지 않으므로, 대외신용을 유지할 수 있다. 상사중재의 장점은 다음과 같다.

| | |
|---|---|
| ① 중재계약의 자율성 | 중재합의로 선임한 중재인에 의한 자주적 분쟁해결 |
| ② 단심제 | 중재판정은 당사자 간에 법원의 확정판결과 동일한 효력을 지님 |
| ③ 신속성 | 신속한 분쟁해결 (약 6개월) |
| ④ 저렴한 중재비용 | 단심제, 신속성으로 인해 소송에 비하여 저렴함 |
| ⑤ 국제적인 인정 | 뉴욕협약에 의해 외국중재판정의 강제집행 보장 |
| ⑥ 전문가에 의한 판단 | 상거래·관습에 정통한 기업인, 교수, 변호사 등으로 중재인 구성 |
| ⑦ 분쟁 당사자가 중재인을 직접 선임 또는 배척 | 공정성 보장을 위해 당사자가 스스로 중재인을 선임할 권리 부여 |
| ⑧ 충분한 변론 기회의 부여 | 단심제이므로 충분한 변론 및 증거물 등 제출기회 부여 |
| ⑨ 심리의 비공개 | 심문절차 및 판정문 비공개, 대외신용 유지 가능 |
| ⑩ 민주적인 절차 진행 | 중재인과 당사자가 평등한 위치에서 절차 진행 |

**02** □□□

**중재(arbitration)제도에 대한 설명으로 옳지 않은 것은?** 2021. 관세직 7급

① 중재판정에 관하여 대한민국의 법원에서 내려진 승인 또는 집행 결정이 확정된 후에는 중재판정 취소의 소를 제기할 수 있다.
② 중재는 당사자가 중재인을 자유롭게 선택할 수 있기 때문에 분쟁 내용에 적합한 전문가에 의한 판단을 기대할 수 있다.
③ 중재합의는 독립된 합의 또는 계약에 중재조항을 포함하는 형식으로 할 수 있으며, 서면으로 하여야 한다.
④ 계약이 중재조항을 포함한 문서를 인용하고 있는 경우에는 중재합의가 있는 것으로 본다. 다만, 중재조항을 그 계약의 일부로 하고 있는 경우로 한정한다.

답 ①

중재판정에 관하여 대한민국의 법원에서 내려진 승인 또는 집행 결정이 확정된 후에는 중재판정 취소의 소를 제기할 수 없다(중재법 제36조).

**03** □□□

**중재(Arbitration)에 대한 설명으로 옳지 않은 것은?** 2018. 관세직 7급

① 소송에 비해 분쟁을 신속하게 해결하므로 시간과 비용을 절감할 수 있다.
② 비공개로 진행되므로 비밀이 외부에 누설될 염려가 없다.
③ 중재판정은 법원의 확정판결과 동일한 효력을 갖는다.
④ 단심제가 아니기 때문에 상소(上訴) 제도를 활용할 수 있다.

답 ④

중재판정은 양쪽 당사자 간에 법원의 확정판결과 동일한 효력을 가진다(중재법 제35조). 그리고 단심제이므로, 판정을 취소할 만한 중대한 결함이 없는 한 판정에 대한 불복신청이 인정되지 않는다.

**04** □□□

**우리나라 현행 중재법상 중재합의에 대한 다음 설명 중 옳지 않은 내용은?** 2007. 관세직 7급

① 중재합의는 분쟁당사자 간에 이미 발생한 모든 분쟁의 전부 또는 일부를 중재로 해결한다는 것을 의미한다.
② 중재합의는 독립된 별개의 중재합의 또는 본계약의 내용에 포함된 중재조항의 형식으로 할 수 있다.
③ 중재합의는 서면으로 하여야 한다.
④ 중재합의의 대상인 분쟁에 관하여 법원에 소가 제기된 경우에 피고가 중재합의 존재의 항변을 하는 때에는 법원은 원칙적으로 그 소를 각하하여야 한다.

답 ①

중재법 제3조에 따르면, '중재'란 당사자 간의 합의로 사법상의 분쟁을 법원의 재판에 의하지 아니하고 중재인(仲裁人)의 판정에 의하여 해결하는 절차를 말하며, '중재합의'란 계약상의 분쟁인지 여부에 관계없이 일정한 법률관계에 관하여 당사자 간에 '이미 발생'하였거나 '앞으로 발생할 수 있는' 분쟁의 전부 또는 일부를 중재에 의하여 해결하도록 하는 당사자 간의 합의를 말한다.

**05** □□□ **소송과 비교한 상사중재제도의 특징으로 옳은 것은?** 2009. 국제통상직 7급

① 뉴욕협약에 가입된 당사국 간의 중재판정은 판정이 이루어진 국가 내에서만 효력이 있다.
② 중재판정은 법원의 확정판결과 동일한 효력이 없으므로 법적 구속력을 갖지는 않는다.
③ 중재판정은 중재과정과 절차가 공개적으로 진행되기 때문에 경영상의 비밀이 누설되어 분쟁 당사자에게 피해를 줄 가능성이 높다.
④ 중재는 재판관 없이 사인인 제3자(중재인)가 당사자의 합의와 그 의뢰에 따라 분쟁을 해결하고, 중재판정이 당사자를 법적으로 구속함으로써 분쟁을 신속하게 해결할 수 있다.

답 ④

**선지분석**

① 뉴욕협약에 가입된 당사국 간의 중재판정은 국제적으로 효력이 있다.
② 중재판정은 당사자 간에 있어서 법원의 확정판결과 동일한 효력을 가진다.
③ 중재판정을 하는 경우 심문절차 및 판정문이 공개되지 않으므로, 대외신용의 유지가 가능하다.

**06** □□□ **우리나라 중재법상 중재에 대한 설명으로 옳지 않은 것은?** 2012. 관세직 7급

① 중재합의는 독립된 합의 또는 계약에 중재조항을 포함하는 형식으로 할 수 있으며 서면으로 하여야 한다.
② 중재합의의 당사자는 중재절차의 개시 전 또는 진행 중에는 법원에 보전처분을 신청할 수 없다.
③ 중재절차에서 사용될 언어는 당사자 간의 합의로 정하고, 합의가 없는 경우에는 중재판정부가 지정하며, 중재판정부의 지정이 없는 경우에는 한국어로 한다.
④ 중재판정에 대한 불복은 법원에 중재판정 취소의 소를 제기하는 방법으로만 할 수 있다.

답 ②

중재합의의 당사자는 중재절차의 개시 전 또는 진행 중에 법원에 보전처분(保全處分)을 신청할 수 있다(중재법 제10조). 보전처분이란 권리를 보전하기 위하여 중재판정이 확정될 때까지 잠정적으로 임시의 조치를 취하는 것을 말한다.

## 07 □□□

**국제 상거래의 대표적인 분쟁해결 수단에는 소송과 중재제도가 있다. 다음 중 중재제도에 대한 설명으로 옳지 않은 것은?** 2010. 국제통상직 7급

① 중재는 단심제이므로 판정이 신속하여 분쟁이 신속히 종료될 수 있다.
② 중재는 비공개를 원칙으로 하여 기업의 기밀보장이 가능하다.
③ 중재는 법원의 확정판결과 동일한 국내적 효력 외에 중재조약(뉴욕협약)에 의하여 국제적으로도 그 집행을 보장 받는다.
④ 중재는 엄격한 절차법에 따라 진행되고 엄격한 실체법이 적용되므로 당사자가 결과를 어느 정도 예측할 수 있다.

답 ④

중재는 형평과 선, 상관습, 조리에 의하여 그 판정이 이루어지므로, 명문화된 실체법을 따르는 것이 아니어서 당사자가 그 결과를 예측하기가 어렵다.

## 08 □□□

**우리나라 현행 중재법상으로 중재판정이 취소될 수 있는 사유에 해당되지 않는 것은?** 2007. 관세직 7급

① 중재합의의 당사자가 그 준거법에 의하여 중재합의 당시 무능력자이었던 사실
② 중재판정이 중재합의의 대상이 아닌 분쟁을 다룬 사실 또는 중재판정이 중재합의의 범위를 벗어난 사항을 다룬 사실
③ 중재판정 취소를 구하는 당사자가 중재인 자격상 결격사유가 없는 자를 중재인으로 합의에 의해 직접 선정한 사실
④ 중재합의가 당사자들이 지정한 법에 의하여 무효이거나 그러한 지정이 없는 경우에는 대한민국의 법에 의하여 무효인 사실

답 ③

중재법 제36조에 따라 중재판정의 취소를 구하는 당사자가 다음 중 어느 하나에 해당하는 사실을 증명하는 경우 법원은 중재판정을 취소할 수 있다.

- 중재합의의 당사자가 해당 준거법(準據法)에 따라 중재합의 당시 무능력자였던 사실 또는 중재합의가 당사자들이 지정한 법에 따라 무효이거나 그러한 지정이 없는 경우에는 대한민국의 법에 따라 무효인 사실
- 중재판정의 취소를 구하는 당사자가 중재인의 선정 또는 중재절차에 관하여 적절한 통지를 받지 못하였거나 그 밖의 사유로 본안에 관한 변론을 할 수 없었던 사실
- 중재판정이 중재합의의 대상이 아닌 분쟁을 다룬 사실 또는 중재판정이 중재합의의 범위를 벗어난 사항을 다룬 사실. 다만, 중재판정이 중재합의의 대상에 관한 부분과 대상이 아닌 부분으로 분리될 수 있는 경우에는 대상이 아닌 중재판정 부분만을 취소할 수 있다.
- 중재판정부의 구성 또는 중재절차가 이 법의 강행규정에 반하지 아니하는 당사자 간의 합의에 따르지 아니하였거나 그러한 합의가 없는 경우에는 이 법에 따르지 아니하였다는 사실

**09** □□□ **외국중재판정의 승인 및 집행에 관하여 규정한 협약은?** 2013. 관세직 7급

① New York Convention(1958)
② Vienna Convention(1980)
③ Hague Rules(1924)
④ York - Antwerp Rules(2004)

답 ①

무역거래의 분쟁은 대부분 서로 다른 국가에 소재하는 당사자 간의 분쟁이므로 외국에서 내려진 중재판정의 승인 및 집행이 국제조약에 의해 보장되어야 한다. 이에 따라 중재판정의 범위를 외국까지 확대시키고 중재판정의 승인 및 집행에 관한 요건을 간단하게 하기 위해서 '외국중재판정의 승인 및 집행에 관한 유엔협약'[The United Nations Convention on the Recognitions and Enforcement of Foreign Arbitral Awards: New York Convention(1958)]이 1958년 뉴욕에서 채택되었다.

**선지분석**

② Vienna Convention(1980)은 국제물품매매계약에 관한 유엔협약으로, 국제적인 물품 매매계약에서 매도인과 매수인이 어떤 권리와 의무를 갖고 있는지를 규정한 국제적인 통일규칙이다.
③ Hague Rules(1924)는 선하증권에 대한 규칙을 통일하기 위한 국제협약으로, 해상운송과 관련된 국제적인 통일규칙이다.
④ York - Antwerp Rules(2004)는 공동해손에 관한 국제적인 통일규칙이다.

CHAPTER 6

# 전자무역

## 1 | 전자무역 개요

**01** **전자신용장통일규칙(eUCP)의 특징에 대한 설명으로 옳지 않은 것은?** 2013. 관세직 7급

□□□

① eUCP는 UCP의 추록(supplement)으로서 UCP와 함께 사용된다.
② eUCP는 현행 UCP의 용어를 전자적 제시에 적용할 수 있도록 정의하고 있다.
③ eUCP는 특정기술이나 전자적 제시를 촉진시키기 위해 필요한 시스템을 정의하고 있다.
④ eUCP를 적용하는 경우 UCP 적용결과와 다른 결과가 나와도 eUCP 조항이 적용된다.

답 ③

UCP 600의 경우에는 종이 서류에 기반을 두고 있어서 전자신용장이나 선적서류의 전자제시에 적용하기에는 부족한 점이 있었다. ICC에서는 새로운 통일 규칙을 제정하는 대신 전자제시에 대한 UCP 600의 적용상의 법적 미비점을 보완할 목적으로 UCP 부칙으로 eUCP를 제정하였다. eUCP의 12개 조항에서는 eUCP의 적용 범위, UCP와의 관계, 정의, 형식, 제시, 심사, 거절통지, 원본 및 사본, 발행일, 운송, 전자기록의 변조, eUCP 제시에 관한 의무의 부가적 부인 등을 다루고 있다. 그러나 문제에서 제시된 시스템을 정의하는 내용은 없다.

**선지분석**

① eUCP는 기존의 UCP를 그대로 두고 "전자적 제시에 관한 UCP 추록"(UCP Supplement for Electronic Presentation)을 첨부한 형태로서, UCP와 함께 사용된다.
② eUCP는 기존의 종이문서와 이에 상응하는 전자문서 및 전자적 제시를 동시에 규정하였으며, 현행 UCP의 용어를 전자적 제시에 적용할 수 있도록 정의하였다. 기존 종이서류에는 UCP가 적용되며, 전자기록 단독 또는 종이 서류와의 혼합으로 제시된 경우 eUCP가 적용될 수 있다. 당사자가 eUCP를 적용하기로 합의하고, 그 준거문언을 신용장에 명시하면 된다.
④ eUCP가 적용될 경우, UCP를 적용할 때와 다른 결과가 나오는 경우, eUCP 조항이 우선 적용된다.

## 2 | EDI와 전자문서

**01** □□□ **통신회선을 직접 보유하거나 통신사업자의 회선을 임차하여 단순한 전송기능 이상의 정보축적이나 가공, 변환처리 등을 통해 부가가치가 부여된 정보를 제공해주는 각종 서비스의 집합은?**

2010. 관세직 7급

① VAN　　② Network
③ EDI　　④ Workstation

답 ①

- 전자무역(Electronic Trade)이란 가상공간인 인터넷을 통해 국제 간에 재화나 서비스를 사고파는 행위로서 컴퓨터 통신망이 구성하는 가상공간 자체가 시장이고, 인터넷 접속 이용자가 참여자가 된다. VAN은 Value Added Network의 준말로 부가가치통신망으로 해석하며 EDI의 구성요소 중 하나로서, 전자무역을 위한 무역자동화 수단에 해당한다.
- EDI(Electronic Data Interchange)는 전자문서교환 또는 전자자료교환 등으로 해석한다. 이는 서로 다른 기업 또는 조직 간에 상업송장, 수출입승인서 등과 같은 표준화된 상거래서식 또는 공공서식을 서로 합의한 표준화된 양식에 맞추어 통신망을 통해 정보를 교환하는 방식을 말한다. EDI는 일반적으로 EDI표준(standard), 사용자시스템(user system), 부가통신사업자(VAN), 거래약정(Interchange)으로 구성된다.
- 이 중 VAN 사업자(부가통신사업자)는 각 당사자들이 전자문서를 주고받는 통신방법, 통신시간, 통신속도 등이 상이하므로 이를 통합관리하여 중간에서 중계전송해주고 분쟁이 발생할 경우 이를 해결하는 역할을 한다. 즉, VAN 사업자는 EDI 서비스의 제공업자로서, 거래의 직접적인 당사자가 아닌 Third party의 역할을 하게 된다.

# PART 3

# 국제금융

CHAPTER 1 / 외환과 환율

CHAPTER 2 / 국제수지

CHAPTER 1

# 외환과 환율

## 1 | 외환

**01** □□□

**(가), (나)에 들어갈 외환거래의 형태에 대한 용어를 바르게 짝지은 것은?** 2022. 관세직 7급

> • [ (가) ] 거래에서는 계약일로부터 통상 2영업일 경과 후 특정일에 약정한 환율로 외환의 인수·인도 및 결제가 이루어진다.
> • [ (나) ] 거래에서는 동일한 거래 상대방 간에 현물환-선물환, 만기가 서로 다른 선물환-선물환 또는 현물환-현물환이 서로 반대 방향으로 동시에 매매가 이루어진다.

| | (가) | (나) |
|---|---|---|
| ① | Forward Exchange | Options |
| ② | Spot Exchange | Swap |
| ③ | Forward Exchange | Swap |
| ④ | Spot Exchange | Options |

답 ③

(가) Forward Exchange(선물환거래)는 현물환거래가 아닌 모든 외환거래가 이에 해당한다. 현물환거래(Spot Exchange)가 거래일부터 결제일이 2영업일 이내인 거래라면, 선물환거래는 계약일(거래일)부터 결제일이 2영업일을 초과하는, 즉 3영업일부터를 선물환거래라 한다.

(나) Swap Transaction(스왑거래)는 현물환거래 대 현물환거래, 현물환거래 대 선물환거래, 또는 선물환거래 대 선물환거래와 같이 결제일과 거래방향을 달리하는 두 개의 외환거래가 동시에 행해지는 거래를 말한다. 스왑은 매입과 동시에 매도하거나, 매도와 동시에 매입하므로 두 개의 결제일을 갖는데, 먼저 도래하는 결제일을 근일(near end), 나중에 도래하는 결제일을 원일(far end)이라고 한다.

**02** □□□ **외환시장에서 일정 기한 내에 미리 정해 놓은 특정 환율로써 외환을 매매할 권리를 가지는 거래는?**

2019. 관세직 7급

① Forward Exchange Transaction ② Currency Swap
③ Futures Contract ④ Currency Option

답 ④

통화옵션(currency options)이란 일정액의 이종통화에 대해 이미 정해진 가격(환율)으로 미래에 매입 또는 매도할 수 있는 권리가 부여된 계약을 말한다. 통화옵션은 불확실한 미래상황에 대한 헤징 목적 또는 상황이 유리한 방향으로 전개되는 경우 이익가능성을 확보하기 위한 목적으로 거래가 이루어진다.

**선지분석**

① 선물환 거래(Forward Exchange Transaction)란 현물환거래가 아닌 모든 외환거래를 말한다. 즉, 외환계약 체결 후 그 이행은 당사자간의 합의에 따라 일정시점이 지나 이루어지는데, 결제일이 계약일로부터 3영업일 후가 되면 선물환거래라 한다. 즉, 장래의 일정한 시기에 일정한 조건(환율, 인수도 장소, 통화종류, 금액, 인도기일 등)으로 외환의 매매를 실행하겠다는 약정으로서, 이 선물환거래의 계약을 체결하는 것을 선물예약(forward exchange contract), 약정된 외환을 선물환이라 한다.
② 통화스왑(currency swap)은 두 차입자가 상이한 통화로 차입한 자금의 원리금 상환을 상호 교환하여 이를 이행하기로 하는 거래이다. 이때 거래당사자가 서로 다른 통화로 표시된 명목원금에 기초하여 만기까지 상이한 통화로 표시된 이자를 지급하고, 만기일에는 거래일에 미리 약정한 환율에 의해 명목원금을 교환한다. 상호 교환하는 이자의 현금흐름은 둘 다 모두 고정금리, 모두 변동금리, 또는 고정금리와 변동금리의 교환 등 세 종류로 분류할 수 있다.
③ 선물 계약(Futures Contract)이란 미래의 일정한 시점에 미리 약정한 가격으로 매매하기로 맺은 계약을 말한다. 매매의 대상은 일반상품이 될 수도 있고, 통화·채권 등 금융상품도 될 수 있다. 매매대상이 통화인 경우 특히 통화선물(currency futures)이라고 한다. 선물환 거래와 기본적인 구조는 같으나, 거래가 조직화된 거래소에서 이루어진다는 점이 다르다.

**03** □□□ **리스크 관리를 위한 외부적 기법 중의 하나로 기초자산(underlying asset)을 장래의 특정 일자 또는 일정 기간 이내에 정해진 행사 가격(strike price)으로 매입 또는 매도할 수 있는 권리는?**

2012. 관세직 7급

① 옵션(Option) ② 통화선물(Currency Futures)
③ 통화스왑(Currency Swap) ④ 선물환거래(Forward Transaction)

답 ①

옵션(option)은 미리 정해진 조건에 따라 일정 기간 내에 상품이나 유가증권 등의 특정자산을 사거나 팔 수 있는 권리이다. 특정자산을 미리 정해진 조건에 따라 살 수 있는 권리를 콜옵션이라 하고, 팔 수 있는 권리를 풋옵션이라 한다. 옵션은 영어 단어 뜻 그대로 '선택권'이 있는 것이므로, 콜옵션이나 풋옵션을 행사할 수도 있고 행사하지 않을 수도 있다. 즉 옵션은 의무가 아니라 '권리'이다. 그러므로 미래 특정 시점에 특정 가격으로 매매를 할 의무가 주어지는 선물(forward)과는 다르다.

**04** □□□ **일반적으로 기업이 해외 프로젝트 입찰에 참여하는 경우 환위험에 노출되는데, 이를 해결하기 위한 가장 적절한 환위험 회피 전략은?** 2010. 관세직 7급

① 선물환거래 ② 통화선물거래
③ 통화옵션거래 ④ 통화스왑거래

답 ③

- 옵션이란 옵션 매도자(Option Writer)가 옵션 매입자(Option Holder)에게 일정량의 대상물을 두 거래 당사자가 미리 합의한 약정가격에 팔거나(풋옵션), 살 수 있는(콜옵션) 권리를 주는 것으로서, 그 권리의 대가로 옵션 매입자가 옵션 프리미엄(premium)을 옵션 매도자에게 지급하게 된다.
- 통화옵션(Currency Option)의 경우, 콜옵션(Call Option)은 옵션 매입자가 대상 통화를 약정 가격에 매입할 수 있는 권리를 말하며, 풋옵션(Put Option)은 옵션 매입자가 대상 통화를 약정 가격에 매도할 수 있는 권리를 말한다. 예를 들어 USD/KRW 옵션거래에서 미 달러화를 매입할 수 있는 옵션(달러콜옵션)이라면, 이는 곧 우리나라 원화를 매도할 수 있는 옵션(원화풋옵션)이 된다.
- 선물환거래나 통화선물 거래에서 거래의 양 당사자는 모두 결제일에 해당 외환계약을 반드시 이행하여야 하는 의무를 가진다. 그러나 옵션의 경우는 그렇지 않다. 옵션을 매입한 옵션 매입자는 자신이 유리할 때에만 옵션을 행사할 뿐, 자신이 불리한 경우라면 옵션을 행사하지 않아도 된다. 왜냐하면 옵션은 선택권, 즉 권리이지 의무가 아니기 때문이다.
- 해외 프로젝트 입찰에 참여하는 경우, 낙찰이 될 수도 있고 그렇지 않을 수도 있는 상황이므로 미래의 시점에서 거래 여부의 선택이 가능한 통화옵션거래가 적합하다. 선물환거래나 통화선물거래의 경우는 프로젝트 입찰이 성공할 것이라는 전제하에서는 적합한 거래이지만, 통화의 거래가 불분명한 상황에서는 통화옵션거래가 유리하다. 중요한 것은 '될 수도 있고, 안 될 수도 있는' 입찰에 참여한다는 점이다.
- 통화스왑거래는 두 차입자가 서로에게 필요한 통화로 차입한 다음, 자금의 원리금 상환을 상호 교환하여 이행하기로 약정하는 거래로, 이종통화를 사용하는 두 차입자가 통화를 맞바꾸어 각국 통화 간 환율 및 이자율 변동을 활용하여 차입비용을 절감하는 수단으로 많이 사용되므로 이 거래와는 거리가 멀다.

**05** □□□ **국내의 한 수입업체가 6개월 후 미화 1억 달러의 수입대금을 지급하여야 한다고 가정하자. 이 기업이 환위험을 커버할 수 있는 방법으로 적절한 것은?** 2010. 관세직 7급

① 현물환 시장에서 미화 1억 달러를 매입하여 6개월간 금융시장에서 운용한 후 결제한다.
② 미화 1억 달러에 대한 선물환 매도계약을 체결한다.
③ 6개월 후 결제시점에서 미화 1억 달러를 매입 후 결제한다.
④ 금융시장에서 할인(discounting) 기법을 이용하여 환위험을 회피한다.

답 ①

현물환 시장에서 미화 1억 달러를 매입할 경우 6개월 후에 지급해야 할 금액에 대한 환위험(환변동 위험)이 제거된다. 이 경우 이자 부담이 생길 수 있으나, 금융시장에서 이를 운용할 경우 이자수익을 챙길 수 있어 결국 선물환 매입거래를 하는 효과가 나타난다. 그러므로 이 방법이 수입업체에게는 가장 적합한 환헤지 방식이 된다.

**✓ 선지분석**

② 1억 달러에 대한 선물환 매도 계약을 체결한 것은 미래 일정 시점에서 달러 금액을 매도해야 하는 계약을 말하므로, 오히려 수출업체에게 적합한 계약이다.
③ 6개월 후 1억 달러를 매입하는 경우는 환변동에 따른 환위험에 완전히 노출하게 된다.
④ 할인(discounting)이란 수출업자가 수출환어음을 어음의 만기일 이전에 은행에 할인매각하여 수출대금을 조기에 회수할 수 있는 방법으로 수입업체에게는 적합하지 않다.

**06** □□□

**환거래에 대한 다음 설명 중 옳지 않은 것은?** 2007. 관세직 7급

① 수출업자의 경우 자국통화의 가치가 하락할 것으로 예상되면 수출상품의 결제일자를 늦춤으로써 환율변동에 따른 이익을 극대화할 수 있다.
② 외화자금의 유입과 유출을 만기별로 일치시킴으로써 환변동의 위험을 줄일 수 있다.
③ 통화선물거래는 환율변동에 대한 위험을 회피할 목적으로 이루어지므로 적극적인 투기목적으로는 활용되지 않는다.
④ 전통적 외환시장거래에서 스프레드(Spread)란 보통 매입률과 매도율의 차이를 말한다.

답 ③

통화선물(currency futures)은 장래에 인수·인도될 외환의 가격을 결정한다는 점에서 외환시장을 통한 선물환거래와 동일하다. 그러나 통화선물은 거래액과 결제일이 표준화되어 있고 조직화된 거래소에서 공개경쟁 입찰방식(open competition)으로 행해진다는 차이점이 있다. 또한 대부분의 경우 만기 이전에 반대거래로 상쇄되어 차액만 결제되고, 통화선물에 대한 청산소의 중개와 일정액의 증거금 요구로 개별 거래상대방의 신용위험을 염려할 필요가 없으며, 매일 형성되는 가격에 일정 수준의 상한과 하한을 정해 가격 변동폭을 제한하는 등의 특징을 가지고 있어 일반적인 선물환거래와는 다르다. 통화선물 시장에 참여하는 거래자는 환율변동에 의한 위험을 회피하기 위한 헤지 목적의 거래자도 있지만, 투기 목적의 거래자도 있다.

**07** □□□

**다음 설명에 해당하는 환리스크관리와 관련된 외부적 관리 기법은?** 2017. 관세직 7급 하반기

- 선물환거래와 같이 장래의 환율변동위험을 회피하기 위하여 특정 통화를 미래의 일정시점에 매입 또는 매도하기로 서로 합의하는 계약이다.
- 선물거래소를 통해 거래가 이루어지기 때문에 반드시 증거금이 필요하다.
- 선물환거래와는 달리 통화, 거래금액, 가격, 만기일 등이 정형화되어 있으며, 조직화된 거래소에서 수시로 거래가 이루어진다.

① Currency Swap
② Foreign Exchange Swap
③ Currency Futures
④ Currency Option

답 ③

통화선물(Currency Futures)은 장래의 환율변동위험을 회피하기 위하여 특정 통화를 미래의 일정시점에 매입 또는 매도하기로 서로 합의하는 계약이다. 통화선물은 거래액과 결제일이 표준화되어 있고 조직화된 거래소에서 공개경쟁 입찰방식(open competition)으로 행해진다.

**08** □□□ **환위험에 대한 노출 중에서 예상하지 못한 환율변동이 장래에 기대되는 현금흐름의 순현재가치(기업가치의 변동 가능성)에 미치는 효과를 의미하는 것은?** 2011. 관세직 7급

① 회계적 노출 ② 환산 노출
③ 경제적 노출 ④ 거래적 노출

답 ③

예상하지 못한 환율변동으로 인해 현금흐름의 가치가 변동하는 환노출을 경제적 노출이라 한다.

| | |
|---|---|
| 거래환노출<br>transaction exposure | 외화표시 상품거래 및 금융거래의 계약시점과 현금흐름 발생시점 간의 환율변동으로 인한 환노출 |
| 환산환노출<br>translation exposure | 해외법인의 외화표시 대차대조표 및 영업손익을 모회사의 통화표시로 환산하는 데 따른 연결재무제표상의 환노출 |
| 경제적 환노출<br>economic exposure | 기대하지 않은 환율변동에 따른 기대 현금흐름의 변화로 인한 환노출 |

**09** □□□ **예기치 않은 환율 변동으로, 기업 미래현금흐름의 순 현재가치(net present value)가 변화하는 환노출은?** 2018. 관세직 7급

① Translation Exposure ② Economic Exposure
③ Transaction Exposure ④ Accounting Exposure

답 ②

'예기치 않은 환율 변동으로, 기업 미래현금흐름의 순 현재가치(net present value)가 변화하는 환노출'을 경제적 환노출(Economic Exposure)이라 한다.

**10** □□□ **대내적 환위험관리기법으로 볼 수 없는 것은?** 2010. 관세직 7급

① Forward Exchange Market Hedging ② Matching
③ Leading & Lagging ④ Netting

답 ①

대내적(내부적) 환위험관리기법이란 특히 서로 다른 국가에 소재하는 다국적 기업의 본지사 간 또는 모기업/자기업 간의 외환 거래에 있어 환위험을 회피하는 방법을 말한다. 대내적 환위험관리기법에는 다음의 것들이 있다.

| | |
|---|---|
| 리딩&래깅<br>leading & lagging | 외화 자금의 결제 시기를 의도적으로 앞당기거나 또는 지연시키는 방법(이는 매매 쌍방의 이해가 상충되어 어느 한 쪽이 이익을 내면 상대방은 손해를 보게 된다) |
| 매칭<br>matching | 외화자금의 수취와 지급을 통화별·기간별로 정확히 일치시키는 기법으로 외화자금 흐름의 불일치에서 발생할 수 있는 환차손 위험을 원천적으로 제거하는 환리스크 기법 |
| 네팅<br>netting | 일정 기간 동안의 채권·채무를 그때마다 결제하지 않고 누적시켰다가, 일정 기간이 경과한 이후 서로 상계하고 그 차액만을 결제하는 방법 |
| 패러렐론<br>parallel loans | 두 국가에 소재한 서로 다른 모기업이 상대국에 설립·운영하고 있는 자회사에 대하여 각각 서로 교환하여 자국통화표시의 자금을 동일 만기조건으로 융자해 주는 환관리방법 |
| ALM<br>asset liability management | 환율전망에 따라 기업이 보유하고 있는 자산과 부채의 포지션을 조정함으로써 환위험을 관리하는 방법(스퀘어 포지션을 유지함으로써 순노출액을 0으로 만드는 대차대조표 헤징 전략) |

**11** □□□ **다음 중 (가), (나)에 들어갈 용어를 순서대로 바르게 나열한 것은?** 2021. 관세직 7급

- ___(가)___ 은 국제거래를 행하는 기업이 환율변동에 대비하여 외화자금 흐름의 결제시기를 의도적으로 조정함으로써 환위험을 감소시키는 관리기법을 말한다.
- ___(나)___ 은 다국적기업이 해외 자회사에서 자금을 조달할 때 발생하는 거래적 환위험을 커버하기 위하여 행하는 금융거래를 말하는 것이다. 두 글로벌 기업이 각기 상대회사의 자회사에게 자국통화로 동시에 대출을 행하고 일정기간이 지난 다음에 차입된 통화로 상환하는 계약이 대표적인 예이다.

| | (가) | (나) |
|---|---|---|
| ① | 리딩과 래깅(leading and lagging) | 패러렐 론(parallel loan) |
| ② | 맷칭과 네팅(matching and netting) | 패러렐 론(parallel loan) |
| ③ | 리딩과 래깅(leading and lagging) | 디스카운팅(discounting) |
| ④ | 맷칭과 네팅(matching and netting) | 디스카운팅(discounting) |

답 ①

(가) 국제거래를 행하는 기업이 환율변동에 대비하여 외화자금 흐름의 결제시기를 의도적으로 조정함으로써 환위험을 감소시키는 관리기법은 리딩과 래깅(leading and lagging)이다.
(나) 두 글로벌 기업이 각기 상대회사의 자회사에게 자국통화로 동시에 대출을 행하고 일정기간이 지난 다음에 차입된 통화로 상환하는 계약을 패러럴 론(parallel loan)이라 한다.

**12** □□□ **외국에 자회사를 두고 있는 한국 수출기업이 본사와 자회사 상호간에 동종 또는 이종 통화표시 채권·채무를 차감한 후 차감 잔액만큼을 정기적으로 결제하는 환위험 관리전략은?**

2017. 관세직 7급

① 가격정책(pricing policy)
② 선불과 지연(leading and lagging)
③ 스왑거래(swap transaction)
④ 네팅(netting)

답 ④

네팅(netting)은 일정기간 동안의 채권·채무를 그때마다 결제하지 않고 누적시켰다가, 일정기간이 경과한 이후 서로 상계하고 그 차액만을 결제하는 방법으로, 내부적(대내적) 환리스크 관리기법 중의 하나이다.

**13** □□□ **동일그룹 기업 간 뿐만 아니라 제3의 기업과의 거래까지 포함하여 통화별로 자금 유출입의 금액 및 시기를 일치시켜 환위험을 제거하는 내부적 관리 방법은?**

2015. 관세직 7급

① 매칭(Matching)
② 네팅(Netting)
③ 래깅(Lagging)
④ 리딩(Leading)

답 ①

매칭(matching)은 외화자금의 수취와 지급을 통화별·기간별로 정확히 일치시켜 외화자금 흐름의 불일치에서 발생할 수 있는 환차손 위험을 원천적으로 제거하는 환리스크 기법이다. 이 기법은 동일 그룹 기업 간 뿐만이 아니라, 제3의 기업과의 거래에도 적용할 수 있다.

**선지분석**

② 네팅(netting)은 일정 기간 동안의 채권·채무를 그때마다 결제하지 않고 누적시켰다가, 일정 기간이 경과한 이후 서로 상계하고 그 차액만을 결제하는 방법이다.
③, ④ 리딩(leading)과 래깅(lagging)은 외화 자금의 결제 시기를 의도적으로 앞당기거나(리딩) 또는 지연시키는(래깅) 방법이다.

**14** □□□ **글로벌 경영을 하는 기업의 본사와 지사 간에 발생하는 채권 및 채무관계를 개별적으로 결제하지 않고 일정 기간이 경과한 후에 이들 채권, 채무의 차액만을 정기적으로 결제하는 환리스크 관리 기법은?**

2011. 관세직 7급

① 매칭(matching) ② 네팅(netting)
③ 리딩 & 래깅(leading & lagging) ④ 자산부채관리(ALM)

답 ②

네팅(netting)은 일정 기간 동안의 채권·채무를 그때마다 결제하지 않고 누적시켰다가, 일정 기간이 경과한 이후 서로 상계하고 그 차액만을 결제하는 방법이다.

| | |
|---|---|
| 매칭<br>matching | 외화자금의 수취와 지급을 통화별·기간별로 정확히 일치시키는 기법으로 외화자금 흐름의 불일치에서 발생할 수 있는 환차손 위험을 원천적으로 제거하는 환리스크 기법 |
| 리딩 & 래깅<br>leading & lagging | 외화 자금의 결제 시기를 의도적으로 앞당기거나 또는 지연시키는 방법(이는 매매 쌍방의 이해가 상충되어 어느 한 쪽이 이익을 내면 상대방은 손해를 보게 된다) |
| ALM<br>asset liability management | 환율전망에 따라 기업이 보유하고 있는 자산과 부채의 포지션을 조정함으로써 환위험을 관리하는 방법(스퀘어 포지션을 유지함으로써 순노출액을 0으로 만드는 대차대조표 헤징 전략) |

**15** □□□ **두 국가에 소재한 서로 다른 모기업이 상대국에 설립·운영하고 있는 자회사에 대하여 각각 서로 교환하여 자국통화표시의 자금을 동일 만기조건으로 융자해 주는 환관리방법은?**

2009. 국제통상직 7급

① 매칭(matching) ② 리딩(leading)
③ 네팅(netting) ④ 패러렐론(parallel loans)

답 ④

두 국가에 소재한 서로 다른 모기업이 상대국에 설립·운영하고 있는 자회사에 대하여 각각 서로 교환하여 자국통화표시의 자금을 동일 만기조건으로 융자해 주는 환관리방법을 패러렐론(parallel loans)이라 한다.

## 2 | 환율

**01** □□□

**환율(exchange rate)의 종류에 대한 설명으로 옳지 않은 것은?** 2020. 관세직 7급

① 기준환율(basic rate)은 국제결제에서 널리 사용되는 통화와 자국통화 간의 환율로서 외환시세의 기준이 되는 환율이다.

② 매도환율(offered rate)은 외국환은행이 외환을 필요로 하는 고객들에게 판매할 때 적용되는 환율이다.

③ 재정환율(arbitrated rate)은 기준환율을 제외하고 교차환율로부터 직접적으로 산출되는 환율이다.

④ 실질환율(real exchange rate)은 양국 통화 간의 명목환율을 양국의 물가변동으로 조정한 환율이다.

답 ③

재정환율(arbitrated rate)이란 미국의 달러화 환율을 기초로 자동 결정되는 달러화 이외의 기타 통화 환율이다. 우리나라에서 외국환이 거래되는 시장으로 활성화되어 있는 시장은 원-달러 시장이다. 시장이 개설되지 않았거나 활성화되어 있지 않은 기타 통화와의 환율은 원-달러 환율과, 국제금융시장에서 형성된 달러-엔, 달러-유로, 달러-파운드 등의 환율을 상대비교 또는 교차비교하여 결정하는데 이를 재정환율이라 한다. 재정환율은 교차환율(크로스환율)을 기준환율로 재정하여 산출한다. 즉 '기준환율을 제외'하고 계산하는 것이 아니다.

**02** □□□

**고객의 해상운임이나 보험료 또는 대리점수수료를 해외로 송금하고자 할 경우 외국환은행에서 적용하는 환율은?** 2007. 관세직 7급

① 전신환매입률
② 전신환매도율
③ 수입어음결제율
④ 현찰매도율

답 ②

고객환율이란 외국환은행에서 고객에게 외국통화를 교환해 줄 때 적용하는 환율이다. 매입 또는 매도시 적용하는 환율은 매매기준율을 중심으로 소폭 올리거나 낮추어 정한다. 대고객환율에서 고객이 외화를 살 때의 환율을 매도율이라 하고, 팔 때의 환율을 매입률이라 하는데, 이처럼 매도, 매입이라는 표현은 은행을 기준으로 한 것이다. 또한 현금, 전신환, 여행자수표, 외화수표에 따라 적용하는 환율이 다르다.

**03** □□□ **우리나라 원/달러 환율을 하락시키는 요인으로 볼 수 없는 것은?** 2009. 국제통상직 7급

① 재미 교포의 국내로의 민간송금 증대
② 미국 은행의 국내 기업에 대한 투자 증대
③ 환율 하락을 예상한 국내 가계의 달러 매입 증대
④ 국내에서 생산된 제품에 대한 미국 내 수입 수요 증대

답 ③

외환(달러)의 공급이 증가하면 원/달러 환율을 하락시키는 요인이 된다. 재미교포가 국내로 민간송금을 늘리거나, 미국 은행이 국내기업에 대한 투자를 늘리는 경우 외환의 공급이 증가한다. 또한 국내생산 제품이 미국 내 수요 증가로 판매가 늘어나고 그 대가가 국내로 영수되는 경우에도 역시 외환의 공급이 증가한다.

**04** □□□ **한국에서의 기준환율이 ₩/$ = 1,300이고 국제외환시장에서의 교차 환율(cross rate)이 ¥/$ = 130일 때, 재정환율(arbitrage rate)을 통해 구해지는 ¥100에 대한 원화의 교환가치는 얼마인가?** 2011. 관세직 7급

① ₩ 900
② ₩ 1,000
③ ₩ 1,200
④ ₩ 1,300

답 ②

재정환율(arbitrated rate of exchange)이란 미국의 달러화 환율을 기초로 자동 결정되는 달러화 이외의 기타 통화 환율이다. 우리나라에서 외국환이 거래되는 시장으로 활성화되어 있는 시장은 원-달러 시장이다. 시장이 개설되지 않거나 활성화되어 있지 않은 기타 통화와의 환율의 결정은 원-달러 환율과, 국제금융시장에서 형성된 달러-엔, 달러-유로, 달러-파운드 등의 환율을 참조(상대비교 또는 교차비교)하여 결정하는데 이를 재정환율이라 한다. 문제에서 1$ = ₩1,300이고, 1$ = ¥130이므로, ₩1,300 = ¥130이 된다. ¥100 = ₩? 인가를 구하는 문제이므로, 양변을 1.3으로 나누면 ¥100 = ₩1,000이 된다.

**05** □□□ **우리나라 환율(₩/$)과 국내경제 관계에 대한 설명으로 옳지 않은 것은?** 2013. 관세직 7급

① 환율이 하락하면 수입상품의 제조원가를 하락시켜 결과적으로 국내물가가 내려가는 긍정적인 효과도 있다.
② 환율이 상승하면 달러화로 표시한 수출상품의 가격이 인상되므로 수출이 감소한다.
③ 해외 이자율의 상승은 원-달러 환율의 상승을 가져올 것이다.
④ 최근 엔화가치 하락은 원-달러 환율의 상승을 가져올 것이다.

답 ②

환율이 올라가면 달러로 표시된 상품과 서비스의 가격은 내려가고 원화표시 가격은 올라가 수출이 늘어난다.

**06** □□□ **한국의 원화가 일본 엔화에 대해서는 가치가 하락한 반면 미국 달러화에 대해서는 가치가 상승하였다면, 이때 가장 유리한 기업은?** 2010. 국제통상직 7급

① 원자재를 미국에서 수입하여 일본에 파는 기업
② 원자재를 일본에서 수입하여 한국에 파는 기업
③ 원자재를 일본에서 수입하여 미국에 파는 기업
④ 원자재를 미국에서 수입하여 한국에 파는 기업

답 ①

한국의 원화가 일본 엔화에 대해서 가치가 하락하였다면, 한국에서 일본으로 수출하는 것이 유리하다. 한국의 원화가 미국 달러화에 대해서 가치가 상승하였다면, 미국에서 한국으로 수입하는 것이 유리하다. 그러므로 원자재를 미국에서 수입하여 일본에 파는 기업은 환율 적용면에서 유리한 거래를 하게 된다.

**07** □□□ **국제평가이론에 있어서 양국 간 예상 물가상승률의 차이만큼 미래의 기대현물환율이 변화된다는 이론은?** 2007. 관세직 7급

① 구매력평가설 ② 피셔효과
③ 국제피셔효과 ④ 금리평가설

답 ①

구매력평가설이란 균형환율의 결정과 환율의 변화를 양국 간 화폐의 구매력 차이로 설명하려는 이론이다. 결국 구매력 평가설에 의한 환율이란 두 국가의 화폐가 지닌 구매력의 비율을 뜻한다. 구매력평가설에 의하면, 균형환율 수준 혹은 변화율은 각국의 물가수준 혹은 물가 변화율을 반영하여야 한다.

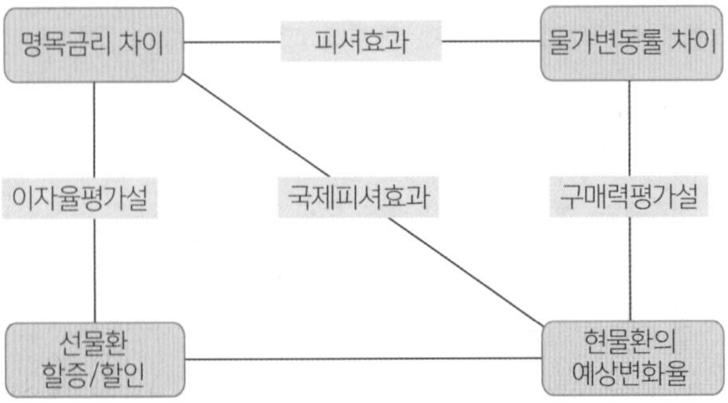

**08** □□□ **구매력평가설(Purchasing Power Parity)에 대한 설명으로 옳지 않은 것은?** 2010. 국제통상직 7급

① 어떤 상품의 가격이 어디에서든지 같아야 한다는 일물일가의 법칙에 입각한 것이다.
② 동일한 화폐로 표시한 양국의 구매력은 서로 같다고 본다.
③ 국내물가상승률이 10%, 외국의 물가상승률이 6%라면 환율은 4% 올라간다.
④ 장기적 환율변동보다는 단기적 환율변동을 설명하는 데 유용하다.

답 ④

구매력평가설은 특정 시점의 물가수준과 미래 시점의 물가수준을 비교하여 현물환율의 변화율을 예상하는 이론이다. 물가의 변동이 명확하게 드러나기 위해서는 일정 기간의 경과를 요한다. 즉, 구매력평가설은 장기적 환율변동을 설명하는 데 유용한 이론이다.



**09** □□□ **환율의 구매력 평가설(Purchasing Power Parity: PPP)에 대한 설명으로 옳지 않은 것은?** 2018. 관세직 7급

① 환율의 단기적 변동과 결정에 관한 이론이다.
② 절대적 PPP는 국가 간 일물일가의 법칙을 전제로 한다.
③ 상대적 PPP에서 환율변동률은 양국의 물가변동률 차이와 같다.
④ 무역장벽이 존재하고 수송비의 차이가 있는 경우, 절대적 PPP는 성립하지 않을 수 있다.

답 ①

구매력평가설은 특정 시점의 물가수준과 미래 시점의 물가수준을 비교하여 현물환율의 변화율을 예상하는 이론이다. 물가의 변동이 명확하게 드러나기 위해서는 일정 기간의 경과를 요한다. 즉, 구매력평가설은 장기적 환율변동을 설명하는데 유용한 이론이다.

## 10 □□□

**다음 설명에 해당하는 환율결정이론은?** 2016. 관세직 7급

> • 일물일가의 법칙(law of one price)이 적용된다.
> • 카셀(G. Cassel)에 의해 주장되었으며, 장기적 관점에서 환율과 인플레이션의 관계를 설명한다.
> • 물가를 측정하는 대상 재화에서 비교역재가 차지하는 비중이 높을 경우 이론의 현실 설명력이 떨어진다.

① 환심리설
② 구매력평가설
③ 대표수요이론
④ 국제대차설

답 ②

- 구매력 평가설(PPP 이론)에는 일물일가의 법칙(law of one price)이 적용된다. 동일한 시점에서 자산 또는 상품의 시장 가격은 전세계적으로 하나만 존재한다는 것으로, 다른 통화로 표시되었을 뿐 국가에 관계없이 동일 재화의 가격은 동일하다는 의미이다.
- 구매력 평가설은 카셀(G. Cassel)에 의해 주장되었으며, 장기적 관점에서 환율과 인플레이션의 관계를 설명한다. 환율이란 두 국가의 화폐가 지닌 구매력의 비율이라는 설명이다.
- 물가를 측정하는 대상 재화에서 비(非) 교역재가 차지하는 비중이 높을 경우 구매력 평가설은 현실 설명력이 떨어진다. 구매력 평가설은 국제거래에 아무런 제약이 없는 경우를 전제하고 있기 때문이다.

## 11 □□□

**시장의 균형을 설명하기 위한 여러 가지 환율평가이론 중에서 미래환율의 예상변화율은 국내외의 명목이자율의 차이와 같다고 주장하는 이론은?** 2012. 관세직 7급

① 구매력평가설(Purchasing Power Parity Theory)
② 국제이자율평가설(International Interest Rate Parity Theory)
③ 국제피셔효과(International Fisher Effect)
④ 선물환평가이론(Forward Exchange Rate as an Unbiased Predictor)

답 ③

국제피셔효과란 미래환율에 대한 예상변화율은 국내외의 명목이자율 차이와 같아져야 한다는 이론이다. 즉, 상대적으로 이자율이 낮은 국가의 통화는 이 낮은 이자율을 충분히 보상할 수 있는 정도로 통화의 평가절상이 이루어져야 시장의 균형이 유지된다는 것이다.

**12** □□□ **다음은 경제의 대내균형과 대외균형을 나타내는 그림이다. 어떤 국가의 경제가 점 A에 있을 때 이 국가가 직면하고 있는 경제상황은? (단, IB곡선은 대내균형을 유지시켜 주는 환율과 국내실질 지출의 조합을 나타내고, EB곡선은 대외균형을 유지시켜 주는 환율과 국내실질지출의 조합이다)**

2008. 관세직 7급

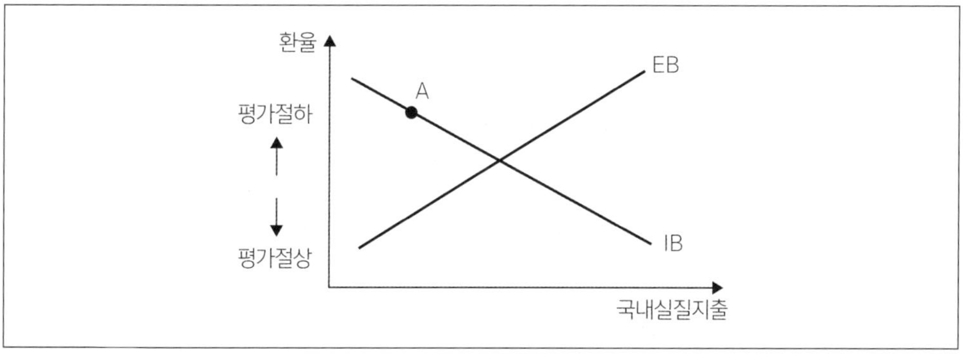


① 물가안정과 경상수지 적자
② 인플레이션과 경상수지 흑자
③ 물가안정과 경상수지 흑자
④ 실업과 경상수지 적자

답 ③

- 물가와 고용의 수준을 판단할 수 있는 대내균형과, 무역과 국제수지의 수준을 판단할 수 있는 대외균형이 복합되어 있는 위 그림에서, IB와 EB의 균형점을 상회하는 환율로 인하여 수출(상품 및 서비스 포함)이 증가하고 이로 인해 경상수지가 흑자를 나타내게 된다. 그러나 국내실질지출이 균형점을 하회하므로 물가는 안정된 수준을 유지하게 된다.
- 대외균형(external equilibrium)이란 일국의 대외경제거래가 균형을 달성하고 있는 상태를 말한다. 즉, 화폐적 집계로 보았을 때 국제수지의 균형이 이루어져 있는 것을 말하는 것으로 대외균형이 이루어지지 않을 때에는 국제수지가 적자 또는 흑자를 기록하게 된다. 이에 반해 안정적 물가기반 위에 완전고용이 이루어져 있는 것을 대내균형이라고 한다. 경제정책의 근본적인 목표는 이러한 대외균형과 대내균형을 동시에 달성하는 것이라 할 수 있다.

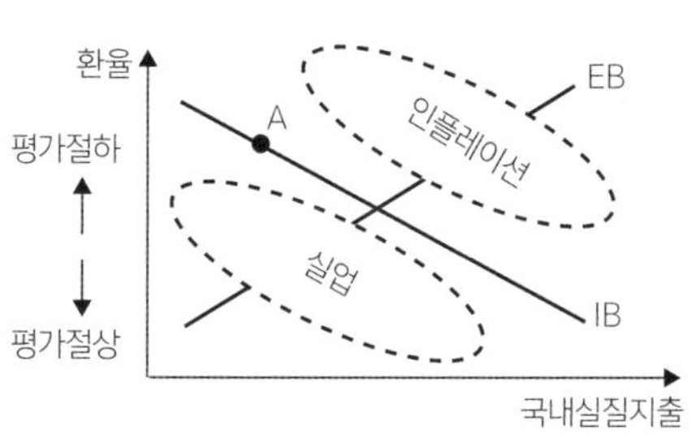


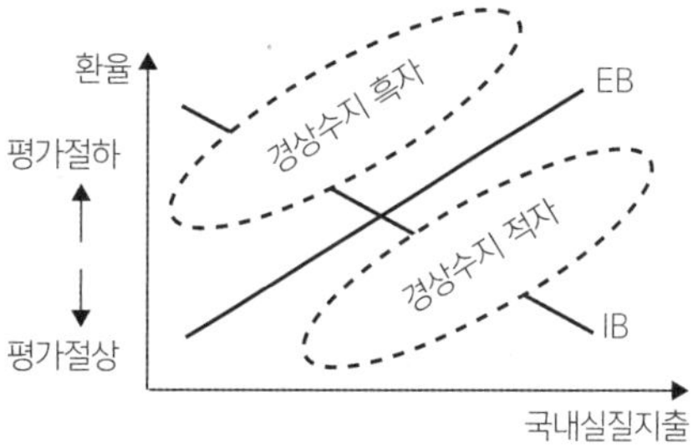

**13** □□□

**환율상승이 국민경제에 미치는 영향으로 옳지 않은 것은?** 2017. 관세직 7급 하반기

① 국제수지의 개선 ② 고용감소
③ 물가상승 ④ 외채상환 부담의 증가

답 ②

환율이 상승한다는 것은 쉽게 말해 '1$ = 1,000원'이던 환율이 '1$ = 1,200원'으로 오르는 것을 말한다. 이럴 때 수출물품을 해외시장에 판매할 때, $로 표시된 수출금액이 실질적으로 상승하는 효과가 있으므로, 국제수지가 개선된다. 수출이 활발해지므로, 해당 물품을 생산하는 국내 제조업체의 고용은 증가하게 된다. 환율이 상승하게 되면, 인플레이션(물가 상승)과 실업의 감소(고용의 증가)가 함께 나타나게 된다(IB 선의 위쪽). 반면에 $로 표시된 외채상환의 부담은 실질적으로 증가하게 된다.

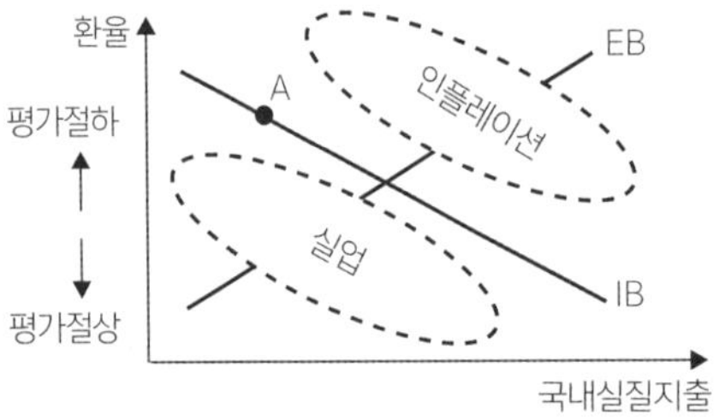


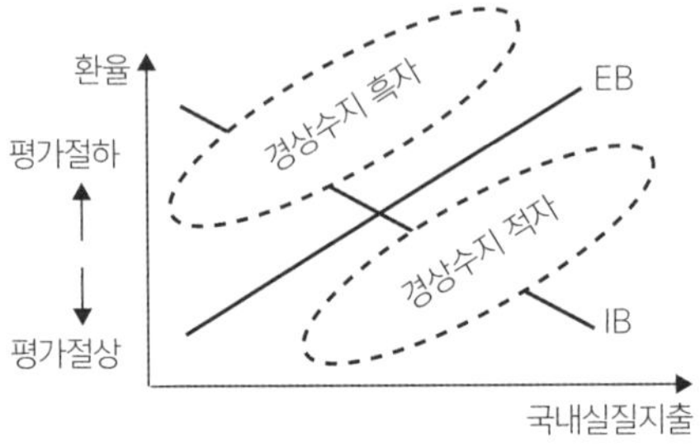


**14** □□□

**환율이 상승할 때 경상수지가 개선되는 경우는?** 2008. 관세직 7급

① 수출과 수입의 소득탄력성 합이 1보다 큰 경우
② 수출과 수입의 가격탄력성 합이 1보다 큰 경우
③ 수출과 수입의 가격탄력성 합이 1보다 작은 경우
④ 수출과 수입의 소득탄력성 합이 1보다 작은 경우

답 ②

- 환덤핑(exchange dumping)이란 정상적인 가격으로 수출은 이루어지지만, 평가절하 또는 외국환시세의 변동에 의하여 해외시장에서 마치 덤핑과 똑같은 효과를 나타내는 유사 덤핑을 말한다. 환덤핑이 국내산업에 미치는 영향에 대해서는 각 산업의 수입원료 및 수출 의존도에 따라 다르다. 또 환덤핑에 의하여 수출액이 증대하고 수지의 불균형을 개선하기 위해서는 수출입의 탄력성 문제가 해결되어야 한다. 즉, 무역수지를 개선하기 위해서는 양국의 수입수요의 탄력성의 합이 1보다 커야 한다는 조건(마셜 - 러너조건)과, 이 합이 1보다 작을 경우에는 수출공급의 탄력성이 매우 작아야 된다는 조건(로빈슨 - 메츨러의 안정조건)이 필요하다.
- 마셜 · 러너조건(Marshall - Lerner condition)이란 환율절하가 무역수지를 개선하도록 하기 위해서는 외국과 환율절하국의 수입수요의 탄력성의 합이 1보다 커야 된다는 조건이다. 환율절하국의 수출품에 대한 외국의 수입수요의 탄력성이 클수록 유리하며, 외국의 수출품에 대한 환율절하국의 수입수요의 탄력성이 클수록 유리하다. 환율절하의 경우, 무역수지의 개선 여부를 판정하는 기준이 되며, 이 조건은 양국의 수출공급의 탄력성이 무한하다는 가정에 입각하며, 국제수지가 처음에는 균형되어 있었다는 특별한 가정이 전제되어 있다.

**15** □□□ **환율이 상승하여도 초기에는 오히려 무역수지가 일시적으로 악화되다가 시간이 흐름에 따라 무역수지가 점차 개선되는 효과를 무엇이라고 하는가?** 2010. 국제통상직 7급

① 교역조건의 효과 ② J곡선 효과
③ 교두보 효과 ④ 과잉적응 효과

답 ②

J곡선 효과(제이커브 효과)는 환율의 변동, 특히 평가절하 이후 무역수지가 당초 예상과는 반대방향으로 움직이다가 시간이 경과함에 따라 점차 기대했던 방향으로 변동하는 현상을 말한다. 일국 통화의 평가절하가 통화당사국의 무역수지에 미치는 영향은 일정시차를 두고 나타나는데, 동 영향에 따른 무역수지의 변화가 J-커브와 유사하여 붙은 명칭이다. 즉, 평가절하의 초기에는 수출입물량은 큰 변동이 없는 반면 수입상품의 가격은 상승하고 수출상품의 가격은 하락함으로써 무역수지가 악화되나 일정 시간이 경과하면 수입물량은 증가함으로써 무역수지가 점차 개선되는 양상을 가리킨다.

## 3 | 환율제도

**01** □□□

**국제통화제도의 변천 과정을 순서대로 바르게 나열한 것은?** 2022. 관세직 7급

① 금본위제도 → 킹스턴 체제 → 스미소니언 체제 → 브레튼우즈 체제
② 금본위제도 → 스미소니언 체제 → 브레튼우즈 체제 → 킹스턴 체제
③ 금본위제도 → 브레튼우즈 체제 → 스미소니언 체제 → 킹스턴 체제
④ 금본위제도 → 스미소니언 체제 → 킹스턴 체제 → 브레튼우즈 체제

답 ③

| 통화제도 | 시기 | 내용 |
|---|---|---|
| 금본위 제도 | 19 ~ 20세기 | 통화의 표준단위가 일정한 무게의 금으로 정해져 있거나 일정량의 금의 가치에 연계되는 화폐제도 |
| 브레튼우즈 체제 | 2차대전 ~ 1970년대 | 금 1온스를 35달러로 고정하는 금본위제 채택(나머지 통화는 달러에 고정) |
| 스미소니언 체제 | 1970년대 | 환율의 변동폭 확대(1%→2.25%) |
| 킹스턴 체제 | 1970년대 후반 | IMF 가맹국들이 스스로 자국의 경제적인 여건에 맞는 환율제도 선택 |

**02** □□□

**우리나라의 환율제도 변천과정을 바르게 나열한 것은?** 2015. 관세직 7급

① 고정환율제도 - 단일변동환율제도 - 복수통화바스켓제도 - 시장평균환율제도 - 자유변동환율제도
② 고정환율제도 - 복수통화바스켓제도 - 시장평균환율제도 - 단일변동환율제도 - 자유변동환율제도
③ 고정환율제도 - 복수통화바스켓제도 - 단일변동환율제도 - 시장평균환율제도 - 자유변동환율제도
④ 고정환율제도 - 단일변동환율제도 - 시장평균환율제도 - 복수통화바스켓제도 - 자유변동환율제도

답 ①

우리나라는 1997년 12월 IMF의 권고를 받아들여 시장평균환율 제도에서 자유변동환율제도로 전환하였다. 즉, 일일 환율변동의 제한폭을 폐지한 것이다. 1945년 이후 우리나라의 환율제도의 변천 내용은 다음과 같다.

| | |
|---|---|
| 고정환율제도 | 1945. 10 ~ 1964. 5 |
| 단일변동환율제도 | 1964. 5 ~ 1980. 2 |
| 복수통화바스켓제도 | 1980. 2 ~ 1990. 3 |
| 시장평균환율제도 | 1990. 3 ~ 1997. 12 |
| 자유변동환율제도 | 1997. 12 ~ 현재 |

CHAPTER 2

# 국제수지

## 1 | 국제수지의 의의

**01** □□□

**국제수지란 일정 기간 동안 한 나라의 국민경제와 기타 경제권 사이에서 이루어진 모든 경제적 거래를 체계적으로 분류·정리하여 기록한 경제통계를 말한다. 이에 대한 설명으로 옳지 않은 것은?**

2009. 국제통상직 7급

① 일정 기간이라 함은 국제수지가 플로우(flow) 개념임을 나타내며, 보통 1년을 말한다.

② 한 나라의 국민경제와 기타 경제권 사이의 거래란 거주자와 비거주자 사이의 거래를 말한다.

③ 경제적 거래는 한 나라의 국민경제와 기타 경제권 사이에서 발생한 모든 거래를 말하며, 외국에 대한 원조와 같이 반대급부 없이 발생한 거래는 제외된다.

④ 체계적으로 분류·정리하여 기록한 경제통계란 복식부기의 원리에 의해 산출된 것을 말한다.

답 ③

국제수지란 일정한 기간(보통 1년) 동안 한 국가의 거주자와 비거주자 사이에 행하여진 모든 경제적 거래를 체계적으로 분류하여 집계한 것을 말한다. 여기에서 대외지급수단의 지급을 반대급부로 하는 상품·서비스·자본거래, 물물교환, 증여·원조 등의 이전거래를 의미한다. 즉, 외국에 대한 원조와 같이 반대급부 없이 발생한 거래도 경제적 거래에 포함된다.

**02** □□□

**국제통화기금(IMF)의 국제수지(balance of payments)에 대한 설명으로 옳은 것은?**

2012. 관세직 7급

① 국제수지란 스톡(stock) 개념으로 한 나라의 거주자와 비거주자 사이에 이루어진 모든 경제적 거래를 종합한 것이다.

② 국제수지표란 국제수지를 단식부기원리에 따라 작성한 통계표로서 대외거래 결과로 발생하는 흑자와 적자를 측정하는 표준화된 지표이다.

③ 국제수지표에서 대변(credit)에는 자산의 증가, 부채의 감소를 초래하는 거래를 계상하고, 차변(debit)에는 자산의 감소, 부채의 증가를 초래하는 거래를 계상한다.

④ 재화 및 용역의 수출입, 장·단기 자본거래는 물론 증여나 원조 등의 무상거래 또는 이전거래까지도 포함된다.

답 ④

국제수지표는 거주자와 비거주자 간의 거래를 그 유형에 따라 경상수지와 자본수지 및 금융계정으로 나누어 기록한다. 재화 및 용역의 수출입은 '경상수지'에, 자본거래는 '자본수지'에 무상거래와 이전거래는 '경상수지'에 포함된다.

**선지분석**

① 국제수지(balance of payments)란 일정한 기간(보통 1년) 동안 한 국가의 거주자와 비거주자 사이에 행하여진 모든 경제적 거래를 체계적으로 분류하여 집계한 것을 말한다. 그러므로 어떤 특정시점의 현재 잔고를 대조시키는 스톡(stock) 개념이 아니라 국제수지는 플로우(flow) 개념이다.

② 국제수지표는 '복식부기의 원리'에 따라 하나의 대외거래가 발생하면 대변과 차변에 각각 동일한 금액을 계상한다.

③ 국제수지표에서 '차변(debit)'에는 자산의 증가, 부채의 감소를 초래하는 거래를 계상하고, '대변(credit)'에는 자산의 감소, 부채의 증가를 초래하는 거래를 계상한다.

| 구분 | 차변(-) | 대변(+) |
|---|---|---|
| 경상수지 | 상품 수입(실물자산 증가)<br>서비스 지급(제공 받음)<br>본원소득 지급<br>이전소득 지급 | 상품 수출(실물자산 감소)<br>서비스 수입(제공)<br>본원소득 수입<br>이전소득 수입 |
| 자본수지 | 자본이전 지급<br>비생산·비금융자산 취득 | 자본이전 수입<br>비생산·비금융자산 처분 |
| 금융계정 | 금융자산 증가<br>금융부채 감소 | 금융자산 감소<br>금융부채 증가 |

**03** □□□

**국제통화기금(IMF)의 국제수지표(BOP)에 대한 설명으로 옳지 않은 것은?** 2013. 관세직 7급

① 거주자와 비거주자의 판단기준은 국적이 아니라 경제주체의 경제활동이나 이익의 중심이 어디에 있는지에 따라 구분한다.

② 모든 경제적 거래는 재화 및 용역의 수출입, 장·단기 자본거래, 증여나 원조 등의 무상거래, 이전거래까지도 포함한다.

③ 비거주자에게 제공되거나 비거주자로부터 제공받은 선박·항공기의 수리활동에 대한 수리비용은 경상수지의 상품수지 항목으로 계상한다.

④ 상표권, 저작권, 특허권, 독점판매권 등 무형자산의 사용료는 경상수지의 서비스 수지 항목으로 계상한다.

답 ③

선박 등의 수리 비용은 경상수지의 '서비스 수지' 항목으로 계상한다.

| | | |
|---|---|---|
| 경상수지 | 상품수지 | 수출 |
| | | 수입 |
| | 서비스수지 | 가공서비스 |
| | | 운송 |
| | | 여행 |
| | | 건설 |
| | | 보험서비스 |
| | | 금융서비스 |
| | | 통신, 컴퓨터, 정보서비스 |
| | | 지식재산권 사용료 |
| | | 유지보수 서비스 |
| | | 기타 사업 서비스 |
| | | 개인·문화·여가 서비스 |
| | | 정부 서비스 |
| | 본원소득수지 | 급료 및 임금 |
| | | 투자소득 |
| | 이전소득수지 | 일반 정부 |
| | | 기타 부문 |
| 자본수지 | 자본 이전 | |
| | 비생산·비금융 자산 | |
| 금융계정 | 직접투자 | |
| | 증권투자 | |
| | 파생금융상품 | |
| | 기타 투자 | |
| | 준비자산 | |
| 오차 및 누락 | | |



**04** □□□

**국제수지(표)에 대한 설명으로 옳지 않은 것은?** 2022. 관세직 7급

① 국제수지표는 일정기간 동안 한 국가의 거주자와 비거주자 사이에 발생한 모든 경제적 거래를 기록한 것으로, 복식부기 원리에 따라 작성된다.

② 국제수지표의 경상수지는 상품수지, 서비스수지, 본원소득수지, 이전소득수지로 구성되며, 이전소득수지에는 정부 간에 이루어지는 무상원조 등이 포함된다.

③ 국제수지가 흑자인 경우 외채의 감소, 국내물가의 상승 등이 발생할 수 있으며, 국제수지가 적자인 경우 외채의 증가, 국가 신용도 하락 등이 발생할 수 있다.

④ 국제수지표의 금융계정은 직접투자, 증권투자, 파생금융상품, 준비자산, 기타투자로 구성되며, 기타투자에는 비생산·비금융 자산거래 등이 포함된다.

답 ④

국제수지표의 금융계정은 직접투자, 증권투자, 파생금융상품, 준비자산, 기타투자로 구성된다. 다만, 비생산·비금융 자산거래는 자본수지에 포함된다.

**05** □□□ **2010년에 개정된 IMF의 국제수지통계 편제기준(BPM6)에 따를 때, 각 사건과 이들이 영향을 미치는 국제수지계정 항목을 옳게 짝지은 것은?** 2017. 관세직 7급

| 구분 | 사건 | 국제수지 계정 항목 |
|---|---|---|
| ㉠ | 단기 외국인 노동자 국내유입의 증가 | 본원소득수지 |
| ㉡ | 해외유학이나 연수에 대한 수요 감소 | 이전소득수지 |
| ㉢ | 한국으로 투자하는 다국적기업의 증가 | 자본수지 |
| ㉣ | ○○전자의 국제특허소송 패소로 과징금 부담 | 서비스수지 |

① ㉠ ② ㉡
③ ㉢ ④ ㉣

답 ①

'단기 외국인 노동자 국내유입의 증가'는 국내에 단기(1년 미만)로 고용된 비거주자에게 지급한 금액에 영향을 준다. 즉 '급료 및 임금' 항목에 해당하므로, 국제수지 계정 항목 중 '본원소득수지'에 영향을 준다.

**선지분석**

㉡ '해외유학이나 연수에 대한 수요 감소'는 해외 거주자나 연수생에게 송금하는 금액에 영향을 준다. 즉 국제수지 계정 항목 중 '이전소득수지'의 '기타 부문'에 영향을 준다. 그러나 이것을 '해외유학이나 연수'로 인한 송금액의 변화가 아닌, 해외유학이나 연수의 서비스 알선사업 등의 변화, 즉 '서비스' 자체의 변화로 이해한다면 이것은 서비스 수지에 해당한다.
㉢ '한국으로 투자하는 다국적기업의 증가'는 직접투자, 증권투자, 기타 투자 등에 영향을 주므로, 국제수지 계정 항목 중 '금융계정'에 영향을 준다.
㉣ '○○전자의 국제특허소송 패소로 과징금 부담'이 있는 경우, 국제수지 계정 항목 중 '이전소득수지'의 '기타 부문'에 영향을 준다.

**06** □□□ **국제수지표에서 경상수지 항목에 속하지 않는 것은?** 2008. 관세직 7급

① 직접투자 ② 이전소득수지
③ 상품수지 및 서비스수지 ④ 증권투자배당금

답 ①

직접투자는 '금융계정'에 포함된다. 증권투자배당금이 투자소득으로 분류되어 경상수지 항목 중 본원소득수지에 포함되는 것과는 구분하여야 한다.

**07** □□□

**IMF가 권고한 기준에 따른 현행 우리나라 국제수지표에 관한 설명으로 옳지 않은 것은?**

2010. 관세직 7급

① 국제수지표는 일정 기간 동안 한 국가의 거주자와 비거주자 간에 발생한 제반 경제적 거래를 복식부기의 원리에 따라 기록한 통계표이다.
② 국제수지표의 구성항목은 크게 경상수지, 자본수지, 금융계정, 오차 및 누락으로 구분된다.
③ 경상수지의 구성항목은 상품수지, 서비스수지, 본원소득수지, 이전소득수지로 구분된다.
④ 해외에 거주하는 교포가 보내오는 송금과 해외 종교기관이 보내오는 기부금은 소득수지 항목에 계상된다.

답 ④

해외에 거주하는 교포가 보내오는 송금이 '급료 및 임금'에 해당하면 본원소득수지 항목에 계상되며, 수혜자에게 아무런 대가 없이 제공되는 송금인 경우 '이전소득수지' 항목에 계상된다. 해외 종교기관이 보내오는 기부금은 대가성이 없는 무상원조로 볼 수 있으므로 '이전소득수지' 항목에 계상된다.

**08** □□□

**다음의 국제경제거래에서 우리나라의 경상수지에 영향을 미치지 않은 것은?** 2011. 관세직 7급

① 재화 및 서비스의 수출
② 외국에 대한 무상증여
③ 국외투자로부터 얻은 배당금 수입
④ 우리나라 기업의 해외직접투자

답 ④

국제수지표는 거주자와 비거주자 간의 거래를 그 유형에 따라 경상수지와 자본수지 및 금융계정으로 나누어 기록한다. '우리나라 기업의 해외직접투자'는 금융계정에 해당한다.

**선지분석**

① 재화 및 서비스의 수출은 경상수지(상품수지)에 해당한다.
② 외국에 대한 무상증여는 경상수지(이전소득수지)에 해당한다.
③ 국외투자로부터 얻은 배당금 수입은 경상수지(본원소득수지)에 해당한다.

**09** □□□

**아래 내용을 국제수지표에 작성할 경우 경상수지와 관련이 없는 것은?** 2010. 국제통상직 7급

① 상품을 수출하고 현금 1천만 달러를 받음
② 해외여행시 5천 달러를 여행경비로 사용함
③ 외국인 근로자가 임금 1만 달러를 받아 본국으로 송금함
④ 외국기업이 현금 2천만 달러를 국내기업에 투자함

답 ④

외국기업이 국내기업에 현금을 투자하는 것은 금융계정에 해당한다.

**선지분석**

① 상품을 수출하고 수출대금을 받는 것은 경상수지(상품수지)에 해당한다.
② 해외여행을 하며 여행경비를 지출한 것은 경상수지(서비스수지)에 해당한다.
③ 외국인 근로자가 임금을 받아 외국(본국)으로 송금한 것은 경상수지(본원소득수지)에 해당한다.

**10** □□□

**어느 국가의 국제수지에 전년 대비 다음과 같은 변동이 생겼다고 할 때, 이에 대한 설명으로 옳지 않은 것은? (단, 국제수지표상의 기타 항목 계정에는 아무런 변동이 없다고 가정한다)**

2009. 국제통상직 7급

- 상품 수출이 30억 달러 증가
- 상품 수입이 10억 달러 증가
- 내국인 관광객의 해외지출 경비가 10억 달러 증가
- 외국에 대한 무상원조가 10억 달러 증가

① 경상수지는 개선되었다.
② 서비스수지는 악화되었다.
③ 이전소득수지는 악화되었다.
④ 상품수지(무역수지)는 개선되었다.

답 ①

상품 수출과 상품 수입은 '상품수지' 항목이며, 내국인 관광객의 해외지출 경비는 '서비스수지' 항목이다. 외국에 대한 무상원조는 '이전소득수지' 항목이다. 이 모두는 경상수지 항목에 포함된다. 상품수출로 인하여 +30억 달러, 상품수입으로 인하여 −10억 달러, 관광경비 지출로 −10억 달러, 무상원조로 −10억 달러가 증가하였으므로, 경상수지에는 변화가 없으며, 서비스수지와 이전소득수지는 악화되었다. 그러나 상품수지는 개선되었다.

## 2 | 국제수지의 조정

**01** □□□ **국제수지 적자의 시정을 위한 정책으로 옳지 않은 것은?** 2007. 관세직 7급

① 중앙은행의 일반자금대출 축소
② 정부지출을 늘려 국민소득을 증가
③ 통화안정증권의 추가공급
④ 은행의 지급준비율 인상

답 ②

국제수지가 적자일 때, 정부투자·정부소비·이전지출·조세정책 등을 통해 공공부문에 대한 정부지출을 축소하고 세율을 인상시키면 수입제품에 대한 민간부문의 총수요가 감소하게 되며, 이는 곧 수입을 감소시켜 경상수지의 흑자를 가져오게 된다.

**선지분석**

①, ④ 정부가 중앙은행의 화폐공급을 통제함으로써 국제수지의 불균형을 조정할 수 있다. 국제수지가 적자일 때, 정부는 금리인상이나 은행의 지급준비율을 인상하여 민간보유 화폐량을 감소시켜 정부의 국채보유량을 증대시킨다. 즉, 민간의 구매력이 감소하게 되고, 이에 따라 수입이 감소되고 국제수지가 개선된다.

③ 통화안정증권(monetary stabilization bond)이란 중앙은행이 통화량을 조절하기 위해서 금융기관과 일반인을 대상으로 발행하는 단기증권을 말한다. 통화안정증권을 추가 공급하는 경우 시중의 자금량이 감소하여, 이에 따라 수입도 감소하게 된다.

# PART 4

# 국제경영

CHAPTER 1

# 기업의 국제화와 다국적 기업

## 1 | 기업의 국제화

**01** □□□

**기업의 국제화 과정을 순서대로 바르게 나열한 것은?** 2022. 관세직 7급

① 국내시장기업 → 해외지향기업 → 세계지향기업 → 현지지향기업
② 국내시장기업 → 해외지향기업 → 현지지향기업 → 세계지향기업
③ 국내시장기업 → 세계지향기업 → 해외지향기업 → 현지지향기업
④ 국내시장기업 → 현지지향기업 → 해외지향기업 → 세계지향기업

답 ②

기업국제화란 기업활동이 세계의 여러 나라로 확대되어 가는 과정이며, 기업이 국제경쟁력을 향상시키는 과정이기도 하다. 기업은 다음의 과정에 따라 국제화의 범위를 넓혀간다.

| 기업의 국제화 과정 | 생산 | 판매 |
|---|---|---|
| 국내지향기업(국내시장기업) | 국내생산 | 국내판매 |
| 해외지향기업 | 국내생산 | 해외판매 |
| 현지지향기업 | 현지생산 | 현지판매 |
| 세계지향기업 | 해외생산 | 해외판매 |

**02** □□□

**로빈슨(R. D. Robinson)은 기업국제화 과정을 5단계로 구분하여 단계별 기업 명칭을 부여하였다. 여기에 해당되지 않는 것은?** 2018. 관세직 7급

① national firm
② international firm
③ transnational firm
④ super leading firm

답 ④

로빈슨(R. D. Robinson)은 기업의 해외 활동 및 세계적 자원 배분의 정도, 소유 국가, 기업경영관리의 특성 등을 기준으로 기업과 국제화 과정을 다섯 단계로 구분하고 각 단계별 국제기업의 명칭을 다르게 부여하였다.

국가기업(national firm)
→ 국제기업(international firm)
→ 다국적기업(multinational firm)
→ 초국적기업(transnational firm)
→ 초국가기업(supernational firm)

**03** □□□ **브루크(M. Z. Brooke)와 렘머스(L. H. Remmers)는 기업의 국제화 동기를 방어적, 공격적, 기타 동기로 구분하고 있다. 방어적 동기에 해당하지 않는 것은?** 2016. 관세직 7급

① 관세 또는 비관세 장벽으로부터의 기업 보호
② 특허권 보호
③ 원자재 및 부품 조달의 어려움 극복
④ 범세계적 시장 확대와 기업의 성장

답 ④

기업이 국제화를 추진하는 동기에 대해 브루크(M. Z. Brooke)와 렘머스(L. H. Remmers)는 공격적 동기, 방어적 동기, 기타 동기로 구분하였다.

| 구분 | 기업의 국제화 동기 |
|---|---|
| 공격적 동기 | • 범세계적 시장 확대와 기업의 성장(팽창 욕구)<br>• 자본, 설비, 인적자원, 노하우 등을 활용한 수익성 제고<br>• 새로운 시장 개척(생산자원 및 시장에 관한 기회를 적극적으로 활용)<br>• 국내외 시장기반을 유지하기 위한 안정적인 공급선 구축 |
| 방어적 동기 | • 관세 또는 비관세장벽으로부터의 기업 보호<br>• 자사의 특허권 보호<br>• 외국의 신기술 및 노하우 조기 확보<br>• 원자재 및 부품 조달의 어려움 극복<br>• 경기변동에 따른 위험의 지역적 분산화와 제품의 다각화 |
| 기타 동기 | • 해외투자에 유리한 환경 조성, 세금 및 금융혜택 부여 등 외국 정부의 조치<br>• 경쟁기업에 대한 견제<br>• 기업내부적인 국제화 욕구 |

## 2 | 글로벌화와 다국적 기업

**01** □□□

**세계 경제의 글로벌화를 촉진시키는 요인으로 보기 어려운 것은?** 2010. 국제통상직 7급

① 문화의 다양성
② 소비자수요의 동질화
③ 규모의 경제
④ 기술진보

답 ①

글로벌화를 촉진시키는 요인에는 규모의 경제, 기술진보, 소비자 수요의 동질화, 무역장벽의 감소 등이 있다. 다양하고 이질적이었던 문화가 전세계적으로 동질화되어 가면서 글로벌화가 촉진되고 있다.

**02** □□□

**펄뮤터(Perlmutter)가 분류한 국제화 진입방식에 따른 기업의 유형이 아닌 것은?** 2017. 관세직 7급

① 본국시장중심형(ethnocentric)
② 자원시장중심형(resourcentric)
③ 현지시장중심형(polycentric)
④ 세계시장중심형(geocentric)

답 ②

펄뮤터(H. V. Perlmutter)는 다국적기업을 경영자의 태도(본국중심주의, 현지중심주의, 세계중심주의)를 중시하여 '세계적 경영을 하는 기업'으로 정의하였다.

| 구분 | 본국중심주의 ethnocentrism | 현지중심주의 polycentrism | 세계중심주의 geocentrism |
|---|---|---|---|
| 조직구조 | 본국의 본사 조직은 복잡하게 분화되어 있으나, 해외의 자회사는 단순한 구조임 | 현지의 자회사가 다양하고 서로 독립적인 조직을 운영함 | 본사 및 수개의 자회사 간 상호연관성이 높고 복잡하게 연결됨 |
| 의사결정권 | 본사에 집중되어 있음 | 현지 경영자에게 의사결정권을 위임함 | 본사와 자회사 간의 긴밀한 협조체제가 이루어짐 |
| 정보전달, 의사소통 | 본사에서 자회사로의 일방적인 명령과 지시가 이루어짐 | 본사 - 자회사, 자회사 - 자회사 간 정보전달이 적음 | 쌍방향의 활발한 정보전달이 이루어짐 |

## 03 □□□

**펄뮤터(H. Perlmutter)가 제시한 다국적기업의 각 유형에 대한 설명으로 옳지 않은 것은?**

2017. 관세직 7급 하반기

① 현지중심주의(Polycentrism)의 다국적기업은 다양하고 서로 독립적인 조직구조를 가진다.
② 세계중심주의(Geocentrism)의 다국적기업은 본사와 자회사 간 긴밀한 협조체제를 유지하며 의사를 결정한다.
③ 세계중심주의(Geocentrism)의 다국적기업은 경영성과의 평가와 통제에서 전 세계적으로 적용 가능하고 현지 사정에도 맞는 기준을 선택한다.
④ 본국중심주의(Ethnocentrism)의 다국적기업은 본사와 자회사 간 또는 자회사끼리 의사소통 및 정보전달이 원활하지 않다.

답 ④

본국중심주의(Ethnocentrism)의 다국적기업은 본사에서 자회사로의 일방적인 명령과 지시가 이루어지므로, '쌍방향 정보전달'은 아니지만 의사소통과 정보전달이 확실하게 이루어지기는 한다. '본사와 자회사 간 또는 자회사끼리 의사소통 및 정보전달이 원활하지 않다'는 특징은 현지중심주의(Polycentrism)의 다국적기업에 어울린다.

## 04 □□□

**딤자(Dymsza)가 제시한 글로벌 기업의 조직형태에 대한 설명으로 옳지 않은 것은?**

2020. 관세직 7급

① 기능별 조직은 제품의 종류가 적고 생산이나 판매지역의 범위가 좁을 때 채택하는 형태이다.
② 제품별 조직은 제품의 종류가 다양하고 성격과 기술 등에 있어서 차이가 많은 경우 채택하는 형태이다.
③ 지역별 조직은 생산이나 판매 등이 여러 지역에서 이루어지고 여러 지역의 특성이 다양한 경우 채택하는 형태이다.
④ 매트릭스 조직은 기업의 해외영업활동이 확대됨에 따라 기업조직 내에 다른 제품사업부와 같이 하나의 독립된 사업단위로 운영하는 형태이다.

답 ④

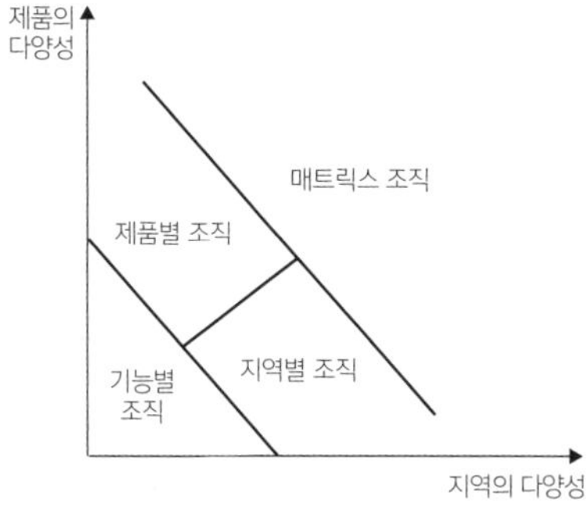


매트릭스 조직은 제품별 조직과 지역별 조직 중 하나에 속했던 모든 사람들을 양쪽 조직에 모두 소속하게 만든 조직형태이다. 이것은 기능별 조직, 제품별 조직, 지역별 조직이 다차원적으로 중첩된 형태이다. 기업의 경영활동을 전개해 나갈 때 단위조직 간 견제와 균형을 유지할 수 있지만, 두 명의 상급관리자의 지시를 받아야 하기 때문에 제품별 조직의 상급관리자와 지역별 조직의 상급관리자의 의견이 충돌하는 경우 혼란이 발생할 수 있다.

**05** □□□

**매트릭스조직(matrix organization)에 대한 설명으로 옳은 것만을 모두 고르면?**

2016. 관세직 7급

> ㄱ. 기능별 조직, 제품별 조직, 지역별 조직이 다차원적으로 중첩된 형태이다.
> ㄴ. 장점은 기업의 경영활동을 전개해 나감에 있어 단위조직 간 견제와 균형을 유지할 수 있다는 것이다.
> ㄷ. 단점은 조직구조가 복잡하고 단위조직 간 갈등이 심화될 수 있다는 것이다.

① ㄱ
② ㄱ, ㄴ
③ ㄴ, ㄷ
④ ㄱ, ㄴ, ㄷ

답 ④

- 딤자(Dymsza)는 글로벌 기업의 조직 형태를 기능별 조직, 제품별 조직, 지역별 조직, 매트릭스 조직으로 나누었다. 이 중 매트릭스 조직은 기능별 조직, 제품별 조직, 지역별 조직이 다차원적으로 중첩된 형태이다. 기능별 조직은 최고경영자 아래에 총무부, 재무부, 영업부, 생산부 등을 두는 형태이고, 제품별 조직은 최고경영자 아래에 제품A 사업부, 제품B 사업부, 제품C 사업부 등을 두는 형태이다. 지역별 조직은 최고경영자 아래에 아시아태평양 사업부, 유럽지역 사업부, 미주지역 사업부 등을 두는 형태이다.
- 매트릭스 조직이란 조직을 제품차원과 지역차원으로 나눠서 조직에 속한 모든 사람들을 양쪽 조직에 소속하게 만든 형태이다. 이 조직형태는 단위조직 간 견제와 균형을 유지할 수 있다는 장점이 있으나, 조직구조가 복잡하고 단위조직 간 갈등이 심화될 수 있다는 단점이 있다.

**06** □□□

**다국적 기업에 대한 설명으로 옳지 않은 것은?**

2014. 관세직 7급

① 본국 이외의 국가에서 생산 및 서비스 시설을 소유하거나 지배하는 기업을 다국적 기업이라 한다.
② 다국적 기업은 개발도상국이나 후진국에 대한 직접투자를 통해 해당 국가들의 저렴한 생산요소를 이용함으로써 국제적 자원 배분을 개선시키고 경제적 효율성을 높이는 긍정적 역할을 하기도 한다.
③ 다국적 기업의 글로벌화를 진전시키는 요인에는 기술 진보, 소비자 수요의 동질화, 무역장벽의 감소 등이 포함된다.
④ 바틀렛과 고샬(Bartlett and Ghoshal)은 국제적으로 활동하는 기업의 유형을 본국 지향, 현지국 지향, 지역 지향, 세계 지향으로 구분하였다.

답 ④

- 국제적으로 활동하는 기업의 유형을 본국 지향(ethnocentric), 현지국 지향(polycentric), 세계 지향(geocentric) 기업 또는 여기에 지역 지향(regioncentric)을 추가하여 구분한 학자는 펄뮤터(Perlmutter)이다.
- 바틀렛과 고샬(Bartlett and Ghoshal)은 국제기업의 유형을 국제적 기업(international), 다국적 기업(multinational), 글로벌 기업(global), 초국적 기업(transnational)으로 구분하였다.

## 07 □□□

**다국적 기업에 대한 정의로 옳지 않은 것은?** 2010. 관세직 7급

① 본국중심적 사고를 하는 최고경영자가 경영하는 기업일 것
② 다수 국가의 국민에 의해 기업의 주식이 소유될 것
③ 인력의 구성이 다수 국가의 국민으로 구성될 것
④ 다수의 국가에서 사업활동을 수행할 것

답 ①

펄뮤터(H. V. Perlmutter)는 경영자의 태도를 본국 중심적, 현지 중심적, 세계 중심적 태도로 구분하고 이중 세계 중심적 태도를 가지고 세계적 경영을 하는 기업을 다국적 기업으로 정의하였다.

## 08 □□□

**다음은 바틀렛(Bartlett)과 고샬(Ghoshal)이 해외자회사의 유형을 네 가지로 규정한 도식이다. ㉠ ~ ㉣에 들어갈 용어가 바르게 연결된 것은?** 2013. 관세직 7급

| 현지 시장의 중요성 | | 자회사의 핵심역량 낮음 | 자회사의 핵심역량 높음 |
|---|---|---|---|
| | 높음 | ㉠ | ㉡ |
| | 낮음 | ㉢ | ㉣ |

| | ㉠ | ㉡ | ㉢ | ㉣ |
|---|---|---|---|---|
| ① | 전략적 리더 | 블랙홀 | 기여자 | 실행자 |
| ② | 블랙홀 | 전략적 리더 | 기여자 | 실행자 |
| ③ | 전략적 리더 | 블랙홀 | 실행자 | 기여자 |
| ④ | 블랙홀 | 전략적 리더 | 실행자 | 기여자 |

답 ④

바틀렛(Bartlett)과 고샬(Ghoshal)은 효과적으로 해외 자회사를 통제하기 위해 자회사가 속한 현지시장의 중요성과 자회사의 역량에 따라 서로 다른 역할과 권한을 이양해야 한다고 주장하면서, 자회사의 유형을 전략적 리더, 기여자, 실행자, 블랙홀의 네 가지로 규정했다.

| 현지 시장의 중요성 | | 자회사의 핵심역량 낮음 | 자회사의 핵심역량 높음 |
|---|---|---|---|
| | 높음 | 블랙홀 | 전략적 리더 |
| | 낮음 | 실행자 | 기여자 |

CHAPTER 2

# 해외직접투자

## 1 | 해외직접투자의 개념

**01** □□□

**해외직접투자에 대한 설명으로 옳지 않은 것은?** 2010. 국제통상직 7급

① 직접투자는 해외기업에 직접적으로 영향력을 행사하여 경영권 지배를 주목적으로 한다.
② 직접투자는 자본의 이동과 함께 생산기술 및 경영기법도 이동한다.
③ 직접투자는 투자기업의 배당금이나 이자획득을 목적으로 해외투자를 한다.
④ 직접투자는 자본의 한계수익률이 낮은 국가에서 높은 국가로 이동한다.

답 ③

직접투자는 해외기업에 직접적으로 영향력을 행사하여 경영권을 지배하는 것을 주목적으로 한다. 투자기업의 배당금이나 이자획득을 목적으로 하는 것은 '간접투자'이다.

**02** □□□

**해외직접투자 형태에 대한 설명으로 옳지 않은 것은?** 2009. 국제통상직 7급

① 수직적 해외직접투자는 하나의 제품을 생산하는 데 필요한 공정이 여러 국가에서 이루어지는 형태의 투자를 말한다.
② 수평적 해외직접투자는 후방통합(backward integration)과 전방통합(forward integration)으로 구분된다.
③ 후방통합은 철강회사가 철광석을 확보하기 위해서 해외광산 개발에 투자하는 경우이며, 전방통합은 우리나라 자동차 회사가 개도국에서 생산한 자동차를 판매하기 위해서 미국에 판매 자회사를 설치할 목적으로 투자하는 경우를 말한다.
④ 수평적 해외직접투자는 세계 여러 국가에 복수의 공장을 건설하고 투자모국에서 생산하고 있는 제품과 동일한 제품을 생산하기 위한 투자를 말한다.

답 ②

수직적 통합이란 원재료의 획득에서 최종 제품의 생산, 판매에 이르는 전체적인 공급과정에서 기업이 일정 부분을 통제하는 전략으로서, 다각화의 한 방법이다. 이것은 동종업계의 다른 기업과 통합하는 수평적 통합과 대비된다. 수직적 통합은 전방통합과 후방통합의 두 가지로 구분할 수 있다. 원료를 공급하는 기업이 생산기업을 통합하거나, 제품을 생산하는 기업이 유통채널을 가진 기업을 통합하는 것을 전방통합(前方統合)이라 하며, 이는 기업의 시장지배력을 강화시키기 위한 전략으로 사용된다. 반면 유통기업이 생산기업을 통합하거나, 생산기업이 원재료 공급기업을 통합하는 것을 후방통합(後方統合)이라 하며, 이는 기업이 공급자에 대한 영향력을 강화하기 위한 전략으로 사용된다.

## 2 | 해외직접투자이론

**01** □□□

**해외직접투자(FDI) 이론에 대한 설명이다. ㉠, ㉡에 들어갈 용어를 순서대로 바르게 나열한 것은?**

2018. 관세직 7급

( ㉠ )에 따르면, 다국적기업은 시장의 불완전성으로 인한 거래비용을 회피하기 위하여 기업 내에서 낮은 비용으로 거래를 행할 수 있다면 기업이 시장기능을 대신하여 그 거래를 내부화하게 된다. ( ㉡ )에 따르면, 기업의 해외 직접투자는 기업특유의 우위(ownership - specific advantage), 내부화 특유의 우위(internalization - specific advantage), 입지 특유의 우위(location - specific advantage) 등을 종합적으로 고려하게 된다.

| | ㉠ | ㉡ |
|---|---|---|
| ① | 독점적 우위이론 | 제품수명주기이론 |
| ② | 독점적 우위이론 | 절충이론 |
| ③ | 내부화이론 | 절충이론 |
| ④ | 내부화이론 | 제품수명주기이론 |

답 ③

㉠ 내부화 이론은 시장 구조의 불완전성이나 기업이 보유하고 있는 우위 요소의 공공재적 성격으로 인하여 직접투자를 함으로써 해외 사업활동을 기업 내부화한다고 주장하는 이론이다. 이 이론에 따르면 다국적기업은 시장의 불완전성으로 인한 거래비용을 회피하기 위하여 기업 내에서 낮은 비용으로 거래를 행할 수 있다면 기업이 시장기능을 대신하여 그 거래를 내부화하게 된다.

㉡ 절충이론은 독점적 우위 이론과 내부화 이론의 토대 위에서 입지우위론(생산입지이론)을 절충 통합한 포괄적인 해외직접투자 이론이다. 절충이론에 따르면 기업의 해외 직접투자는 기업특유의 우위(ownership - specific advantage), 내부화 특유의 우위(internalization - specific advantage), 입지 특유의 우위(location - specific advantage)를 종합적으로 고려한다.

**02** □□□

**해외직접투자이론 중 내부화이론에 대한 설명으로 옳지 않은 것은?**

2022. 관세직 7급

① 내부화는 시장실패로 인해 시장기능이 원활하게 이루어질 수 없는 경우, 시장에서 이루어지던 거래를 기업 내부로 대체하는 것을 의미한다.

② 내부화의 개념은 코즈(Coase)의 연구로부터 시작되어 러그만(Rugman)이 더욱 발전시켜 해외직접투자를 설명하는 일반 이론으로 계승되었다.

③ 외부시장 투자에 대한 고비용과 비효율적인 불완전성이 공존할 때 적용된다.

④ 기업이 해외시장에 진출하는 경우 수많은 국가 중에서 특정 국가에 진출하는 이유에 대해 충분히 설명하고 있다.

답 ④

내부화 이론은 '기업이 왜 100% 해외직접투자를 하는가?'에 대한 대답이다. 왜 '특정 국가에 진출하는가?'에 대한 답은 절충이론에서 찾을 수 있다.

**03** □□□

**다음에서 설명하는 국제투자이론은?** 2012. 관세직 7급

> 시장이 불완전하여 외국기업과의 협상, 감시, 이행을 위한 거래비용이 높을 경우 기업은 해외직접투자를 하는 반면 거래비용이 낮을 경우 기업은 외국기업과의 계약을 통하여 거래한다. 해외직접투자를 하게 하는 시장불완전성으로는 독자적 우위의 공공재적 성격, 국내거래에서보다 더 큰 거래불확실성, 관세 및 비관세 장벽과 같은 정부규제 등을 들 수 있다.

① 과점적 경쟁이론(Oligopolistic Reaction Theory)
② 통화지역이론(Currency Area Theory)
③ 절충이론(Eclectic Theory)
④ 내부화 이론(Internalization Theory)

답 ④

내부화 이론은 시장구조의 불완전성이나 기업이 보유하고 있는 우위요소의 공공재적 성격으로 인하여 직접투자를 함으로써 해외사업 활동을 기업 내부화한다고 주장하는 이론이다. 내부화를 유발하는 요인은 시장불완전성에 있다. 기업이 기업 특유의 자산을 해외이전할 때 자연적 혹은 인위적 시장불완전성이 발생한다.

**04** □□□

**내부화 이론에서는 기업의 해외직접투자가 시장의 불완전성으로 인해 발생된다고 한다. 시장의 불완전성을 유발하는 요인에 해당하지 않는 것은?** 2016. 관세직 7급

① 구매자 불확실성
② 정부의 개입
③ 계약체결의 어려움
④ 완전경쟁 상태

답 ④

시장 불완전성을 유발하는 요인에는 구매자의 불확실성(거래파트너의 기회주의적 행태), 정부의 개입(외국정부의 개입으로 인해 어려움에 처할 수 있는 상황), 계약체결의 어려움(거래비용의 증가) 등이 있다. 그러나 시장 불완전성을 유발하는 요인에 완전경쟁 상태는 포함되지 않는다. 오히려 기업이 불완전 경쟁 상태에 있으므로, 기업은 자신의 우위 요소를 극대화하기 위해 내부화를 선택하게 된다.

**05** □□□

**버클리(P. J. Buckley)와 카슨(M. Casson)에 의해 도입된 이론으로 해외직접투자의 이유를 시장의 불완전성, 즉 정부의 규제, 거래비용의 과다 등에서 찾는 이론은?** 2009. 관세직 7급

① 내부화 이론 ② 제품 수명주기 이론
③ 신제국주의이론 ④ 전략적 동기론

답 ①

내부화 이론은 시장구조의 불완전성이나 기업이 보유하고 있는 우위 요소의 공공재적 성격으로 인하여 직접투자를 함으로써 해외사업 활동을 기업 내부화한다고 주장하는 이론이다. 이 이론은 왜 다국적 기업이 해외투자를 하는지에 대한 문제 뿐만이 아니라, 해외투자시 왜 100% 지분투자방식을 선호하는지에 대한 설명을 하고 있다. 버클리(P. J. Buckley), 카손(M. Casson), 러그만(Rugman) 등은 내부화의 일반적 개념을 해외직접투자 문제에 도입하여 내부화 이론을 체계화하였다. 이들은 다국적 기업이 시장의 불완전성에서 오는 비효율적인 거래비용을 최소화하기 위해 내부화를 시도한다고 설명한다.

**06** □□□

**해외직접투자를 설명하는 내부화 이론의 내용으로 옳지 않은 것은?** 2013. 관세직 7급

① 버클리(Buckley), 카슨(Casson), 러그만(Rugman) 등이 이론을 체계화하였다.
② 내부화를 유발하는 요인은 시장불완전성에 있다.
③ 해외직접투자가 상이한 통화 지역간에 일어난다고 주장한다.
④ 거래상대방의 기회주의적 행위는 거래비용을 높이는 하나의 요인으로 본다.

답 ③

내부화 이론(Internalization Theory)은 시장구조의 불완전성이나 기업이 보유하고 있는 우위요소의 공공재적 성격으로 인하여 직접투자를 함으로써 해외사업 활동을 기업 내부화한다고 주장하는 이론이다. 이 이론은 왜 다국적 기업이 해외투자를 하는지에 대한 문제 뿐만이 아니라, 해외투자시 왜 100% 지분투자방식을 선호하는지에 대한 설명을 하고 있다. 버클리(P. J. Buckley), 카손(M. Casson), 러그만(Rugman) 등은 내부화의 일반적 개념을 해외직접투자 문제에 도입하여 내부화 이론을 체계화하였다. 거래상대방의 기회주의적 행위는 거래비용을 높이는 하나의 요인이 된다. 외부화 전략 선택시 해외 현지 거래 파트너가 기술이나 영업노하우 등을 전수받은 후 기회주의적으로 거래를 중단하면, 거래 파트너는 오히려 강력한 경쟁회사가 된다. 그러므로 100% 지분투자를 통해 이러한 위험을 원천적으로 회피하려 한다.

**07** □□□

**더닝(Dunning)의 절충이론에 대한 설명으로 옳지 않은 것은?** 2021. 관세직 7급

① 독점적 우위론과 내부화 이론을 토대로 하고 여기에 생산입지이론을 추가하여 포괄적으로 해외직접투자를 설명하는 이론이다.
② 해외직접투자는 거시적 관점에서 투자국과 피투자국 간의 잠재적 내지 현시적 비교생산비를 기초로 하여 투자국에서는 비교열위에 있지만 피투자국에서는 비교우위에 놓인 산업에서 이루어져야 한다는 주장이다.
③ 기업 특유의 우위요소는 그 기업이 일정 기간 배타적으로 사용할 수 있는 무형자산이어야 한다는 것이다.
④ 해외직접투자와 관련 있는 주요 변수들 및 경영의사결정 모형을 체계적으로 제시하였다는 점에서 의의가 있다.

답 ②

절충이론에서 입지우위론을 내세우는 것은, 투자국에서의 생산이 비교열위에 있고, 피투자국에서의 생산이 비교우위에 있기 때문이 아니다. 여러 피투자국 중에서 가장 이점이 많은(비교우위가 높은) 지역에 투자한다는 것이 절충이론의 주장이다.

**08** □□□

**해외직접투자 이론의 통합모델로 제시된 더닝(J. Dunning)의 절충 이론에서 현지 기업에 비해 해외직접투자 기업이 갖는 3가지 우위 요소가 아닌 것은?** 2009. 국제통상직 7급

① 독점적 우위 요소(monopolistic advantages)
② 소유 특유의 우위 요소(ownership - specific advantages)
③ 내부화 특유의 우위 요소(internalization - specific advantages)
④ 입지 특유의 우위 요소(location - specific advantages)

답 ①

절충 이론(Eclectic Theory)은 독점적 우위 이론과 내부화 이론에 기초하여 더닝(Dunning)에 의해 발전된 이론으로, 독점적 우위 이론과 내부화 이론의 토대 위에 입지 우위론(생산 입지 이론)을 절충 통합한 포괄적인 해외직접투자 이론이다.

| | |
|---|---|
| 소유 특유의 우위<br>ownership - specific advantage | 다국적 기업이 현지기업이 보유하지 못한 기업 특유의 자산을 보유함으로써 발생하는 이점 |
| 외국현지 장소 특유의 우위<br>location - specific advantage | 특정지역에 직접투자하는 경우 다른 지역 투자에 비해 갖는 이점 |
| 내부화 특유의 우위<br>internalization - specific advantage | 거래비용을 최소화하기 위해 기업이 해외진출시 국제사업활동을 내부화함으로써 발생되는 이점 |

## 09 □□□

**해외직접투자이론의 하나인 던닝(J. Dunning)의 절충이론에서 해외직접투자가 발생하기 위한 조건으로 옳지 않은 것은?**

2017. 관세직 7급 하반기

① 다른 기업에 비해 신제품 개발 능력과 같은 기술적 우위가 있어야 한다.
② 경쟁사의 진출이나 외부인으로부터 권고와 같은 어떤 강한 외부자극이 있어야 한다.
③ 내부화를 통한 이익이 다른 대체적인 사업방법에서 얻어지는 이익보다 더 커야 한다.
④ 빠른 성장속도, 대규모 시장, 저렴한 인건비, 우수한 노동력, 정부의 적극적 지원 등을 갖춘 장소 우위가 있어야 한다.

답 ②

절충이론은 소유특유의 우위, 외국현지 장소특유의 우위, 내부화특유의 우위를 내세운다. 경쟁사의 진출이나 외부인으로부터 권고와 같은 어떤 강한 외부자극이 있기 때문에 해외직접투자를 한다는 것을 주장하지는 않는다. 오히려 경쟁사의 진출이나 외부자극 때문에 해외직접투자를 한다면 이것은 '기업행동이론'과 가깝다.

## 10 □□□

**해외직접투자에 관한 더닝(Dunning)의 절충이론에서 해외직접투자 요인으로 설명되지 않는 것은?**

2010. 관세직 7급

① 기업 특유의 우위
② 내부화 우위
③ 입지적 우위
④ 통화가치 우위

답 ④

절충이론(Eclectic Theory)이란 독점적 우위이론과 내부화 이론에 기초하여 더닝(Dunning)에 의해 발전된 이론으로, 독점적 우위이론과 내부화 이론의 토대 위에 입지우위론(생산입지이론)을 절충 통합한 포괄적인 해외직접투자 이론이다. 절충이론에서 해외직접투자 요인으로서 언급되는 것은 기업특유의 우위(소유특유의 우위), 내부화 우위, 입지적 우위의 세 가지이다.

**11** □□□

**다음은 더닝(J. Dunning)의 절충이론에 의한 해외시장 개입방식과 결정요소를 나타내는 표이다. ㉠, ㉡, ㉢에 들어갈 내용으로 옳은 것은? (단, ○는 각각의 해외시장 개입방식이 지닌 우위 요소를 나타낸다)** 2008. 관세직 7급

| 결정요소 / 개입방식 | 기업 특유의 우위 요소 | 내부화 우위 요소 | 입지 특유의 우위 요소 |
|---|---|---|---|
| ㉠ | ○ | ○ | ○ |
| ㉡ | ○ | ○ | × |
| ㉢ | ○ | × | × |

| | ㉠ | ㉡ | ㉢ |
|---|---|---|---|
| ① | 해외직접투자 | 수출 | 계약방식 |
| ② | 해외직접투자 | 계약방식 | 수출 |
| ③ | 수출 | 해외직접투자 | 계약방식 |
| ④ | 수출 | 계약방식 | 해외직접투자 |

답 ①

| 결정요소 / 개입방식 | 기업 특유의 우위 요소 | 내부화 우위 요소 | 입지 특유의 우위 요소 |
|---|---|---|---|
| 해외직접투자 | ○ | ○ | ○ |
| 수 출 | ○ | ○ | × |
| 계약방식 | ○ | × | × |

기업 특유의 우위 요소와 내부화 우위, 입지 특유의 우위를 모두 갖춘 경우에는 해외직접투자가 가능하다. 그러나 입지 특유(장소 특유)의 우위가 없는 경우, 직접 투자를 하는 것보다는 수출을 하는 것이 유리하다. 계약방식은 기업이 경쟁력을 갖는 기업 특유의 우위 요소는 있으나, 단독으로 해외시장에 진입하기엔 어려움이 있을 때 하게 된다.

**12** □□□

**다음과 같은 해외직접투자의 형태를 설명하는데 가장 적합한 이론은?** 2011. 관세직 7급

> 과점산업의 어느 한 경쟁기업이 해외에 직접투자를 하면 나머지 경쟁기업들도 같은 국가에 자회사를 설립하는 방어적 투자를 하게 된다. 이 이론은 과점산업의 경쟁 기업들이 해외의 특정국가에 연이어 진출하는 현상을 잘 설명한다.

① 독점적 우위이론
② 내부화 이론
③ 절충이론
④ 과점적 경쟁이론

답 ④

'과점산업의 경쟁 기업들이 해외의 특정국가에 연이어 진출하는 현상'이란 밴드웨건 효과(bandwagon effect)를 말한다. 이 현상은 경쟁기업의 해외 직접투자에 대응하여 '방어적 투자'를 할 때, 그리고 이윤 극대화보다는 '기업 간 균형 유지'를 위해 해외직접투자를 할 때 나타난다. 해외직접투자가 이런 유형으로 발생할 수 있다는 것을 주장하는 이론은 독과점적 대응이론(Oligopolistic Reaction Theory) 또는 과점적 경쟁이론(과점적 대응이론)이라고 한다.

**13** □□□ **해외직접투자이론에 대한 설명으로 옳지 않은 것은?** 2019. 관세직 7급

① 하이머(Hymer)의 독점적 우위이론은 현지 정부의 차별대우나 환율위험과 같은 외국비용을 상쇄시킬 수 있는 독점적 우위요소가 있어야 해외직접투자가 발생하게 된다는 것을 설명한 이론이다.

② 선도기업 추종설은 과점적 경쟁이론 중 하나로 국내의 특정 경쟁기업이 이미 다른 국가로 진출한 기업을 쫓아 해외로 진출한다는 이론으로 이는 bull－whip effect이론으로 불리기도 한다.

③ 아하로니(Aharoni)의 기업행동이론은 최초의 투자를 유발하는 것이 해외시장 기회에 대한 조직적인 조사에서 시작된다라기 보다는 어떤 강한 외부자극에 의해서 일어나기 쉽다는 이론이다. 여기서 외부자극이란 경쟁사의 해외진출, 현지기업인이나 다른 외부인으로부터의 권고 등을 예로 들 수 있다.

④ 내부화이론은 시장의 불완전성에서 오는 비효율적인 거래비용을 최소화하고 이익을 극대화하기 위해 기업은 외부시장을 이용하지 않고 기업의 체계로 내부화하여 자사의 이익을 창출한다는 이론이다.

답 ②

- 과점적 경쟁이론(독과점적 대응 이론, Oligopolistic Reaction Theory)에는 선도기업 추종설, 상호투자설 등이 있다. 선도기업 추종설은 과점적 경쟁이론 중 하나로 국내의 특정 경쟁기업이 이미 다른 국가로 진출한 기업을 좇아 해외로 진출한다는 이론이다. 이 이론은 동일 산업에 속한 기업들이 특정 투자대상국에 집중 투자하는 밴드웨건 효과(bandwagon effect)와 밀접한 관련이 있다.
- 채찍효과(bull－whip effect)란 채찍의 손잡이 부분에 약한 힘이 가해져도 채찍의 끝부분에서는 큰 파동이 생기는 현상에서 유래한 것으로, 제품에 대한 수요 정보가 공급사슬상의 상층부로 전달될 때마다 정보가 계속하여 왜곡되는 현상을 말한다. 채찍 효과는 과점적 경쟁이론과는 관련이 없다.

**14** □□□

**해외직접투자이론과 그에 대한 설명으로 옳지 않은 것은?** 2014. 관세직 7급

① 독점적 우위이론 - 해외시장에 진출하는 기업은 현지국의 기업과 비교해서 여러 가지 측면에서 불리한데, 이와 같은 외국 비용(costs of foreignness)을 극복하고 현지국에서 생존하기 위해서는 기업이 독점적 우위요소를 가지고 있어야 한다.

② 과점적 대응이론 - 기업의 해외직접투자는 자신들이 보유한 기업 특유의 우위뿐 아니라 시장의 불완전성을 회피하려는 동기에 의해 발생한다.

③ 내부화 이론 - 시장의 불완전성으로 인한 비효율적인 거래 비용을 최소화하기 위한 내부 시장의 창조가 국경을 넘어 이루어질 때 해외직접투자가 발생한다고 설명한다.

④ 절충이론 - 더닝은 '기업 특유의 우위, 내부화 우위, 입지 특유의 우위'라는 세 가지 요소를 통해 해외직접투자의 조건을 설명하고 있다.

답 ②

기업은 자신들이 보유한 기업 특유의 우위를 활용할 뿐만이 아니라, 시장이 불완전성을 회피하기 위해 해외 사업 활동을 기업 내부화한다. 이것을 내부화 이론(Internalization Theory)이라고 한다. 과점적 대응이론(독과점적 대응이론)은 산업구조가 과점적인 상황에서 해외직접투자를 과점적 경쟁기업 간의 대응진출 및 상호경쟁 현상으로 설명하는 이론이다.

**15** □□□

**해외직접투자이론에 대한 설명으로 옳지 않은 것은?** 2020. 관세직 7급

① 독점적우위이론에서 우위요소는 특정기업만이 지니고 있는 특유의 우위이므로 해외시장 진입장벽을 극복할 수 있게 한다.

② 과점적이론은 동일산업에 속한 기업들이 특정 투자대상국에 집중적으로 투자하는 현상인 밴드왜건효과(bandwagon effect)를 설명할 수 있다.

③ 제품수명주기이론에서 제품이 성장기에 접어들면 제품이 표준화되고 가격경쟁력이 관건이 되기 때문에 임금이 낮은 개발도상국으로 생산시설을 이전하게 된다.

④ 내부화이론은 시장을 통해 기업 외부에서 이루어지는 해외사업 거래를 내부화하기 위하여 해외직접투자를 한다는 것이다.

답 ③

제품수명주기이론에서 '제품이 표준화되고 가격경쟁력이 관건이 되기 때문에 임금이 낮은 개발도상국으로 생산시설을 이전'하는 단계는 성숙기(mature stage)이다.

CHAPTER 3

# 전략적 제휴와 국제계약사업

## 1 | 전략적 제휴와 국제계약사업 개요

**01** □□□ 글로벌 전략적 제휴(global strategic alliance)에 관한 설명으로 옳지 않은 것은?

2008. 관세직 7급

① 제휴관계가 지속되는 동안 지분투자가 많은 기업이 전적으로 경영책임을 진다.
② 참여기업 간 연구개발, 생산, 마케팅 등 상호보완적인 기업능력을 결합하는 협력관계이다.
③ 공동생산의 경우 생산비용 절감효과가 나타난다.
④ 위험과 비용을 분담할 수 있는 장점이 있다.

답 ①

| | | |
|---|---|---|
| 전략적 제휴 | 지분제휴 | 국제합작투자, 지분참여, M&A |
| | 업무제휴 | 기술제휴, 조달제휴, 생산제휴, 마케팅제휴 |

글로벌 전략적 제휴는 지분제휴와 업무제휴로 구분할 수 있다. 지분제휴 중 M&A는 다른 기업의 경영권 인수를 목적으로 하지만, 국제합작투자나 지분참여는 파트너 간의 협력이 그 주된 목적이다. 업무제휴는 경영권 확보와는 더욱 거리가 멀다. 그러므로 제휴관계가 지속되는 동안 지분투자가 많은 기업이 전적으로 경영책임을 지는 것은 아니다.

## 2 | 전략적 제휴

**01** □□□

**국제 합작투자에 대한 설명으로 옳지 않은 것은?** 2021. 관세직 7급

① 수용국 기업과의 합작투자를 통해 적은 비용으로 판매와 공급망의 획득이 가능하다.
② 기업이 가지고 있는 독점적인 기술 등이 합작파트너에게 유출되거나 이전될 가능성이 낮다.
③ 초기투자의 불확실성에 대한 위험의 분산효과가 있다.
④ 외국인 기업이라는 인상을 배제함으로써 수용국 국민감정을 순화할 수 있다.

답 ②

국제 합작투자(Joint Venture)란 국적이 다른 둘 이상의 기업이 출자하여 별도의 법인을 설립 운영하는 것을 말한다. 합작투자에는 특정 프로젝트를 수행하기 위해서 한시적으로 운영되는 특수한 경우도 있으나, 일반적으로 지속성을 갖고 운영한다. 그러나 기업이 가지고 있는 독점적인 기술 등이 합작 파트너에게 유출되거나 이전될 가능성이 높다는 단점이 있다.

**선지분석**

① 정치적 위험이 높은 사회주의 국가나 시장위험이 높은 선진국에 진출시 합작투자를 통해 투자위험을 감소시킬 수 있으며, 현지기업을 통해 현지의 경영 자원을 효율적으로 확보할 수 있게 되어 비용 또한 감축시킬 수 있다.
③ 국제경험이 적은 국내기업은 해외시장 진출시 많은 위험을 감수해야 한다. 그러므로 국제 합작투자를 통해 초기투자의 불확실성을 줄이고 위험을 분산하는 효과를 낼 수 있다.
④ 합작투자 방식은 현지국의 정치·문화적 장벽을 극복하는 데 도움이 된다. 또한 외국인 기업이라는 인상을 배제함으로써 수용국 국민감정을 순화할 수 있다.

**02** □□□

**국제합작투자에 대한 설명으로 옳지 않은 것은?** 2011. 관세직 7급

① 상이한 국적을 가진 2개국 이상의 기업체, 개인 또는 정부기관이 공동 소유권을 갖고 특정 기업체를 공동으로 운영하는 것을 말한다.
② 일부 기능에만 국한된 기능별 제휴와 달리 법률적으로 모기업으로부터 독립된 기업을 만드는 방식이다.
③ 기업의 역량에 대한 통제력 상실 위험과 기업의 경쟁우위 요소인 기술이나 노하우의 유출 위험을 방지할 수 있는 이점이 있다.
④ 주요 자산의 소유권과 같은 문제에 관하여 파트너와 의견 충돌이나 갈등이 야기되기 쉽다.

답 ③

국제합작투자란 국적이 다른 둘 이상의 기업이 출자하여 별도의 법인을 설립·운영하는 것을 말한다. 합작투자에는 특정 프로젝트를 수행하기 위해서 한시적으로 운영되는 특수한 경우도 있으나, 일반적으로 지속성을 갖고 운영된다. 정치적 위험이 높은 사회주의 국가나 시장위험이 높은 선진국에 진출 시 합작투자를 통해 투자위험을 감소시킬 수 있으며, 현지기업을 통해 현지의 경영자원을 효율적으로 확보할 수 있게 되어 비용 또한 감축시킬 수 있다. 그러나 기업의 역량이 약할 때 합작투자기업에 대한 통제력을 상실할 위험이 있으며, 기술이나 노하우가 파트너에게 유출될 수 있는 위험이 있다.

**03** □□□

**국제합작투자(International Joint Venture)에 대한 설명으로 옳지 않은 것은?** 2008. 관세직 7급

① 국가 간 2개 이상의 기업들이 특정 목적을 달성하기 위해 각 기업의 경영자원과 능력을 결합하여 기업을 설립하고 공동으로 운영하는 형태이다.

② 합작투자의 지분 결정은 현지국의 법적 규제 및 현지기업과의 협상능력, 보유자원, 통제력 선호 여부 등에 따라 달라진다.

③ 투자대상국이 외국기업 단독에 의한 특정 산업이나 자산의 매입을 금지할 때 효과적이며, 현지국 파트너의 기존 판매망과 거래처를 활용할 수 있다.

④ 단독투자에 비해 현지 자회사에 대한 강한 통제를 목표로 한다.

답 ④

국제합작투자란 국적이 다른 둘 이상의 기업이 출자하여 별도의 법인을 설립 운영하는 것을 말한다. 합작투자에는 특정 프로젝트를 수행하기 위해서 한시적으로 운영되는 특수한 경우도 있으나, 일반적으로 지속성을 갖고 운영된다. 국제합작투자는 신속한 해외진출, 현지국의 정치·문화적 장벽 극복, 투자비용 및 위험 감소, 기업의 내부자원 한계 및 규모의 경제효과 등의 목적으로 행해진다. 국제합작투자보다는 단독투자가 자회사에 대한 강한 통제력을 행사할 수 있다.

**04** □□□

**주식취득이나 공개인수와는 달리 단 한 주의 주식을 소유하지 않고도 주주총회에서 의결권 위임자를 다수 확보함으로써 기업의 지배권을 확보하는 M&A 방법은?** 2018. 관세직 7급

① Junk Bond　　② Proxy Fight

③ Leveraged Buyout　　④ Take Over Bid

답 ②

M&A(인수합병, mergers and acquisitions)는 한 기업이 다른 기업의 경영권을 확보할 목적으로 그 회사의 소유지분을 취득하는 것을 말한다. 주식취득이나 공개인수와는 달리 단 한 주의 주식을 소유하지 않고도 주주총회에서 의결권 위임자를 다수 확보함으로써 기업의 지배권을 확보하는 M&A 방법은 위임장 투쟁(Proxy Fight)이라고 한다.

**선지분석**

① Junk Bond(정크본드): 기업을 사들이는데 필요한 자금을 조달하기 위해 채권을 발행하는 방식의 M&A 방법
③ Leveraged Buyout(레버리지 매수, LBO): 사들이려는 기업의 자산을 담보로 금융회사에서 빌린 자금을 이용해 해당 기업을 인수하는 M&A 방법
④ Take Over Bid(공개매수): 회사의 지배권 획득 또는 유지·강화를 목적으로 유가증권 시장 밖에서 불특정다수의 주주로부터 주식을 매수하는 방법의 M&A 방법

**05** □□□ **기능별 국제제휴는 대체로 지분참여 없이 기업이 수행하는 여러 가지 업무분야 중 일부에서 외국 기업과 협조관계를 갖는 것이다. 다음 사례에 해당하는 기능별 국제제휴 형태는?** 2011. 관세직 7급

> 전기분야의 A사와 B사는 세계시장에서 원자력 발전소를 건설하는데 과당경쟁 회피와 비용 절약을 목적으로 자신들이 보유한 판매망을 활용하여 공동 판매활동을 전개하였다.

① 국제연구개발 컨소시엄
② 국제기술제휴
③ 국제생산라이센스
④ 국제제품스왑

답 ④

타사의 생산품에 자사의 브랜드를 붙여 마치 자사의 생산품인 것처럼 판매하거나, 공동으로 광고하여 판매하는 방식을 국제제품스왑(Product swap)이라 한다.

**선지분석**

① 국제연구개발 컨소시엄(R&D consortium): 복수의 기업 공동으로 연구개발에 참여하는 것으로, 첨단산업 분야에서 흔히 나타난다.
② 국제기술제휴(Technology licensing): 한 기업이 다른 국가의 기업에게 생산기술을 제공하거나, 자신의 기술로 신제품을 개발할 수 있도록 기회를 부여하는 것을 말한다.
③ 국제생산라이센스(Production license): 둘 이상의 기업이 공동생산을 할 수 있는 라이센스를 보유하거나, 한 기업이 다른 국가의 기업으로부터 생산기술을 받아 생산하는 것을 말한다.

## 06 □□□

**국제 전략적 제휴에 대한 설명으로 옳은 것은?** 2016. 관세직 7급

① 광의·협의의 관점을 불문하고 국제합작투자는 기업들의 지분 참여가 있어야 하기 때문에 전략적 제휴의 대상이 아니다.

② 국제 전략적 제휴는 본질적으로 단기적 보다는 장기적 목표 수행을 위해 이루어지는 경우가 많다.

③ De la Sierra는 성공적인 파트너를 선정하는 중요한 기준으로 양립성(compatibility), 능력(capability), 몰입성(commitment)을 제시하고 있다.

④ 전략적 제휴는 경쟁관계에 있는 기업들보다는 비경쟁관계에 있는 기업들 간에 훨씬 더 많이 일어난다.

답 ③

시에라가 성공적인 국제합작투자 및 제휴를 위하여 파트너를 선정하는 기준으로 제시한 3C는 양립성(compatibility), 능력(capability), 몰입성(commitment)이다.

**선지분석**

① 전략적 제휴란 지분 제휴나 업무 제휴를 말한다. 국제합작투자는 기업들의 지분 제휴가 이루어지므로, 전략적 제휴의 대상이 된다.

② 해외 시장에 초기 진입할 때는 전략적 제휴가 유리하므로 그 제휴의 목표는 단기적인 경우가 많다. 시간이 오래 지나 투자 기업이 현지 상황에 익숙해지는 경우, 직접투자로 넘어갈 수 있다.

④ 전략적 제휴를 하지 않으면 오히려 경쟁 관계에 있을 수 있는 기업들과 제휴를 하는 경우가 많다. 특히 경쟁관계에 있는 기업들과 기술의 공동개발, 부품의 공동조달, 공동생산, 공동판매 등을 하면서, 제휴의 이점을 살리게 된다.

## 07 □□□

**국제합작투자와 전략적 제휴에서 성공하기 위해서는 먼저 좋은 파트너를 선정하는 것이 중요하다. 데 라 시에라(De la Sierra)가 제시한 파트너 선정의 3가지 기준으로 옳지 않은 것은?** 2011. 관세직 7급

① 통화(Currency)
② 능력(Capability)
③ 몰입성(Commitment)
④ 양립성(Compatibility)

답 ①

시에라가 성공적인 국제합작투자 및 제휴를 위하여 파트너를 선정하는 기준으로 제시한 3C는 능력, 몰입성, 양립성이다.

| | | |
|---|---|---|
| 1. 능력 (Capability) | 보완적 능력 | 자사가 가지고 있는 약점을 파트너가 보완해줄 수 있는지, 자신의 강점을 파트너가 강화시켜 줄 수 있는지를 따지는 기준 |
| 2. 몰입성 (Commitment) | 핵심사업 분야 | 자사가 중시하고 있는 사업 분야를 파트너도 중요하게 여기고 있는지를 따지는 기준 |
| 3. 양립성 (Compatibility) | 공존 가능성 | 자사와 파트너의 전략, 문화, 경영관리 시스템이 얼마나 조화롭게 공유될 수 있는지를 따지는 기준 |

## 3 | 국제계약사업

**01** □□□ **다음은 해외시장진출 방식에 대한 설명이다. (가) ~ (다)에 들어갈 용어를 A ~ F에서 바르게 연결한 것은?** 2021. 관세직 7급

- (가) 은/는 경영에 관한 지식이나 경험, 기술 등의 노하우를 보유하고 있는 기업이 자금이나 설비를 갖고 있는 기업과 계약을 체결하여, 한 파트너는 시설을 소유하고 다른 한 파트너는 경영을 담당하는 형태의 방식을 말한다.
- (나) 은/는 설계와 개발능력을 갖춘 제조업체에 제품의 생산을 위탁하면 제조업체는 제품을 개발 및 생산하여 주문자에게 납품하고, 주문업체는 이 제품을 직접 유통하거나 판매하는 형태를 말한다.
- (다) 은/는 발전소, 생산공장, 산업설비 등을 건설하고 가동할 준비가 완료된 상태로 인도하는 것에 더하여, 해외의 발주자가 사업을 영위할 수 있도록 경영관리나 근로자 훈련과 같은 서비스를 추가적으로 제공하는 방식을 말한다.

A. 경영관리계약(management contract)
B. 라이센싱(licensing)
C. 제조업자 개발 생산방식(ODM)
D. 주문자 상표부착 생산방식(OEM)
E. 턴키 플러스(turnkey plus)
F. 턴키계약(turnkey contract)

| | (가) | (나) | (다) |
|---|---|---|---|
| ① | A | C | E |
| ② | B | D | F |
| ③ | A | C | F |
| ④ | B | D | E |

답 ①

(가) 경영에 관한 지식이나 경험, 기술 등의 노하우를 보유하고 있는 기업이 자금이나 설비를 갖고 있는 기업과 계약을 체결하여, 한 파트너는 시설을 소유하고 다른 한 파트너는 경영을 담당하는 형태의 방식을 경영관리계약(management contract)이라 한다. 특정 국가의 기업(경영회사)이 일정기간 다른 국가의 기업(소유회사)의 경영업무를 대신 맡아 관리하고 경영관리 수수료를 소유회사가 경영회사에게 지급하는 계약방식이다.

(나) 설계와 개발능력을 갖춘 제조업체에 제품의 생산을 위탁하면 제조업체는 제품을 개발 및 생산하여 주문자에게 납품하고, 주문업체는 이 제품을 직접 유통하거나 판매하는 형태를 제조업자 개발 생산방식(ODM)이라 한다. 제조업자가 독자적인 개발력과 생산기술을 갖추고 연구개발, 설계, 디자인까지 완료하여 주문자에게 공급하는 방식으로서, 이 경우 주문자의 상표가 부착될 수 있지만, 제조업체가 연구개발 및 설계를 통해 제품 생산을 주도하기 때문에 단순하청 방식인 OEM(Original Equipment Manufacturing)과 구별된다.

(다) 발전소, 생산공장, 산업설비 등을 건설하고 가동할 준비가 완료된 상태로 인도하는 것에 더하여, 해외의 발주자가 사업을 영위할 수 있도록 경영관리나 근로자 훈련과 같은 서비스를 추가적으로 제공하는 방식을 턴키 플러스(turnkey plus)라고 한다. 발전소나 화학공장 등은 공사 완료 후 일정기간 시운전기간이 필요하고 관리요원들에 대한 교육훈련이 필요한데, 이런 교육훈련까지 하는 방식이다.

**02** □□□

**국제계약의 유형에 대한 설명으로 옳지 않은 것은?** 2018. 관세직 7급

① 라이센싱(licensing)은 계약을 통해 현지국 기업의 일상적인 영업활동을 관리할 권한을 부여받고, 이러한 경영서비스의 제공에 대해 일정한 대가를 수취하는 방식이다.

② 계약생산(contract manufacturing)은 한 기업이 외국의 다른 기업에게 생산 및 제조기술을 제공하면서 동시에 특정제품의 생산을 주문하고, 그 주문 생산된 제품을 공급받아 현지시장이나 제3국 시장에 재판매하는 방식이다.

③ 프랜차이징(franchising)은 상표나 상호의 사용권을 갖고 있는 기업이 다른 기업에게 그 사용권을 허락하는 동시에 원료 및 관리시스템까지 일괄 제공하여 양자가 직·간접적으로 다 같이 경영에 참여하는 방식이다.

④ 턴키운영(turnkey operation)은 생산설비를 건설하고 가동하여 생산이 개시될 수 있는 시점에서 계약된 모든 책임이 소유주에게 이전되는 방식이다.

답 ①

'계약을 통해 현지국 기업의 일상적인 영업활동을 관리할 권한을 부여받고, 이러한 경영서비스의 제공에 대해 일정한 대가를 수취하는 방식'은 경영관리계약(management contract)에 대한 설명이다.

**03** □□□

**국제 라이센싱(licensing)에 대한 설명으로 옳지 않은 것은?** 2022. 관세직 7급

① 라이센서는 기술을 해외로 이전시킴으로써 추가적 이윤 확보를 기대할 수 있다.

② 계약의 핵심은 무형 자산의 이전이므로 전문적 서비스를 제공하는 경영관리계약과는 성격이 다르다.

③ 라이센시가 기술에 대한 지식과 노하우를 습득하여 라이센서의 경쟁자로 등장할 수 있다.

④ 현지 합작선과의 합작투자로 설립된 기업의 경영권을 장악하기 위한 수단으로 활용된다.

답 ④

국제 라이센싱(licensing)은 한 국가의 기업(기술제공자, Licensor)이 다른 국가의 기업(기술도입자, Licensee)에게 특허, 노하우, 등록상표 기타 무형자산을 공여하고 그 대가로 로열티를 받는 계약방식이다.

| 구분 | 기술제공자(라이센서) | 기술도입자(라이센시) |
|---|---|---|
| 장점 | • 추가적 이윤 확보(추가 수익 확보)<br>• 투자 및 위험부담 감소<br>• 신속한 목표시장 진출 및 선점<br>• 미래의 직접투자를 위한 자본축적<br>• 기술제공과 연계된 관련 부품 공급 | • 기술개발 자금 부담과 위험의 회피<br>• 새로운 사업의 창출<br>• 기술제공자의 명성과 브랜드의 공유<br>• 품질 향상 |
| 단점 | • 기술도입자의 잠재적 경쟁자 가능성<br>• 소비자의 품질 저하 인식(상표 라이센싱의 경우)<br>• 시장 개발 이익이 공유됨 | • 기술 가치에 대한 적절한 평가의 어려움<br>• 기술제공자에 대한 의존성<br>• 시장진출 및 제품 개발의 제한 |

국제 라이센싱은 현지 기업의 경영권을 장악하려는 것이 아니라, 단지 기술이나 상표 등을 공여하고 로열티를 받는 것을 목적으로 한다.

**04** □□□

**기업의 라이센싱(licensing)에 대한 설명으로 옳지 않은 것은?** 2017. 관세직 7급

① 라이센싱은 잠재적 해외경쟁자에게 회사의 기술적 노하우가 유출될 가능성이 높으며, 미래의 경쟁자를 만들 위험이 크다.
② 라이센싱은 해외시장에서 필요한 제조, 마케팅 그리고 전략에 대한 긴밀한 통제를 하기 쉽다.
③ 라이센싱은 무역 제한이나 외국인 소유에 대한 제한을 회피하는 수단으로 활용되기도 한다.
④ 정규적이고 안정적인 로열티 수입을 확보할 수 있다.

답 ②

국제라이센싱(licensing)이란 다국적기업의 해외진출방식의 1차적인 방법으로서, 한 국가의 기업(라이센서)이 다른 국가의 기업(라이센시)에게 특허, 노하우, 등록상표 기타 무형자산을 공여하고 그 대가로 로열티를 받는 계약방식이다. 라이센싱은 단순히 기술 등을 제공하는 계약방식으로서 '해외시장에서 필요한 제조, 마케팅, 전략에 대한 긴밀한 통제'를 할 수는 없다.

**05** □□□

**국제라이센싱(international licensing) 계약을 체결하는 진출국의 동기로 옳지 않은 것은?** 2011. 관세직 7급

① 국내에서 이미 사용된 기술을 해외에 이전시킴으로써 추가적인 이윤 확보가 가능하다.
② 해외시장에서 특허나 상표를 보호할 수 있다.
③ 현지에 유형자산을 소유하게 됨으로써 정치적 위험에 따른 피해 가능성이 크지만 기술료 습득의 기회가 된다.
④ 과중한 수출운송비가 소요될 때 효율적으로 활용될 수 있다.

답 ③

국제라이센싱(licensing)이란 다국적 기업의 해외진출방식의 1차적인 방법으로서, 한 국가의 기업(라이센서)이 다른 국가의 기업(라이센시)에게 특허, 노하우, 등록상표 기타 무형자산을 공여하고 그 대가로 로열티를 받는 계약방식이다. 즉 기술료 습득의 기회가 된다. 그러나 무형자산을 공여하는 것일 뿐, 유형자산을 소유하게 되는 것이 아니므로, 투자 및 위험 부담이 감소한다.

**06** □□□

**라이센싱 계약의 목적으로 옳지 않은 것은?** 2010. 관세직 7급

① 무역장벽 회피
② 상품이동비용 절약
③ 정치적 위험 회피
④ 경영권 확보

답 ④

국제사업은 크게 무역, 해외투자, 국제계약사업으로 구분된다. 이 중 라이센싱은 국제계약사업에 해당한다. 국제계약사업을 하게 되는 이유는 해외시장 진출시 비용과 위험을 감소시키고, 경쟁우위를 보완하고, 생산합리화와 규모의 경제를 꾀할 뿐만이 아니라 정부정책 및 문화적 장벽을 극복하기 위해서 하기도 한다. 경영권을 확보하기 위한 국제사업은 단순한 지분참여를 넘어선 M&A(기업인수합병)가 있다. M&A는 한 기업이 다른 기업의 경영권을 인수할 목적으로 그 회사의 소유지분을 취득하는 것을 말한다.

**07** □□□ **라이센싱 계약 중 국제적으로 법률상 보호를 받지 못하는 것은?** 2010. 관세직 7급

① 특허
② 노하우(know - how)
③ 상표
④ 저작권

답 ②

특허, 상표, 저작권 등은 국제적으로 '법률상' 보호가 되는 지식재산권으로서, 사용자는 권리자에게 그 권리사용에 대한 대가를 지불하여야 한다. 노하우는 사적계약에 의하여 계약당사자 간에 그 권리를 보장해 줄 수는 있으나, 법률상 보호가 되는 지식재산권은 아니므로, 라이센싱 계약에 의해서도 법률상 당연한 보호대상은 아니다.

**08** □□□ **국제 프랜차이징(franchising)에 대한 설명으로 옳은 것은?** 2021. 관세직 7급

① 국제 프랜차이징은 해외사업에 강력한 통제력을 갖게 되기 때문에 해외 진출 방법 중 가장 위험도가 높다.
② 공여되는 기술 수준이 높아 현지 기업이 흡수할 수 없는 기술이 프랜차이징 대상 기술로 가치가 있다.
③ 국제 프랜차이징은 가맹본부가 자신의 상표나 상호의 사용권, 원료, 관리시스템까지 가맹점이 활용할 수 있게 하는 계약제도이다.
④ 국제 프랜차이징에서 무형자산 외에 유형자산을 공급하면 해외직접투자가 되므로 금지하고 있다.

답 ③

국제 프랜차이징은 가맹본부가 자신의 상표나 상호의 사용권, 원료, 관리시스템까지 가맹점이 활용할 수 있게 하는 계약제도이다. 기업이 자신의 상호, 상표, 기술 등의 사용권을 특정 기업이나 개인에게 허용할 뿐만 아니라, 원료의 공급, 조직, 마케팅 등을 지원하는 포괄적 협력 관계를 유지하는 경영 방식이다.

**선지분석**

① 국제 프랜차이징의 경우, 표준화된 마케팅 전략과 운영 노하우를 통해 정치적 위험이 높은 현지 시장에 비교적 적은 투자 위험으로 진출할 수 있다. '가장 위험도가 높다'는 표현은 맞지 않다.
② 국제 프랜차이징의 대상이 되는 기술 등은 '표준화'된 것이어야 한다. 그 기술 수준이 너무 높아서 현지 기업이 흡수할 수 없다면 프랜차이징의 대상이 되기 어렵다.
④ 국제 프랜차이징은 상호, 상표, 기술 등의 무형자산 뿐만이 아니라, 원료와 같은 유형자산도 함께 공급할 수 있다.

**09** □□□

**기업이 자신의 상호, 상표, 기술 등의 사용권을 특정 기업이나 개인에게 허용할 뿐만 아니라 원료의 공급, 조직, 마케팅 등을 지원하는 포괄적 협력 관계를 유지하는 경영 방식은?** 2014. 관세직 7급

① 라이선싱
② 프랜차이징
③ 주문자 상표부착 생산 방식
④ 턴키계약

답 ②

프랜차이징(franchising)은 기업이 자신의 상호, 상표, 기술 등의 사용권을 특정 기업이나 개인에게 허용할 뿐만 아니라 원료의 공급, 조직, 마케팅 등을 지원하는 포괄적 협력 관계를 유지하는 경영 방식이다. 사업본사인 프랜차이저(franchisor)가 해외에 있는 다른 기업, 즉 프랜차이지(franchisee)에게 상표의 사용권, 제품의 판매권, 기술 등을 제공하고 그 대가로 가맹금, 보증금, 프랜차이징 수수료 등을 받는 계약방식으로서, 라이센싱의 한 유형이라고 볼 수도 있으나 영업권의 단순한 사용 허락을 넘어 구체적인 사업방식까지 제공한다는 면에서 라이센싱 계약보다 포괄적인 사업방식이다.

**10** □□□

**다음 설명과 일치하는 해외시장 진출방식으로 옳은 것은?** 2013. 관세직 7급

> 오로라 호텔은 K그룹이 SUN체인에 가입하여 운영한다. 체인가입의 대가로 SUN이라는 상호를 쓸 수 있고, 전세계 SUN체인점에서 예약을 해준다. 대신에 SUN본사에서 관리자를 파견하여 SUN이라는 이름에 어울리는 서비스를 제공하도록 호텔운영에 간섭하고, 그 대가로 수입의 일정률을 경영지도비라는 명목으로 받아간다.

① 라이센싱(licensing)
② 프랜차이징(franchising)
③ 경영관리계약(management contract)
④ 턴키프로젝트(turn-key project)

답 ②

프랜차이징(franchising)은 기업이 자신의 상호, 상표, 기술 등의 사용권을 특정 기업이나 개인에게 허용할 뿐만 아니라 원료의 공급, 조직, 마케팅 등을 지원하는 포괄적 협력 관계를 유지하는 경영 방식이다. 'SUN체인'에 가입하여 운영하며, 가입의 대가로 SUN이라는 상호를 쓸 수 있다는 특성은 프랜차이징에 나타난다. 그러므로 경영업무를 대신 맡아 관리하고 경영관리 수수료를 소유회사가 경영회사에게 지급하는 계약방식인 경영관리계약(management contract)과는 구분하여야 한다.

**11** □□□

**프랜차이징(franchising)에 관한 설명으로 옳지 않은 것은?** 2008. 관세직 7급

① 라이센싱(licensing)의 한 형태이지만 라이센싱보다 훨씬 강한 통제를 가능하게 한다.
② 제품 특성상 완제품 형태로는 수출하기 어렵지만, 생산공정 내지 관리시스템이 쉽게 해외에 이전될 수 있는 경우에 활용가치가 높다.
③ 음식점, 호텔 및 주유소 등 서비스 업종에서 많이 활용된다.
④ 주로 각국의 특성에 맞는 비표준화된 마케팅기법을 사용한다.

답 ④

프랜차이징은 표준화된 마케팅 전략과 운영 노하우를 통해 정치적 위험이 높은 현 시장에 비교적 적은 투자위험으로 진출할 수 있다. 표준화된 시스템으로 진출하므로 진출국 수가 많을수록 평균 진출비용이 급격히 낮아지는 것도 프랜차이징의 특징이다. 프랜차이징은 라이센싱의 한 유형이라고 볼 수도 있으나, 영업권의 단순한 사용허락을 넘어 구체적인 사업방식까지 제공한다는 면에서 라이센싱 계약보다 포괄적인 사업방식이다. 프랜차이징은 음식점, 호텔, 주유소 등 서비스 업종에서 많이 활용된다. 놀부의 해외 프랜차이징 진출이나 국내의 많은 패밀리 레스토랑이 그 예이다.

**12** □□□

**해외시장 진입방식 중 턴키계약에 대한 설명으로 옳지 않은 것은?** 2022. 관세직 7급

① 외국기업이 투자자 입장에서 공장 또는 설비를 건설한 후, 일정기간 동안 직접 운영함으로써 건설을 위해 투입된 투자비와 적정이익을 회수한 다음, 공장 또는 설비를 현지국 정부나 기업에게 이양하는 방식이다.
② 턴키계약서에는 계약당사자의 의무와 책임, 불가항력조항, 분쟁해결방법 등이 상세하게 명시된다.
③ 공장건설이 완료된 후에도 발주자가 프로젝트를 원만히 수행할 수 있도록 시운전, 경영관리, 종업원 훈련 등 제반 서비스 일체를 포함하는 방식을 턴키 플러스라고 한다.
④ 턴키계약은 현지국 정부에 의한 계약 취소, 강제적 재협상 등 정치적 위험에 노출되기 쉽다.

답 ①

원칙적으로 턴키계약은 엔지니어링, 기자재 구매, 시공, 설치 등 공사 전 과정을 끝내고 '설비가 가동될 수 있는 상태'로 공사발주자에게 인도하는 계약방식이다. 투자자가 '일정 기간 동안 직접 운영'하는 방식이 아니다.

**13** □□□

**외국으로부터 공장이나 기타 산업시스템을 발주 받아 이를 설계 · 건설하여 생산이 개시될 수 있는 시점에서 그것을 발주자에게 일괄 제공하는 방식은?** 2015. 관세직 7급

① 프랜차이징
② 국제계약생산
③ 국제턴키프로젝트
④ 국제라이선싱

답 ③

국제턴키계약(turnkey project, 국제턴키 프로젝트)이란 특정 해외프로젝트와 관련해서 엔지니어링, 기자재 구매, 시공, 설치 등 공사 전 과정을 끝내고 설비가 가동될 수 있는 상태로(생산이 개시될 수 있는 시점에) 공사발주자에게 인도하는 일괄 수주계약방식이다.

**14** □□□

**해외시장 진입 방법의 일반적 유형으로 옳은 것은?** 2020. 관세직 7급

① 라이센싱은 특정 기업이 자신의 특허, 노하우, 기술 등과 같은 무형재산을 일정 기간 동안 다른 기업에게 사용하도록 허용하고, 그 대가로 로열티나 다른 형태의 보상을 받도록 체결하는 계약형태이다.
② 계약생산방식은 현지국 기업의 경영업무를 대신 맡아 관리할 권한을 부여받고, 이에 대해 일정한 대가를 수취하는 계약형태이다.
③ 턴키계약은 국제기업이 진출대상국에 있는 기존의 제조업체로 하여금 일정한 계약조건하에서 제품을 생산하도록 하고, 이를 현지국이나 제3국에 판매하는 계약형태이다.
④ 합작투자방식은 기획, 조사, 설계, 조달, 시공 등 프로젝트 전체를 포괄하는 일괄수주 계약형태이다.

답 ①

**선지분석**

② '경영관리계약'은 현지국 기업의 경영업무를 대신 맡아 관리할 권한을 부여받고, 이에 대해 일정한 대가를 수취하는 계약형태이다.
③ '국제하청생산계약'은 국제기업이 진출대상국에 있는 기존의 제조업체로 하여금 일정한 계약조건하에서 제품을 생산하도록 하고, 이를 현지국이나 제3국에 판매하는 계약형태이다.
④ '국제턴키계약'은 기획, 조사, 설계, 조달, 시공 등 프로젝트 전체를 포괄하는 일괄수주 계약형태이다.

**15** □□□ **다음 해외시장진입방법 중 계약방식에 의한 진입형태가 아닌 것은?** 2007. 관세직 7급

① 라이센싱(licensing) ② 프랜차이징(franchising)
③ 턴키플러스(turnkey plus) ④ 공동수출(cooperative export)

답 ④

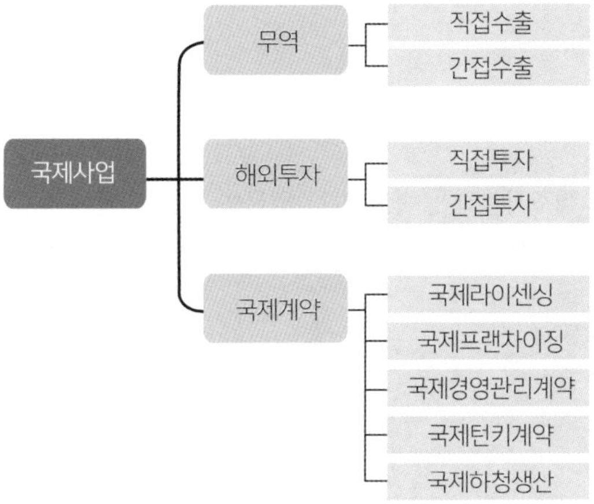


계약방식에 의한 해외시장 진입방법은 국제라이센싱, 국제프랜차이징, 국제경영관리계약, 국제턴키계약, 국제하청생산이다.

**16** □□□ **다음은 해외시장 진입방법을 계약방식에 따라 분류하는 방식 중 일부에 대한 설명이다. ㉠과 ㉡에 들어갈 진출방식을 바르게 연결한 것은?** 2017. 관세직 7급 하반기

> 생산설비를 건설하고 설비가 가동되어 생산이 개시될 수 있는 시점에 소유주에게 생산설비를 넘겨주는 계약방식을 ( ㉠ )이라 하고, 일정 수준의 제조시설과 능력을 갖춘 해외의 제조 기업에게 주문 회사의 요구대로 제품을 생산·공급하도록 계약을 맺고 공급제품에 대한 현지에서의 마케팅은 주문 회사가 책임지는 해외진출 계약방식을 ( ㉡ )이라 한다.

| | ㉠ | ㉡ |
|---|---|---|
| ① | international subcontracting | contract manufacturing |
| ② | turnkey project | co-production agreement |
| ③ | turnkey project | contract manufacturing |
| ④ | management contract | co-production agreement |

답 ③

㉠ turnkey project(턴키계약): 생산설비를 건설하고 설비가 가동되어 생산이 개시될 수 있는 시점에 소유주에게 생산설비를 넘겨주는 계약방식이다.
㉡ contract manufacturing(계약생산, 국제하청생산계약): 일정 수준의 제조시설과 능력을 갖춘 해외의 제조 기업에게 주문 회사의 요구대로 제품을 생산·공급하도록 계약을 맺고 공급제품에 대한 현지에서의 마케팅은 주문 회사가 책임지는 해외진출 계약방식이다(주문자의 상표를 부착하여 주문자에게 납품한다면, OEM이라고 한다).

**17** □□□

**해외시장 진입방식 중 일정 수준의 제조시설과 능력을 가진 외국의 다른 기업에 생산 및 제조기술을 제공하는 동시에 특정 제품의 생산을 주문하고, 그 주문 생산된 제품을 공급받아 현지 시장이나 제3국 시장에 재판매하는 방식은?** 2019. 관세직 7급

① Licensing
② Franchising
③ Contract Manufacturing
④ Management Contract

답 ③

계약생산(Contract Manufacturing)이란 한 기업이 외국의 특정 기업에 생산 및 제품을 공급받아 현지국 시장이나 제3국 시장에 판매하는 방식으로 국제하청생산계약(International Subcontracting)이라고도 한다. 이는 현지국 시장의 보호장벽으로 인해 직접 수출하기 어렵거나 현지국 시장이 상대적으로 작아서 해외직접투자가 바람직하지 않을 경우에 적합한 방법이다.

**18** □□□

**기업의 다음과 같은 해외사업방식은?** 2010. 관세직 7급

| |
|---|
| 공장이나 여타 설비를 건설한 후 일정 기간 동안 직접 운영함으로써 투자비 및 이익을 회수하고 해당 설비를 현지 정부나 현지 기업에게 이양하는 형태의 국제사업방식으로, 투자자가 재원조달을 하고 소유권은 투자자로부터 발주자에게로 이양되며 투자자의 투자회수는 설비의 운영수익으로 이루어진다. |

① Turn-key 방식
② BOT 방식
③ OEM 방식
④ Turn-key Plus 방식

답 ②

공장이나 여타 설비를 건설한 후(Build), 일정 기간 동안 직접 운영함으로써 투자비 및 이익을 회수하고(Operate), 해당 설비를 현지 정부나 현지 기업에게 이양(Transfer)하는 형태의 국제사업방식을 BOT(Build-Operate-Transfer) 방식이라 한다.

**19** □□□ **외국의 수입업자로부터 수출상품의 생산을 주문 받아 생산된 제품에 주문자의 상표를 부착하여 수출하는 방식의 무역 형태는?** 2009. 관세직 7급

① OEM방식 수출
② 녹 - 다운(Knock - down)방식 수출
③ 턴 - 키(Turn - key)방식 수출
④ 링크제(Link system)무역

답 ①

주문자 상표 부착 방식의 수출로서, 수입자로부터 수출상품의 생산을 주문 받아 생산된 제품에 수입자의 상표를 부착하여 수출하는 방식을 OEM(Original Equipment Manufacturing)방식이라 한다.

**20** □□□ **해외시장 진입시에 국제기업이 부담하는 위험과 투입하는 자원이 가장 낮은 것부터 순서대로 나열한 것은?** 2008. 관세직 7급

① 합작투자 - 간접수출 - 직접수출 - 현지마케팅 - 라이센싱 - 단독투자
② 간접수출 - 라이센싱 - 합작투자 - 직접수출 - 단독투자 - 현지마케팅
③ 합작투자 - 직접수출 - 간접수출 - 현지마케팅 - 라이센싱 - 단독투자
④ 간접수출 - 라이센싱 - 직접수출 - 현지마케팅 - 합작투자 - 단독투자

답 ④

현지에서 직접 진행하는 현지마케팅, 합작투자 및 단독투자가 국제기업이 부담하는 위험과 투입하는 자원이 가장 크다. 그 중에서도 국제기업이 단독으로 투자하는 것이 그 부담이 가장 크다. 간접수출은 직접적인 수출자가 되지 않고 다른 기업이 마케팅 능력 등을 활용한 수출로서, 그 부담이 가장 적다. 라이센싱은 한 국가의 기업(라이센서)이 다른 국가의 기업(라이센시)에게 특허, 노하우, 등록상표 기타 무형자산을 공여하고 그 대가로 로열티를 받는 계약방식으로서 그 투자위험이 상대적으로 적은 해외시장 진출방식이다.

CHAPTER 4

# 현지경영전략

## 1 | 국제마케팅

**01** □□□ **다음은 프라하라드(Prahalad)와 도즈(Doz)의 통합-대응 모델에 대한 설명이다. 빈칸에 들어갈 용어는?**

2022. 관세직 7급

> [　　　]은 글로벌통합압력은 물론 현지시장에 대한 적응압력도 비교적 높은 수준으로 요구될 때 나타나는 기업의 대응유형이다. 이 유형에서 국제기업은 자회사들의 자율적인 독자경영을 허용하면서 본사는 각 지역의 자회사 간의 이해를 통합-조정하게 된다.

① 다중심전략(Multifocal Strategy)
② 보호시장침투전략(Protected Market Strategy)
③ 지역별대응전략(Local Responsiveness Strategy)
④ 순수글로벌전략(Pure Global Strategy)

답 ①

1987년에 프라하라드와 도즈가 도입한 통합-대응 그리드를 사용하여 국제기업의 전략적 변화와 포지셔닝을 검토할 수 있다. 이 모델은 국제 경영 환경을 글로벌 통합압력과 지역별 적응(대응)압력의 두 가지 차원으로 나누고, 이들 환경에 기초한 국제경영 전략을 제시한다.

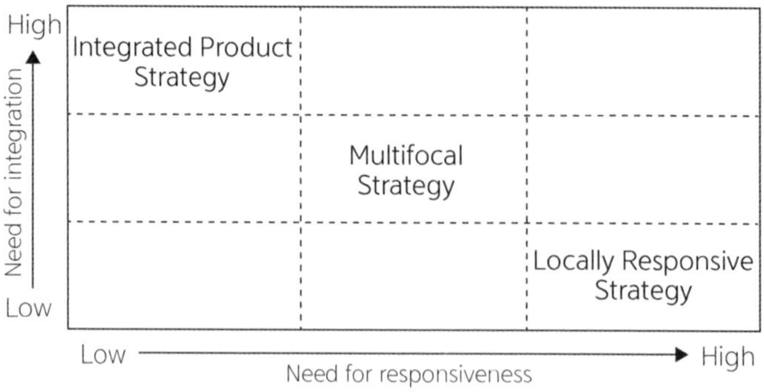


- Integrated Product Strategy(통합 제품 전략): 다국적 경쟁이 극심할 때, 규모의 경제와 비용 절감을 위해 제품을 통합하는 전략이다.
- Locally Responsive Strategy(지역별 대응전략): 현지 고객의 니즈와 다양한 시장구조에 맞게 대응하는 전략이다.
- Multifocal Strategy(다중심 전략): 글로벌 통합압력과 현지시장에 대한 적응압력이 '비교적' 높은 상태에서, 현지 자회사들이 독자경영을 하도록 허용하면서, 본사는 자회사 간의 이해를 통합-조정하는 전략이다.

**02** □□□ **초기에 가격을 높게 책정한 후 점차 시간이 흐를수록 가격을 낮춤으로써 수요의 가격탄력성을 최대한 활용하여 총수익을 극대화하는 가격설정 방식은?** 2017. 관세직 7급

① 시장침투가격(penetration pricing)
② 원가가산가격(cost - plus pricing)
③ 스키밍가격(skimming pricing)
④ 단수가격(odd pricing)

답 ③

새로운 제품의 가격을 정할 때에는 초기 출시 가격을 둘 중 하나로 할 수 있다. 하나는 초기에 고가로 출시하고 점차 가격을 내리는 방법이고, 다른 하나는 낮은 가격으로 출시하였다가 이후 점차 인상하는 방법이다. 이 중 '초기에 가격을 높게 책정한 후 점차 시간이 흐를수록 가격을 낮춤으로써 수요의 가격탄력성을 최대한 활용하여 총수익을 극대화하는 가격 설정 방식'을 스키밍 가격(skimming pricing)이라 한다. 이 가격전략은 저가의 대체품들이 출시되기 전 빠른 시간 안에 초기 투자금을 회수하고 이익을 확보하기 위해 사용한다. 초기 고가격에 제품을 사용할 의사가 있는 얼리 어답더(early adopter)들의 유보가격을 기준으로 제품을 출시한 뒤, 가격을 내려 소비자층을 확대하는 식으로 이윤을 극대화한다는 개념으로 시장이 가격에 민감하지 않을 때 유효한 전략이며 경쟁사가 모방이 어려울 정도로 해당 제품의 기술력이나 차별성이 뛰어날 경우, 혹은 브랜드 충성도가 있을 경우 이 전략이 적합하다.

**선지분석**

① 스키밍 가격에 대비되는 가격설정 방식에는 시장침투가격(penetration pricing)이 있다. 시장침투가격이란 낮은 가격을 책정함으로써 시장 개발의 속도를 높이고 시장점유율을 높여 장기적으로 시장을 지배하려는 가격 설정방식이다. 신제품을 시장에 선보일 때 초기에는 낮은 가격으로 제시한 후 시장점유율을 일정 수준 이상 확보하면 가격을 점차적으로 인상하게 되는데, 도입기 저가전략이라고도 한다.

② 원가가산가격(cost - plus pricing)이란 재화나 서비스의 원가에 일정한 이익률을 고려하여 시장가격을 결정하는 방식이다. 제품의 원가와 이익률만을 이용하여 가격을 결정하기 때문에 내부 자료만으로 가격을 산출할 수 있다는 장점이 있으나, 시장의 수요 상황, 경쟁사의 가격 등을 고려하지 않는다는 한계가 있다.

④ 단수가격(odd pricing)이란 제품 가격을 설정할 때 가격의 끝자리를 단수로 표시하여 정상 가격보다 약간 낮게 설정하는 마케팅 전략이다. 예를 들어 정상가격이 1만원인 제품의 판매가격을 9,900원으로 표시하여 가격대를 변동시킴으로써 소비자의 구매 결정을 유도하는 방식이다.

**03** □□□ **신제품 도입 초기에 높은 가격을 책정함으로써 초기에 이윤을 극대화하고, 시간이 지나면서 시장 경쟁상황에 따라 점차적으로 가격을 인하해 나감으로써 시장점유율을 유지시켜 나가는 국제가격 전략은?** 2020. 관세직 7급

① Penetration Pricing Strategy
② Skimming Pricing Strategy
③ Reference Pricing Strategy
④ Odd Pricing Strategy

답 ②

신제품 도입 초기에 높은 가격을 책정함으로써 초기에 이윤을 극대화하고, 시간이 지나면서 시장경쟁상황에 따라 점차적으로 가격을 인하해 나감으로써 시장점유율을 유지시켜 나가는 국제가격전략을 초기 고가 전략(Skimming Pricing Strategy)이라고 한다.

**선지분석**

① Penetration Pricing Strategy(침투 가격 전략): 단기간 내 높은 시장점유율을 달성하기 위한 저가 전략
③ Reference Pricing Strategy(준거 가격 전략): 비교가 되는 여러 가격들을 제시하여 그 기업의 가격만 따로 떼어서 볼 수 없게 하는 전략(제품의 경제적 가치보다는 심리적으로 가치 판단을 하게 함)
④ Odd Pricing Strategy(단수 가격 전략): 제품 가격을 설정할 때 가격의 끝자리를 단수로 표시하여 정상 가격보다 약간 낮게 설정하는 전략

**04** □□□

**국제마케팅믹스 전략에 해당하지 않는 것은?** 2017. 관세직 7급

① 국제제품전략
② 국제인사관리전략
③ 국제유통전략
④ 국제촉진전략

답 ②

마케팅 믹스란 기업이 목표시장에서 마케팅 목표를 달성하기 위해 사용하는 통제가능한 마케팅 수단들의 집합을 말한다. 마케팅 믹스는 기업이 제품의 매출, 수요, 고객의 반응과 태도에 영향을 주기위해 활용할 수 있는 모든 수단으로 구성되어 있다. 마케팅 믹스의 네 가지 변수, 즉 4P는 제품(Product), 가격(Price), 촉진(Promotion), 유통(Place)로 구성된다. 국제마케팅믹스 전략에는 국제제품전략, 국제가격전략, 국제촉진전략, 국제유통전략이 포함되지만, 국제인사관리전략은 포함되지 않는다.

**05** □□□

**국제 마케팅 믹스전략(4P)의 전략요소와 그에 대한 설명 중 옳지 않은 것은?** 2009. 관세직 7급

① 유통(place)전략: 자사제품의 특성, 각국 시장의 마케팅 구조, 경쟁환경 등을 고려하여 효율적인 유통구조를 구축해야 한다.
② 제품(product)전략: 제품을 판매하기 위해서 소비자의 입맛에 맞는 다양한 제품을 개발하고 타사의 제품과 차별화해야 한다.
③ 이윤(profit)전략: 이윤은 기업이 추구하는 목표이므로 이윤의 결정에 중요한 영향을 미치는 가격을 적절히 설정해야 한다.
④ 촉진(promotion)전략: 인적판매나 광고 등을 통해 자사의 제품과 서비스에 대하여 유리한 환경을 조성해야 한다.

답 ③

마케팅 믹스의 네 가지 변수, 즉 4P는 제품(Product), 가격(Price), 촉진(Promotion), 유통(Place)으로 구성된다. 이윤(Profit)은 4P에 해당하지 않는다.

**06** □□□ **BCG(Boston Consulting Group) 포트폴리오 매트릭스에 대한 설명으로 옳지 않은 것은?**

2021. 관세직 7급

① 자금 젖소(cash cow)인 시장은 현지에서의 경쟁력이 높고 전략적 중요성도 높은 시장을 의미한다.
② 별(star)인 시장은 계속적으로 투자하여 경쟁력을 유지하는 것이 필요하다.
③ 경쟁우위도 낮고 전략적 중요성도 낮은 시장은 개(dog)라고 하며 이 시장에서는 철수를 검토하여야 한다.
④ 물음표(?)인 시장은 적극적으로 투자하여 경쟁우위를 높이는 방법 등을 고려하여야 한다.

답 ①

자금 젖소(cash cow)인 시장은 현지에서의 경쟁력이 높지만, 전략적 중요성은 낮은 시장을 말한다.

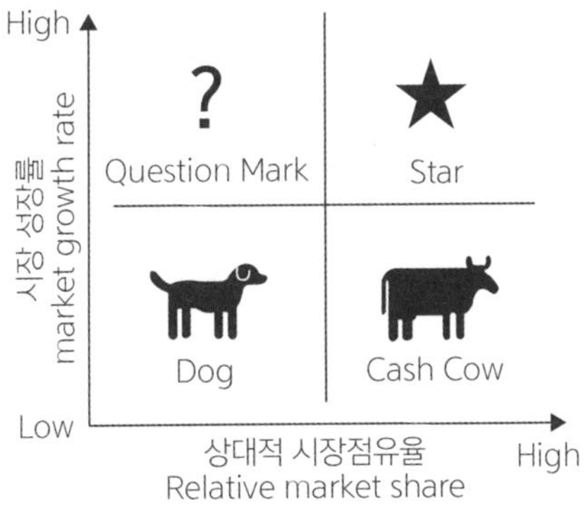


- Question Mark: 점유율은 낮으나 성장률이 높은 사업(적극적으로 투자하여 경쟁력을 높여야 함)
- Star: 점유율과 성장률이 모두 높은 사업(계속적으로 투자해야 함)
- Dog: 점유율과 성장률이 모두 낮은 사업(철수해야 함)
- Cash Cow: 점유율은 높지만 성장률은 낮은 사업(성장 가능성은 낮지만 시장점유율이 높으므로, 현상 유지가 바람직함)

**07** □□□ **허쉬(Hirsch)의 해외시장 진입 방법 선택 모형에 대한 설명으로 옳지 않은 것은?**

2009. 국제통상직 7급

① 수출, 라이센싱, 해외직접투자 중 최적의 진입방법을 선택하기 위한 모형의 하나이다.
② 무역장벽이나 기술유출위험의 여부가 진입방법 선택의 기준이 된다.
③ 생산비용, 마케팅비용, 기술적 우위의 잠식비용 등 비용 관점에서 진입방법을 판단한다.
④ 시간의 흐름으로 볼 때, 라이센싱이 해외직접투자보다 다음 단계의 진입방법이다.

답 ②

- 허쉬(Hirsch)의 최소비용 모형은 본국에서의 생산비, 현지국에서의 생산비, 수출마케팅비용, 외국비용, 라이센싱으로 인한 기술적 우위의 잠식과 관련된 비용 등을 종합적으로 고려하여 진입 방법을 선택하는 모형이다.
- 러그만(Rugman)의 단순 모형은 무역 장벽이 없으면 수출, 무역 장벽이 있으나 기술유출 위험이 있으면 해외직접투자, 기술유출 위험이 없으면 라이센싱을 택하는 모형이다.

**08** □□□ **해외시장 진입방법 관련 선택모형에 대한 설명이다. ㉠과 ㉡을 주장한 사람이 바르게 연결된 것은?**

2016. 관세직 7급

| |
|---|
| ( ㉠ ) 모형은 수출, 라이센싱, 해외직접투자의 세 가지 해외시장 진입방법에 따른 비용과 그 변동추이를 중심으로 최적의 해외시장 진입방법을 수식으로 설명하고, ( ㉡ ) 모형은 진입방법의 유형을 수출, 라이센싱, 해외직접투자 세 가지로 구분하되 이들의 선택과정을 무역장벽과 기술 유출위험 여부를 이용하여 설명한다. |

| | ㉠ | ㉡ |
|---|---|---|
| ① | 허쉬(S. Hirsch) | 러그만(A. M. Rugman) |
| ② | 루트(F. R. Root) | 허쉬(S. Hirsch) |
| ③ | 홉스테드(G. Hofstede) | 루트(F. R. Root) |
| ④ | 러그만(A. M. Rugman) | 홉스테드(G. Hofstede) |

답 ①

- 허쉬(S. Hirsch)의 최소 비용 모형: 수출, 라이센싱, 해외직접투자의 세 가지 해외시장 진입방법에 따른 비용과 그 변동추이를 중심으로 최적의 해외시장 진입방법을 수식으로 설명한다.
- 러그만(A. M. Rugman)의 단순 모형: 진입방법의 유형을 수출, 라이센싱, 해외직접투자 세 가지로 구분하되 이들의 선택과정을 무역장벽과 기술 유출위험 여부를 이용하여 설명한다.

**09** ☐☐☐ **해외시장 진입방법의 동기 및 선택에 대한 설명으로 옳지 않은 것은?** 2015. 관세직 7급

① 하이머는 기업들이 독점적인 경쟁우위가 있는 경우 이윤 극대화를 위해 해외직접투자를 행한다고 주장하였다.
② 러그만의 단순모형에 따르면 기술이 유출되어 경쟁우위를 잠식당할 가능성이 높은 경우 기업은 라이선싱을 통해 해외시장에 진출한다.
③ 루트의 모형에 따르면 기업은 해외사업에 대한 통제 정도와 위험 수준에 따라 해외시장 진입 방식을 변화시켜 나간다.
④ 더닝의 절충이론에 따르면 해외직접투자가 이루어지기 위해서는 기업 특유의 우위, 내부화의 우위, 입지 특유의 우위가 있어야 한다.

답 ②

러그만(Rugman)의 단순모형은 무역장벽이 없으면 수출, 무역장벽이 있으나 기술유출위험이 있으면 해외직접투자, 기술유출위험이 없으면 라이센싱을 택하는 모형이다.

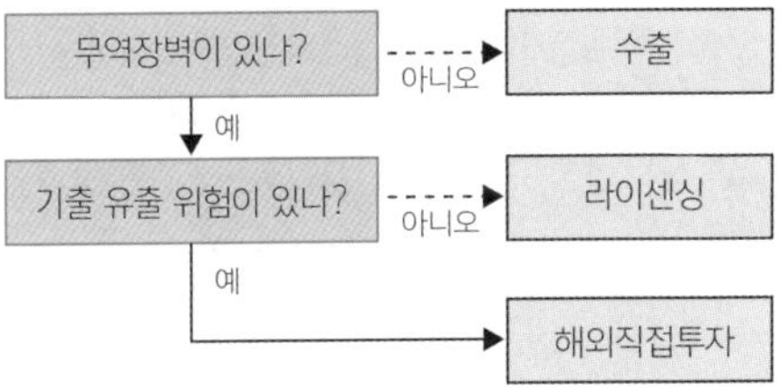


**10** ☐☐☐ **기업이 국제화를 추진하면서 선택할 수 있는 전략 유형을 수출, 국제 라이센싱, 해외직접투자 등 세 가지로 나누고 이들의 선택과정을 설명한 것은?** 2021. 관세직 7급

① 러그만(A. M. Rugman)의 모형
② 하이머(S. H. Hymer)의 모형
③ 홉스테드(G. Hofstede)의 모형
④ 본드(M. Bond)의 모형

답 ①

러그만(Rugman)의 단순모형은 무역장벽이 없으면 수출, 무역장벽이 있으나 기술유출위험이 있으면 해외직접투자, 기술유출위험이 없으면 라이센싱을 택하는 모형이다.

## 11 □□□

**기업이 통제와 위험 정도에 따라 해외시장진입방식을 변화시켜 나가게 된다는 것을 동태적으로 설명한 모형은?**

2019. 관세직 7급

① 루트(Root)의 모형
② 버논(Vernon)의 모형
③ 러그만(Rugman)의 단순 모형
④ 니커보크(Knickerbocker)의 모형

답 ①

기업은 해외시장에 대한 지식과 경험이 축적되면 높은 수준의 위험이 수반되는 진입방식도 채택할 수 있게 된다. '간접수출 → 직접수출 → 해외판매 자회사설립 → 합작투자 생산자회사 설립 → 단독투자 생산자회사 설립(해외시장 진입방식의 고도화)'과 같이 기업이 통제와 위험 정도에 따라 해외시장진입방식을 변화시켜 나간다는 주장을 루트(Root)의 점진적 학습과정 모형이라 한다.

**선지분석**

② 버논(Vernon)의 모형: 신개발품의 수명주기(life cycle)에 의하여 결정되는 비교우위의 변화가 국제무역의 흐름을 결정한다는 이론이다.
③ 러그만(Rugman)의 단순 모형: 무역장벽이 없으면 수출, 무역장벽이 있으나 기술유출위험이 있으면 해외직접투자, 기술유출위험이 없으면 라이센싱을 택하는 모형이다.
④ 니커보크(Knickerbocker)의 모형: 산업구조가 과점적인 상황에서 해외직접투자를 과점적 경쟁기업 간의 대응진출 및 상호경쟁 현상으로 설명하는 이론(독과점적 대응이론, Oligopolistic Reaction Theory)이다.

## 12 □□□

**국제기업전략을 수립하기 위하여 사용되는 SWOT 분석의 요소가 아닌 것은?**

2015. 관세직 7급

① 강점(Strength)
② 약점(Weakness)
③ 기회(Opportunity)
④ 표적화(Targeting)

답 ④

국제기업전략을 수립하기 위하여 사용되는 SWOT 분석의 요소는 S(strength), W(weakness), O(opportunity), T(threats)이다.

| | |
|---|---|
| 강점(Strength) | 약점(Weakness) |
| 기회(Opportunity) | 위협(Threats) |

**13** □□□ **기업이 해외시장에 진출할 때 활용하는 STP(Segmentation, Targeting, Positioning) 전략에 대한 설명으로 옳지 않은 것은?** 2016. 관세직 7급

① STP 전략은 현지 시장특성에 맞는 효과적인 마케팅 전략의 수립을 위해 필요하다.
② 세분시장 간에는 동질성(homogeneity)이, 세분시장 내에는 이질성(heterogeneity)이 극대화되어야 한다.
③ 너무 많은 세분시장을 목표시장으로 선정하게 되면 기업 활동이 분산되어 많은 비용이 발생할 수 있다.
④ 포지셔닝(Positioning)이란 고객에게 기업의 제품과 이미지를 어떻게 인식시키고자 하는가를 결정하는 전략적 활동이다.

답 ②

STP 전략은 우선 시장을 다수의 시장으로 분류하고(Segmentation), 세분화된 여러 시장 중에서 자사의 능력과 경쟁 등을 고려하여 가치가 있는 표적 시장을 선택한 후(Targeting), 그 선택된 시장에서 제품 속성이나 다양한 마케팅믹스 요인을 이용하여 자사제품을 고객에게 특정한 이미지로 인식시키는(Positioning) 전략을 말한다. 현지시장 세분화(Segmentation)란 기업이 진출한 현지국의 시장을 일정한 기준에 따라 동질적인 여러 개의 집단으로 나누는 것이다. 그러므로 세분시장 간에는 이질성(heterogeneity)이 있어야 하고, 세분시장 내에는 동질성(homogeneity)이 있어야 한다.



**14** □□□ **키간(W. J. Keegan)은 마케팅믹스전략 중 제품요소와 촉진요소만을 고려하여 국내의 특정 제품시장에 기반을 둔 기업이 해외시장에서 활용할 수 있는 전략적 대안을 제시하고 있다. 다음 상황에서 활용할 수 있는 전략은?** 2015. 관세직 7급

| |
|---|
| 제품의 사용 조건이 국내시장과 같거나 비슷하지만 제품의 사용 목적이 국내시장과 상이할 경우에 사용할 수 있는 전략이다. |

① 제품 표준화, 촉진 표준화 전략
② 제품 적응화, 촉진 적응화 전략
③ 제품 표준화, 촉진 적응화 전략
④ 제품 적응화, 촉진 표준화 전략

답 ③

표준화 전략이란 다국적 기업이 이익의 증대를 위해서 범세계적인 통일된 시스템을 유지하고 해외 자회사들의 활동을 통합하는 전략으로서, 본국시장에서의 마케팅 전략을 해외시장에서 그대로 사용하게 된다. 한편, 적응화 전략이란 다국적 기업이 이익의 증대를 위해서 해외 현지의 환경조건에 적응할 수 있는 개별적인 시스템을 채택하는 전략으로서, 현지(해외) 시장에서의 마케팅 전략은 본국 시장과 차별화된다. 제품의 사용 조건이 국내시장과 같거나 비슷하므로 제품 자체를 변경시킬 필요는 없다. 그러므로 '제품 표준화' 정책을 취하는 것이 합리적이다. 다만, 제품의 사용 목적이 국내시장과 다르므로 판매 촉진 방법은 현지시장에 맞게 적응시키는 전략이 필요하다. 즉 '촉진 적응화' 전략이 필요하다.

**15** □□□ **공급체인관리(SCM: Supply Chain Management) 구축의 성공 요인으로 옳지 않은 것은?**

2014. 관세직 7급

① SCM을 위한 파트너십 간의 기업목표 조정
② 거래 파트너와의 밀접한 유대 강화
③ 단기적인 계약 관계의 유지
④ SCM에 대한 최고경영자의 관심

답 ③

SCM(Supply Chain Management, 공급체인관리)이란 공급자, 생산자, 유통업자 상호간에 자재(원료) 및 정보의 흐름이 상하 양방향으로 이루어지도록 하는 시스템으로서 고객 서비스 요구사항, 공장과 유통센터의 네트워크 디자인, 재고관리, 외주와 제3자 물류관계, 핵심고객과 공급자 관계, 비즈니스 프로세스 등의 효율성 제고를 목표로 도입된 경영혁신기법을 말한다. SCM이 성공하기 위해서는 당사자 간에 '장기적인 계약' 관계로 협력이 이루어져야 한다.

**16** □□□ **공급자, 생산자, 유통업자 상호간에 자재(원료) 및 정보의 흐름이 상하 양방향으로 이루어지도록 하는 시스템으로서 고객서비스 요구사항, 공장과 유통센터의 네트워크 디자인, 재고관리, 외주와 제3자 물류관계, 핵심고객과 공급자 관계, 비즈니스 프로세스 등의 효율성 제고를 목표로 도입된 경영혁신기법은?**

2009. 국제통상직 7급

① SCM(Supply Chain Management)
② CRM(Customer Relationship Management)
③ ERP(Enterprise Resource Planning)
④ KMS(Knowledge Management System)

답 ①

공급자, 생산자, 유통업자 상호간에 자재(원료) 및 정보의 흐름이 상하 양방향으로 이루어지도록 하는 시스템으로서 고객 서비스 요구사항, 공장과 유통센터의 네트워크 디자인, 재고관리, 외주와 제3자 물류관계, 핵심고객과 공급자 관계, 비즈니스 프로세스 등의 효율성 제고를 목표로 도입된 경영혁신기법을 SCM(Supply Chain Management)이라 한다.
CRM(Customer Relationship Management)은 현재의 고객과 잠재고객에 대한 정보를 정리분석하여 마케팅 정보로 변환시키고, 고객의 구매 관련 행동을 지수화하며, 이를 바탕으로 마케팅 프로그램을 개발, 실현, 수정하는 고객 중심의 경영기법을 말한다. 즉, 기업들이 고객들의 성향과 욕구를 미리 파악하여 이를 충족시켜주고 기업들이 목표로 하는 수익이나 광고효과 등을 얻어내는 기법으로서, 고객관계관리라고 한다.

**17** □□□ **공급사슬에서 고객의 수요가 상위단계 방향으로 전달될수록 각 단계별 수요의 변동성이 증가하는 현상으로, 사소하고 미미한 요인이 엄청난 결과를 불러온다는 나비효과와 유사한 효과는?**

2017. 관세직 7급 하반기

① 낙수효과 ② 구축효과
③ 채찍효과 ④ 분수효과

답 ③

채찍효과(bull-whip effect)란 채찍의 손잡이 부분에 약한 힘이 가해져도 채찍의 끝부분에서는 큰 파동이 생기는 현상에서 유래한 것으로, 제품에 대한 수요 정보가 공급사슬상의 상층부로 전달될 때마다 정보가 계속하여 '왜곡'되는 현상을 말한다. 공급사슬에서 고객의 수요가 상위단계 방향으로 전달될수록 각 단계별 수요의 변동성이 증가하는 현상으로, 사소하고 미미한 요인이 엄청난 결과를 불러온다는 나비효과와 유사한 효과이다.

**선지분석**

① 낙수효과(trickle-down effect): trickle-down이란 '흘러내린 물이 바닥을 적신다'는 뜻으로, 정부가 투자 증대를 통해 대기업과 부유층의 부(富)를 먼저 늘려주면 경기가 부양돼 결국 중소기업과 저소득층에게 혜택이 돌아감은 물론, 이것이 결국 총체적인 국가의 경기를 자극해 경제발전과 국민복지가 향상된다는 이론이다.
② 구축효과(crowding-out effect): 정부가 경기 부양을 위해 재정지출을 늘린다 하더라도 그만큼 민간소비가 줄어들어 경기에는 아무런 효과를 가져오지 못한다는 이론이다. 정부의 재정 지출 확대로 오히려 이자율이 상승하여 민간 소비와 투자 활동이 위축된다는 주장이다.
④ 분수효과(trickle-up effect, fountain effect): 저소득층의 소비 증대가 기업 부문의 생산 및 투자 활성화로 이어져 경기를 부양시킨다는 이론이다. 고소득층의 소득 증대가 투자 활성화로 이어져 저소득층에게도 그 혜택이 돌아간다는 낙수효과와 반대되는 말이다.

**18** □□□ **고객관계관리(CRM: Customer Relationship Management)를 통해 얻을 수 있는 기업의 혜택과 거리가 먼 것은?**

2014. 관세직 7급

① 시장 확장 기회 도출
② 일대일 마케팅에서 대중 마케팅으로의 전환
③ 고객 유지 및 가치 증대를 위한 새로운 방법 확보
④ 기업 프로세스 효율성 향상

답 ②

CRM(Customer Relationship Management)은 현재의 고객과 잠재고객에 대한 정보를 정리분석하여 마케팅 정보로 변환시키고, 고객의 구매 관련 행동을 지수화하며, 이를 바탕으로 마케팅 프로그램을 개발, 실현, 수정하는 고객 중심의 경영기법을 말한다. CRM은 고객의 데이터를 세분화하여 신규 고객을 획득하고, 우수고객을 유지하고, 잠재고객을 활성화하는 등 데이터베이스(DB)를 기반으로 한 일대일 마케팅(One-to-One marketing)을 가능하게 한다.

**19** □□□ **일반적으로 기업의 시장 확대 전략은 시장 다각화 전략과 시장 집중화 전략으로 구분할 수 있다. 시장 다각화 전략의 선택요인이 아닌 것은?** 2007. 관세직 7급

① 시장성장률이 낮은 경우
② 판매의 안정성이 높은 경우
③ 경쟁기업의 반응이 단기에 나타나는 경우
④ 제품과 의사소통의 적응 필요성이 낮은 경우

답 ②

시장 다각화 전략은 목표 시장을 다각화하는 전략을 말한다. 기업이 시장 확대 전략으로서 시장 다각화 전략을 선택하는 이유는 현재의 시장이 성장률이 낮아, 판매의 안정성이 '떨어져서' 현재의 시장에 계속 머무를 수 없기 때문이다. 즉 기업은 지속적인 성장을 위하여 시장 다각화 전략을 취할 필요가 있다. 또한 경쟁기업의 반응이 단기에 나타나 모방과 경쟁이 극심해지는 경우 시장 다각화로 판매 경로를 확대할 필요가 있다. 그렇다 하더라도 자사의 제품이 다각화된 시장에 현지 적응을 실패한다면 시장 다각화 전략이 쉽지 않을 것이므로, 제품과 의사소통의 적응 필요성이 낮은 경우 시장 다각화 전략을 채택하는 것이 좋다.

**20** □□□ **국제경영상 정치적 위험을 분석하고 평가하기 위하여 학자, 외교관 등 관계 전문가로부터 전문적인 자문을 구하는 방법은?** 2007. 관세직 7급

① grand tours
② old hands
③ quantitative models
④ check list method

답 ②

정치적 위험(political risk)이란 컨트리 리스크의 일종으로 기업이 정상적인 시장 활동으로 인해 야기되는 위험 이외의 비시장 요인에 의해 발생되는 위험을 말한다. 정치적 위험을 측정하는 방법 중 old hands(전문가 자문)란 정치적 위험을 평가하기 위해서 다국적 기업 경영자나 외교관 등 분야 전문가를 특별고문으로 고용하여 이들의 전문지식이나 경험을 활용하는 방법이다.

**선지분석**

① grand tours(현지방문): 직접 현지국을 방문하여 현지의 정치, 경제, 사회 등의 환경을 조사하여 정치적 위험을 분석하는 방법이다. 주로 현지인들과의 면담으로 이루어지며, 수집된 정보가 체계적이지 못하다는 단점이 있다.
③ quantitative models(전문기관의 지표 이용): 전문기관이 정기적으로 발표하는 정치적 위험 지수(quantitative models)를 이용하는 방법이다. BERI(Business Environment Risk Intelligence), CRIS(Control Risks Information Services), EIU(Economist Intelligence Unit), ICRG(Political Risk Services: International Country Risk Guide) 등이 다국적 기업의 현지 운영상 노출된 정치적 위험에 대한 지수를 제공한다.
④ check list method(체크리스트 방법): 정치적 위험을 측정하기 위해 주요한 정치적 사건이나 지표를 지속적으로 점검하는 방법이다. 사건이 발생한 빈도 등 주요변수들의 추이에 따라 시나리오를 작성해 볼 수 있다. 이 방법은 비교적 적은 비용과 노력이 들고 그 방법도 용이하지만 평가의 정확성이 떨어질 수 있다는 단점이 있다.

**21** □□□ **지식경영이란 일반적으로 지식의 창출, 사용, 이전 등 지식과 관련된 프로세스를 경영하는 것과, 프로세스의 결과로 나온 산출물을 활용하여 기업의 경쟁력을 제고시키는 것을 말한다. 지식경영의 도입 배경으로 보기 어려운 것은?** 2010. 국제통상직 7급

① 정보기술의 발전
② 창조적 지식의 중요성 부각
③ 학습조직의 비효율성에 대한 보완 필요
④ 유형자산에 대한 새로운 인식 대두

답 ④

지식경영(knowledge management)이란 조직구성원이 보유하고 있는 정보나 노하우를 체계적으로 관리하여 이를 보편적인 지식으로 공유함으로써, 조직 전체의 문제해결 능력을 향상시키는 경영방식을 말한다. 기업의 부가가치 창출에는 창조적 지식이 필수적이며, 그러한 지식창고를 공유하여 조직 전체의 학습 효율성을 높여야 한다는 동기에서 지식경영의 필요성이 강조되었다. 정보기술이 발달하여 그 정보의 관리 및 체계화가 가능해져, 지식경영은 그 운영의 기반도 이미 마련되어 있다고 하겠다. 유형자산에 대한 새로운 인식이라기보다는 '무형자산', 즉 지식에 대한 새로운 인식에 의해 지식경영이라는 경영철학이 생겨난 것이다.

**22** □□□ **균형성과표(BSC)의 4가지 관점 중 가장 미래지향적인 관점이자 다른 3가지 관점의 성과를 이끌어내는 원동력인 관점은?** 2020. 관세직 7급

① 재무적 관점
② 고객 관점
③ 내부 프로세스 관점
④ 학습과 성장 관점

답 ④

BSC(균형성과표, Balanced Score Card)란 조직의 비전과 전략목표 실현을 위해 4가지 관점의 성과지표를 도출하여 성과를 관리하는 시스템이다. 4가지 관점은 재무, 고객, 내부프로세스, 학습과 성장이다. 이 중 가장 미래지향적인 관점이자 다른 3가지 관점의 성과를 이끌어내는 원동력인 관점은 학습과 성장 관점(Learning & Growth Perspective)이다.

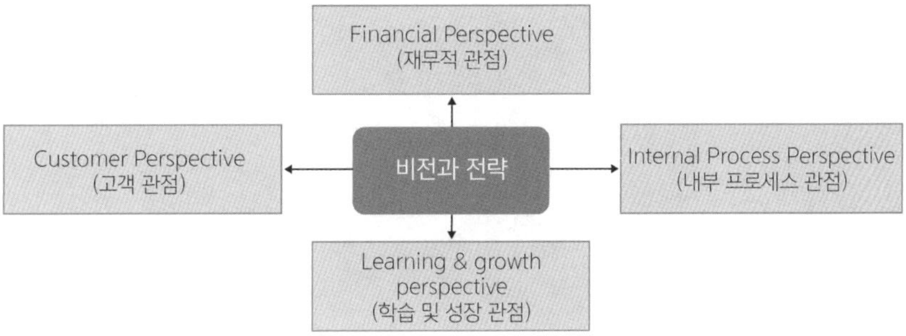

**23** □□□ **생산된 제품에 별다른 브랜드 없이 내용물을 표시하는 것으로서 제품광고를 하지 않고 평범하게 포장하는 제품 브랜드는?**

2022. 관세직 7급

① National Brand
② Generic Brand
③ Distributor Brand
④ Private Brand

답 ②

생산된 제품에 별다른 브랜드 없이 내용물을 표시하는 것으로서 제품광고를 하지 않고 평범하게 포장하는 제품 브랜드를 일반 상표(Generic Brand)라고 한다. 노 브랜드(No brand)와 같은 뜻이다.

**선지분석**

① 제조업체 상표(National Brand): 전국적으로 판매되는 상표로서, 제조업체가 보유한 상표이다.
③ 유통업자 상표(Distributor Brand): 제조업체를 제외한 소매업자, 도매업자 등 유통업자가 보유한 상표이다.
④ 자체 상표(Private Brand): 점포가 독자적으로 개발한 고유 상표이다.

## 2 | 현지 생산·구매·노무 관리

**01** □□□ **개도국 자회사에 대한 국제인사관리에서 현지인을 채용하여 경영활동을 수행할 경우에 장점으로 볼 수 없는 것은?** 2007. 관세직 7급

① 모국인을 현지에 파견하는 경우보다 저렴한 노동력으로 현지인을 고용할 수 있다.
② 기술적인 능력 또는 지식이 파견된 모국인보다 풍부하여 업무의 효율성을 높일 수 있다.
③ 현지인은 현지 거주가 계속 가능하므로 업무의 지속성을 유지할 수 있다.
④ 현지인은 현지의 언어와 문화에 익숙하므로 의사소통과 문화적 이질감에 대한 문제점이 제거될 수 있다.

답 ②

일반적으로 현지인은 기술적인 능력이나 지식이 파견된 모국인보다 부족하다. 현지인 채용의 장단점은 다음과 같다.

| 장점 | 단점 |
|---|---|
| • 현지환경에 익숙하여, 의사소통과 문화적 이질감에 대한 문제점이 적다.<br>• 현지기업으로서의 이미지를 제고할 수 있다.<br>• 본사에서 파견하는 것보다 비용을 줄일 수 있다.<br>• 현지인은 현지 거주가 계속 가능하므로 업무의 지속성을 유지할 수 있다. | • 회사나 상품에 대한 지식이 부족하다.<br>• 본사의 정책과 경영철학에 대한 이해가 부족하다. |

**02** □□□ **문화 환경을 분석하는 주요 모형에 대한 설명으로 옳지 않은 것은?** 2019. 관세직 7급

① 클러크혼(Kluckhohn) 모형은 인간과 자연과의 관계 기준, 인간본성 기준, 시간지향성 기준, 공간지향성 기준, 활동지향성 기준, 인간관계 기준 등 문화가 갖는 가치지향성을 기준으로 문화속성을 분류한 모형이다.
② 슈와르츠(Schwartz) 모형은 인간이 가지는 가치를 보수주의와 자율성, 계층주의와 평등주의, 정복과 조화 등으로 구분하여 각국 문화를 설명한 모형이다.
③ 홉스테드(Hofstede) 모형은 문화속성을 권력간격, 개인주의 – 집단주의, 남성성 – 여성성, 불확실성 회피 등의 차원으로 나눠 문화분류 기준으로 삼은 모형이다.
④ 홀(Hall) 모형은 평등성과 계층성을 하나의 축으로, 그리고 대인지향성과 과업지향성을 또 다른 축으로 하는 매트릭스를 통해 네 가지 유형의 기업문화를 분석한 모형이다.

답 ④

홀(Hall)은 상이한 문화 배경에서 각 문화에 속하는 구성원이 상이하게 반응한다고 전제하고, 각국의 문화를 의사소통방식에 따라 고배경 문화(고맥락 문화, high-context culture)와 저배경 문화(저맥락 문화, low-context culture)로 구분하였다.

| | |
|---|---|
| 고배경 문화 | 의사소통이 대화의 내용 자체보다는 환경, 상황, 관습, 경험, 비언어적 표현 등에 의존하는 문화를 말한다. 이런 문화 아래에서는 대화를 할 때 자세하게 설명을 하지 않아도 상대방이 자신의 메시지를 이해할 것이라고 가정하기 때문에, '배경'에 대한 암묵적 의미를 해석하는 것이 더욱 중요하다. → 책임과 신뢰가 중요한 덕목이 되는 문화 |
| 저배경 문화 | 의사소통이 대화의 내용 자체를 중요시하는 문화를 말한다. 이런 문화 아래에서는 대화를 할 때 최대한 자세하게 정보를 제공해야 상대방이 이해할 것이라고 가정하기 때문에, 명확한 정보의 교환이 이루어진다. → 법률적인 서류가 보증서 역할을 하는 문화 |

**03** □□□

**글로벌경영환경에서 비교문화적 분석방법을 통해 문화적 차이를 이해하는 데 유용한 모형으로 평가되고 있는 홀(Hall) 모형에 대한 설명으로 옳은 것만을 모두 고르면?** 2020. 관세직 7급

ㄱ. 직원을 채용할 때 저배경 문화와 고배경 문화 모두 인맥보다 회사에 대한 기여도를 중시하는 점에서는 차이가 없다.
ㄴ. 저배경 문화에서는 상황보다 명시적으로 작성된 문서나 기록이 더 중요한 역할을 한다.
ㄷ. 고배경 문화는 협상 시 시간이 걸리며 협상과정을 통해 서로를 이해하는 반면, 저배경 문화는 협상이 신속하게 진행된다.
ㄹ. 조직의 실패에 대한 책임소재는 저배경 문화에서는 최고위층에 두는 반면, 고배경 문화에서는 최하위층의 실무자에게 둔다.

① ㄱ, ㄷ
② ㄱ, ㄹ
③ ㄴ, ㄷ
④ ㄴ, ㄹ

답 ③

홀(Hall)은 상이한 문화 배경에서 각 문화에 속하는 구성원이 상이하게 반응한다고 전제하고, 각국의 문화를 의사소통방식에 따라 고배경 문화(고맥락 문화, high-context culture)와 저배경 문화(저맥락 문화, low-context culture)로 구분하였다.

**선지분석**

ㄱ. 직원을 채용할 때 저배경 문화는 '회사에 대한 기여도'를, 고배경 문화는 '인맥'을 중시한다.
ㄹ. 조직의 실패에 대한 책임소재는 저배경 문화는 '실무자'에게, 고배경 문화는 '최고위층'에 둔다.

**04** ☐☐☐ **경영환경과 관련한 홉스테드(G. Hofstede)의 문화에 관한 종합평가 모형에서 제시된 4가지 차원의 가정과 가장 거리가 먼 개념은?** 2009. 국제통상직 7급

① 개인주의 ② 권력간격
③ 인간의 본성 ④ 불확실성의 회피

답 ③

홉스테드(G. Hoftstede)는 전세계적으로 10만 명이 넘는 IBM의 직원들을 대상으로 자료를 수집하여 각국의 문화적인 차이를 실증적으로 분석하였다. IBM의 40개국 직원들의 성향을 분석해 본 결과 홉스테드는 문화적인 차이에 다음과 같은 네 가지 차원이 있음을 발견하였다.

1. 권력거리(권력간격)(power distance)
2. 개인주의와 집단주의적 성향(individualism vs collectivism)
3. 불확실성의 회피(uncertainty avoidance)
4. 남성다움과 여성다움(masculinity vs feminity)

**05** ☐☐☐ **홉스테드(G. Hofstede)가 문화적 차이를 실증적으로 검증하기 위해 이용한 네 가지 차원에 대한 설명으로 옳지 않은 것은?** 2015. 관세직 7급

① 권력거리(power distance)가 큰 문화에서는 부와 권력의 불균등성을 줄이려고 노력하는 성향을 보인다.
② 개인주의(individualism) 문화에서는 개인의 성취와 자유가 높게 평가되고, 집단주의(collectivism) 문화에서는 내부집단에 대한 신뢰와 충성이 높은 편이다.
③ 불확실성 회피(uncertainty avoidance) 성향이 높은 문화에서는 직업안정성이나 직급의 승진패턴에 높은 가치를 부여하는 편이다.
④ 남성주의적 성향이 강한 문화에서는 경쟁과 성취에 더 높은 가치를 두며, 여성주의적 성향이 강한 문화에서는 복지와 화목에 더 높은 가치를 두는 경향이 있다.

답 ①

홉스테드(G. Hoftstede)는 전세계적으로 10만 명이 넘는 IBM의 직원들을 대상으로 자료를 수집하여 각국의 문화적인 차이를 실증적으로 분석하였다. IBM의 40개국의 직원들의 성향을 분석해 본 결과 홉스테드는 문화적인 차이에 권력거리(권력간격)(power distance), 개인주의와 집단주의적 성향(individualism vs collectivism), 불확실성의 회피(uncertainty avoidance), 남성다움과 여성다움(masculinity vs feminity)의 네 가지 차원이 있음을 발견하였다. 권력거리(power distance)란 권력과 부의 불평등한 배분 상태를 수용하는 정도를 의미한다. 권력거리가 큰 문화는 권력과 부의 불균등이 확대되는 추세를 보이며, 권력거리가 작은 문화는 권력과 부의 격차를 가능하면 줄이려는 성향을 보인다.

**06** □□□ **기업활동에 대한 국가 간 문화적 차이의 영향을 설명하는 홉스테드(G. Hofstede) 모형에 대한 설명으로 옳지 않은 것은?** 2018. 관세직 7급

① 권력거리(power distance)가 큰 문화에서는 권력과 부의 불균등성 격차를 줄이려고 노력하는 성향이 나타난다.
② 불확실성의 회피 성향(uncertainty avoidance)이 낮은 문화에서는 변화에 대하여 두려워하지 않는 성향이 나타난다.
③ 여성주의적 성향(feminity)이 강한 문화에서는 물질적 성공보다는 상호의존적 관계와 삶의 질이 중시된다.
④ 개인주의적 성향(individualism)이 강한 문화에서는 개인들 간의 연계가 느슨하며 개인의 성취와 자유가 높게 평가된다.

답 ①

권력거리(power distance)란 권력과 부의 불평등한 배분 상태를 수용하는 정도를 의미한다. 권력거리가 큰 문화는 권력과 부의 불균등이 확대되는 추세를 보이며, 권력거리가 작은 문화는 권력과 부의 격차를 가능하면 줄이려는 성향을 보인다.

**07** □□□ **문화의 차이를 설명하는 이론 중 홉스테드(Hofstede) 모형에 대한 설명으로 옳지 않은 것은?** 2022. 관세직 7급

① 남성주의적인 성향이 강한 문화에서는 경쟁과 성취에 더 높은 가치를 두고, 여성주의적인 성향이 강한 문화에서는 복지와 화목에 더 높은 가치를 두는 경향이 있다.
② 불확실성 회피성향이 강한 문화에서는 법률이나 제도를 마련하여 미래에 대한 불확실성을 제거하고자 한다.
③ 개인주의적인 사회에서는 개인들 간의 연계가 느슨하며 개인의 성취와 자유가 높게 평가된다.
④ 권력간격이 작은 문화에서는 권력과 부의 불평등성이 점차 확대되는 추세를 보이고, 권력간격이 큰 문화에서는 사람들이 이러한 격차를 가능하면 줄이려고 노력하는 성향을 보인다.

답 ④

권력거리(power distance)란 권력과 부의 불평등한 배분 상태를 수용하는 정도를 의미한다. 권력거리가 큰 문화는 권력과 부의 불균등이 확대되는 추세를 보이며, 권력거리가 작은 문화는 권력과 부의 격차를 가능하면 줄이려는 성향을 보인다.

**08** □□□ **현지 정부의 국제기업에 대한 차별적 조치로서 일정 보상이 따르는 재산권 박탈은?**

2010. 국제통상직 7급

① 수용　　② 과실송금 제약
③ 일방적인 계약수정　　④ 운영규제

답 ①

기업은 해외진출 시 여러 가지 위험과 현지정부의 차별적 조치에 시달리게 된다. 특히 재산권 또는 소유권을 침해당하는 경우가 있는데, 그 대표적인 예시로는 국유화, 몰수, 수용이 있다. 국유화란 기업이 전 재산을 국가에서 인수하여 국가에서 운영하는 것이며, 몰수는 국가가 기업의 재산을 보상 없이 강제로 가져가는 것을 말한다. 한편 수용은 국가가 기업의 재산을 보상하고 강제로 가져가는 것으로서 현지 정부의 국제기업에 대한 차별적 조치로서 일정 보상이 따르는 재산권 박탈이다. 과실송금(果實送金)이란 현지에 투자하여 얻은 수익을 본국에 송금하는 것을 말한다. 과실송금제약, 일방적인 계약수정이나 운영규제는 현지 정부의 보상이 뒤따르지 않는다.

# PART 5

# 최신 기출문제

CHAPTER 1

# 2023년도 국가직(관세직) 7급

**01** □□□

**「국제물품매매계약에 관한 UN 협약(CISG)」상 당사자의 의사표시가 청약이 되기 위한 요건의 하나로 옳지 않은 것은?**

① 계약체결의 제안은 충분히 확정적이어야 한다.
② 승낙의 시기가 표시되어야 한다.
③ 승낙이 있는 경우 그에 구속된다는 의사표시이어야 한다.
④ 1인 또는 그 이상의 특정인에 대한 의사표시이어야 한다.

**02** □□□

**정기선 컨테이너화물의 부대운임 중 하주가 컨테이너 혹은 트레일러를 대여받았을 경우 정해진 시간 내에 이를 반환하지 못하면 벌과금으로 운송업체에게 지불해야 하는 비용에 해당하는 것은?**

① Demurrage
② Terminal Handling Charge
③ Port Congestion Surcharge
④ Detention Charge

**03** □□□

**수출국이 수출물품에 보조금을 지급함으로써 실제 가격보다 낮은 가격으로 수출할 때 이를 상쇄하기 위해 수입국이 수출국의 보조금만큼 관세를 부과하는 것은?**

① Voluntary Export Restraints
② Tariff Quota
③ Countervailing Duties
④ Retaliatory Duties

**04** □□□

**관세부과의 경제적 효과에 대한 설명으로 옳지 않은 것은?**

① 관세부과로 수입품의 국내 시장가격이 인상되어 국내소비는 줄어든다.
② 관세부과로 생산자 잉여가 소비자 잉여로 전환되어 생산자로부터 소비자에게 소득이 재분배되는 효과를 가져오게 된다.
③ 관세부과는 정부의 재정수입으로 연결되는 재정수입 효과가 나타난다.
④ 관세부과로 국내에서의 생산량이 증가되기 때문에 국내 실업이 있을 경우 고용증대의 효과가 나타난다.

**05** □□□ **신용장의 종류에 대한 설명으로 옳은 것은?**

① Negotiation Credit는 수익자가 선적서류와 기한부어음을 발행하여 제시하면 인수은행은 이를 인수하고 만기에 지급할 것을 확약하는 신용장이다.
② Revolving Credit는 어느 한 국가에서 수입신용장을 개설하는 경우 그 신용장이 수출국에서도 같은 금액의 수입신용장을 개설하는 경우에만 유효하도록 제한하는 신용장이다.
③ Back to Back Credit는 수출상과 수입상이 동종의 물품을 일정 기간에 걸쳐 반복적으로 거래할 경우 한번 개설된 신용장의 효력이 사용 후 다시 갱신되는 신용장이다.
④ Standby Credit는 고객이 현지 은행에서 금융서비스를 받고자 할 때, 자신의 거래은행에 요청하여 그 거래은행이 현지 은행 앞으로 고객의 채무이행을 보증한다는 내용으로 개설하는 신용장이다.

**06** □□□ **해상보험에 대한 내용으로 옳은 것은?**

① 구협회적하약관(ICC(1963))의 본문 약관에 명시된 해상 고유의 위험에는 좌초, 침몰, 투하가 있다.
② 신협회적하약관(ICC(2009))의 ICC(B)조건에서는 ICC(C)조건에서 담보하지 않는 갑판유실을 담보한다.
③ 물적손해보상액과 손해방지비용의 합계가 보험금액을 초과할 때 피보험자는 손해방지비용을 보상받을 수 없다.
④ 추정전손이 발생한 경우 피보험자는 보험자에게 대위통지를 하고 전손보험금을 청구할 수 있다.

**07** □□□ **리카도(D. Ricardo)의 비교우위론에서 기본 가정으로 옳지 않은 것은?**

① 2개의 국가와 2개의 재화가 존재한다.
② 국가 간에는 생산요소의 이동이 자유롭다.
③ 각 재화의 생산에는 노동만이 유일한 생산요소이다.
④ 생산함수는 규모에 대한 보수 불변의 특성을 지니고 있다.

## 08

□□□

**해외직접투자 이론에 대한 설명으로 옳은 것은?**

① 고지마이론은 기업의 해외직접투자 시 투자국에서 이미 비교열위에 있거나 비교열위화되고 있는 한계산업을 중심으로 투자하되 현지국에서는 현재 또는 잠재적 비교우위를 갖는 산업으로부터 순차적으로 투자해야 한다는 이론이다.

② 제품수명주기이론은 기업의 해외직접투자 시 기업 특유의 우위, 내부화 우위, 투자진출국의 입지특유 우위 등의 세 가지 우위를 종합적으로 고려해야 한다는 이론이다.

③ 절충이론은 특정 국가가 보유한 기술 및 소득수준의 차이와 제품의 시장국별 도입 시기의 차이에 따라 해외직접투자가 이루어진다고 설명하는 이론이다.

④ 과점적 경쟁 이론은 과점산업에 속하는 기업들이 시장을 통하여 기업의 외부에서 이루어지는 해외사업 거래를 기업조직내로 내부화함으로써 경쟁력이 갖추어져 해외직접투자를 하게 된다는 이론이다.

## 09

□□□

**신용장통일규칙(UCP 600)상 원본 서류와 사본(Original Documents and Copies)에 대한 설명으로 옳은 것만을 모두 고르면?**

ㄱ. 신용장이 서류 사본의 제시를 요구하는 경우에는 원본 또는 사본의 제시가 모두 허용된다.
ㄴ. 서류 자체에 원본이 아니라고 표시하고 있지 않는 한, 은행은 원본임을 명백하게 나타내는 서류 발행자의 서명, 마크, 스탬프 또는 라벨이 담긴 서류를 원본으로 처리한다.
ㄷ. 신용장에 "in duplicate", "in two folds" 또는 "in two copies"와 같은 용어를 사용하여 복수의 서류 제시를 요구하는 경우, 이 조건은 그 서류 자체에 달리 표시하고 있지 않는 한, 전통의 원본을 제시하는 경우에 한하여 충족된다.
ㄹ. 서류가 달리 표시하지 않는 한, 은행은 서류 발행자의 손으로 작성, 타이핑, 천공서명, 스탬프한 것으로 보이는 서류를 원본으로 수리한다.

① ㄱ, ㄴ　　② ㄱ, ㄷ
③ ㄱ, ㄴ, ㄹ　　④ ㄴ, ㄷ, ㄹ

## 10

□□□

**리스트(F. List)의 유치산업보호론에 대한 설명으로 옳지 않은 것은?**

① 공업화를 달성하지 못한 후진국은 공업부문이 일정 수준으로 성장할 때까지 이 부문을 보호해야 한다고 주장하였다.

② 영국과 독일의 경제발전 단계가 상이하므로 독일이 계속 자유무역을 실시하게 되면, 영국의 공산품 시장으로 전락함으로써 공업화를 달성할 수 있는 기회를 상실하게 된다고 주장하였다.

③ 유치산업을 지정하여 보호 및 육성하고, 보호정책 수단은 주로 비관세 장벽을 활용하였다.

④ 이 이론은 근대적인 산업부문의 육성을 열망하고 있던 국가들로부터 큰 호응을 받았다.

**11** □□□

**다음 설명에 해당하는 글로벌 가격정책은?**

> 신제품 도입 초기부터 소비자가 부여하는 가치보다 가격을 낮게 제시하여 시장점유율을 신속하게 올리는 가격정책을 말한다. 이 정책은 수요의 가격탄력성이 높아 가격 인하에 대한 수요자의 반응이 큰 경우 효과적이다.

① cost - plus pricing policy
② mark - up pricing policy
③ market skimming pricing policy
④ market penetration pricing policy

**12** □□□

**포터(M. Porter)의 다이아몬드 국가경쟁력 모델에 대한 설명으로 옳지 않은 것은?**

① 노동, 토지, 천연자원, 자본 등의 부존량과 투입 기술은 국가경쟁력을 결정하는 중요한 원천이다.
② 국가경쟁력에 간접적으로 영향을 미치는 외생변수로 정부의 역할과 기회의 역할을 제시하고 있다.
③ 경쟁우위를 창출하고 활용해서 범세계적인 경쟁을 하는 국제경쟁력의 주체는 기업이라고 보았다.
④ 국가경쟁력을 결정하는 수요조건은 외국 수요의 구성, 외국 수요의 크기와 성장패턴, 외국 수요의 국제화 등 3가지로 구성된다.

**13** □□□

**자국 통화의 환율이 상승할 때 나타나는 현상에 대한 설명으로 옳지 않은 것은?**

① 자국 통화의 평가 절하가 나타나 수출 물품의 가격 경쟁력이 개선된다.
② 수입 원자재 가격이 상승해 국내 물가가 오르게 된다.
③ 자국 기업이 해외로부터 외화를 빌린 경우 외채 상환 부담이 낮아진다.
④ 수출 증가로 생산이 증가하게 되어 고용이 증대되고 경제성장이 촉진된다.

**14** □□□

**(가), (나)에 들어갈 연계무역의 종류를 바르게 연결한 것은?**

> • (가) 은/는 산업시설의 건설에 필요한 기술, 설비 또는 플랜트를 수출한 수출업자가, 제공된 기술, 설비 또는 플랜트에서 직접 파생되거나 이를 이용하여 생산된 제품으로 그 대가를 회수하는 거래형태이다.
> • (나) 은/는 수출액의 전부 또는 일정 비율만큼 수입업자의 제품을 본인 또는 제3자를 통하여 구매하는 거래형태로 수출계약과 수입계약이 별도로 체결되는 거래형태이다.

| | (가) | (나) |
|---|---|---|
| ① | 제품환매(Product Buy - back) | 대응구매(Counter Purchase) |
| ② | 상계무역(Offset Trade) | 구상무역(Compensation Trade) |
| ③ | 제품환매(Product Buy - back) | 구상무역(Compensation Trade) |
| ④ | 상계무역(Offset Trade) | 대응구매(Counter Purchase) |

**15** □□□

**해외직접투자에서 합작투자 대비 단독투자의 장점에 대한 설명으로 옳지 않은 것은?**

① 본사 및 다른 자회사와 함께 통합적인 관리가 용이하며, 현지국에서 정보의 활용이나 상황대처에 유리한 점이 많다.
② 투자기업의 기술, 노하우 및 기타의 기업기밀이 누설되는 것을 방지할 수 있다.
③ 기업활동에 대한 의사를 신속히 결정하여 해외사업을 빠르게 추진할 수 있다.
④ 투자자 자신만의 권리로 투자에 따른 이익을 독점할 수 있다.

**16** □□□

**「국제물품매매계약에 관한 UN 협약(CISG)」상 매도인의 의무에 대한 설명으로 옳지 않은 것은?**

① 매도인이 물품의 운송에 관하여 부보(附保)할 의무가 없는 경우에도, 매도인은 매수인의 요구가 있으면 매수인이 부보하는 데 필요한 모든 가능한 정보를 매수인에게 제공하여야 한다.
② 매도인은 위험이 매수인에게 이전하는 때에 존재하는 물품의 부적합에 대하여 책임을 지게 되나, 그러한 부적합이 위험 이전 후에 판명된 경우 부적합에 대한 책임을 지지 아니 한다.
③ 매도인은 매매계약상 달리 합의한 것이 없고 동 계약이 물품의 운송을 포함하는 경우, 매수인에게 전달을 위하여 물품을 제1운송인에게 교부하여야 한다.
④ 매도인은 인도기간이 계약에 의해 지정되어 있거나 확정될 수 있는 경우에는 그 기간 내의 어느 시기에 물품을 인도하여야 하나, 매수인이 기일을 선택하여야 할 사정이 있는 경우에는 그러하지 아니 한다.

**17** □□□

**Open Account 결제방식에 대한 설명으로 옳은 것만을 모두 고르면?**

> ㄱ. 수출자의 채권은 수입자와 매매계약을 체결한 후, 수출자가 선적한 물품이 수입국에 도착함과 동시에 발생한다.
> ㄴ. 외상거래방식으로 수입자의 신용도나 재무상태 등에 관한 사전 조사가 필요하다.
> ㄷ. 수출자는 수입자가 송금을 하기 전이라도 수출채권의 매각을 통해 수출대금을 조기에 현금화할 수 있다.
> ㄹ. 수출자는 수출채권의 매각을 위해 선적서류 사본을 첨부하여 거래은행에 수출환어음 매입을 의뢰해야 하며, 선적서류 원본은 수출자가 수입자에게 직접 송부한다.

① ㄱ, ㄷ ② ㄱ, ㄹ
③ ㄴ, ㄷ ④ ㄴ, ㄹ

**18** □□□

**해상적하보험에서 선의의 피보험자가 보상받을 수 있는 보험금에 대한 설명으로 옳지 않은 것은?**

① 일부보험의 경우 보험사고 발생 시 비례보상을 원칙으로 한다.
② 초과보험의 경우 전손 발생 시 피보험자는 보험가액 전액을 보상받을 수 있다.
③ 전부보험의 경우 분손 발생 시 피보험자는 실손해액만큼 보상을 받을 수 있다.
④ 중복보험의 경우 전손 발생 시 피보험자는 계약체결한 보험사로부터 보험금액 전액을 각각 보상받을 수 있다.

**19** □□□

**항공화물 운임에 대한 설명으로 옳은 것만을 모두 고르면?**

> ㄱ. 단위탑재용기운임(bulk unitization charge)은 항공사가 송하인 또는 대리점에게 컨테이너 또는 팔레트 단위로 적용하는 요금으로 IATA에서 규정한 단위탑재용기 종류별로 상이한 운임이 적용된다.
> ㄴ. 일반화물요율(general cargo rate)은 품목분류 또는 특정 품목할인의 적용을 받는 화물을 포함하여 모든 화물의 운송에 일반적으로 적용되는 요율이다.
> ㄷ. 종가운임(valuation charge)은 운송장상에 화물의 가격을 신고하고 사고 발생 시 최대 배상한도액을 초과하는 실손해액을 배상받고자 지불하는 운임이다.
> ㄹ. 입체지불수수료(disbursement fee)는 수하인의 요구에 따라 항공사, 수하인 또는 대리인이 선불한 비용을 송하인으로부터 징수하는 금액이다.

① ㄱ, ㄷ ② ㄱ, ㄹ
③ ㄴ, ㄷ ④ ㄴ, ㄹ

**20** □□□

**국제경영전략 중 기업의 전략적 제휴에 대한 설명으로 옳지 않은 것은?**

① 기업은 원가와 위험을 공동으로 부담함으로써 성과를 높이기 위해 활용한다.
② 기업은 제휴 파트너의 유통망 활용, 기존 생산 설비를 이용하는 등 시장 진입 시간을 단축시키기 위해 활용한다.
③ 기업이 시장에 진입 또는 퇴거가 유리한지에 대한 확신이 없는 경우에 활용한다.
④ 일반적으로 전략적 제휴는 기술, 조달, 생산, 판매제휴로 분류하는데, 제휴기업들 간의 주문자상표부착방식(OEM), 세컨드 소싱(Second sourcing) 등은 조달제휴에 속한다.

**21** □□□

**Incoterms® 2020에 대한 내용으로 옳지 않은 것은?**

① DPU 조건에서 거래당사자는 매도인의 물품 인도장소로서 화물터미널뿐만 아니라 수입국의 어느 장소든 지정 가능하다.
② EXW 조건은 수출통관되지 않은 물품을 매도인의 영업장 구내 또는 기타 지정장소에서 매수인에게 인도하는 조건으로 매도인은 매수인의 수거용 차량에 적재할 의무가 없다.
③ 해상보험계약 체결 의무가 있는 당사자와 관련하여 비용부담자와 위험부담자가 일치하지 않는 정형거래조건에는 CFR, CIF, CIP, CPT 조건이 있다.
④ FAS 조건에서 매도인은 지정선적항에서 매수인이 지정한 선박의 선측에 선적을 위해 인도된 물품을 조달함으로 자신의 인도의무를 이행할 수 있다.

**22** □□□

**에드워드 홀(E. Hall)은 고맥락 또는 고배경(High Context)과 저맥락 또는 저배경(Low Context)으로 특징지어지는 문화 차이를 구분하였는데, 여기에서 고맥락 또는 고배경 문화의 특징에 해당하는 것은?**

① 경쟁입찰이 흔하지 않다.
② 정보 전달이 구체적인 대화를 통해서 이루어진다.
③ 법률적인 서류와 같은 계약을 강조한다.
④ 조직에서 책임소재와 관련된 문제가 발생했을 때 책임과 직접 관련된 최하위층에게 책임이 전가된다.

**23** ☐☐☐

**키간(W. Keegan)의 국제제품전략에 대한 내용으로 (가)에 들어갈 용어는?**

| |
|---|
| (가) 전략은 생활문화 환경이나 관습 등으로 인해 자국시장과 비슷한 욕구나 효용을 다른 제품으로부터 얻을 경우 유용한 전략이다. 이 전략은 커뮤니케이션상의 비용 절감을 기할 수 있으나, 제품 변경에 따른 비용이 추가되고 대량생산의 이점을 얻을 수 없다. |

① 제품 확대 - 커뮤니케이션 확대
② 제품 적응화 - 커뮤니케이션 확대
③ 제품 확대 - 커뮤니케이션 적응화
④ 제품 적응화 - 커뮤니케이션 적응화

**24** ☐☐☐

**개품운송계약에 대한 설명으로 옳은 것만을 모두 고르면?**

ㄱ. 다수의 송하인으로부터 화물을 혼재하여 운송하는 부정기선 운송에 주로 이용된다.
ㄴ. 별도의 운송계약서 없이 선하증권이 발행되며, 이는 운송인과 송하인 간 운송계약의 추정적 증빙 역할을 하게 된다.
ㄷ. 일정 기간 또는 특정 항해에 선복의 전부 또는 일부를 제공하기로 한 계약의 하나로 볼 수 있다.
ㄹ. 운송인이 제시한 계약 내용을 송하인은 포괄적으로 승인하여야 하는 부합계약(contract of adhesion)의 성격을 지닌다.

① ㄱ, ㄷ
② ㄱ, ㄹ
③ ㄴ, ㄷ
④ ㄴ, ㄹ

**25** ☐☐☐

**외환시장에 대한 설명으로 옳지 않은 것은?**

① 외환시장은 외환 거래자들끼리 은행을 딜러로 하여 전화나 인터넷을 통하여 거래하는 장외거래가 중심이 되는 시장이다.
② 외환시장에서 이루어지는 외환거래는 은행과 은행 사이에 대단위로 이루어지는 은행 간 거래보다는 은행과 일반고객 사이에 소매로 이루어지는 대고객 거래가 더 큰 비중을 차지한다.
③ 시간대를 달리하는 세계의 금융시장들이 시차를 두고 영업을 하기 때문에 24시간 열려 있게 된다.
④ 금융기관의 입장에서 외환은 사는 가격인 매입률과 파는 가격인 매도율이 있으며, 이러한 매입률과 매도율의 차이를 스프레드라고 한다.

CHAPTER 2

# 2024년도 국가직(관세직) 7급

**01** □□□

**무역정책에 대한 설명으로 옳지 않은 것은?**

① 해밀턴(A. Hamilton)은 공업보호론을 주장하면서 관세, 수출입금지, 보조금 등을 통한 보호무역정책을 강조하였다.
② 중상주의자들은 수출을 장려하고 수입을 억제함으로써 무역차액을 통해 금과 은을 확보하는 무역차액정책을 강조하였다.
③ 리스트(F. List)는 장래에 성장가능성이 있는 유치산업을 보호하고, 그 산업의 성장을 촉진해야 한다는 유치산업보호론을 주장하면서 보호무역정책을 강조하였다.
④ 아담 스미스(A. Smith)는 중농주의를 비판하고 국제분업론과 자유경쟁론을 주장하면서 자유무역정책을 강조하였다.

**02** □□□

**국제수지(표)에 대한 설명으로 옳지 않은 것은?**

① 경상수지는 상품수지, 서비스수지, 본원소득수지, 이전소득수지로 구성된다.
② 해외근로자가 수취하는 급료 및 임금은 이전소득수지 항목에 기재된다.
③ 금융계정은 직접투자, 증권투자, 파생금융상품, 기타투자, 준비자산으로 구성된다.
④ 자본이전과 비생산·비금융자산의 취득 및 처분은 자본수지 항목에 기재된다.

**03** □□□

**전자신용장통일규칙(eUCP)에 대한 내용으로 옳지 않은 것은?**

① eUCP는 신용장에 eUCP가 적용된다고 명시하여야만 적용된다.
② eUCP가 적용되는 신용장은 UCP가 적용된다는 명시적인 준거문언이 없더라도 당연히 UCP가 적용된다.
③ eUCP가 적용되는 신용장은 수익자가 종이서류의 제시만 선택하였거나 종이서류만 허용하는 경우에도 eUCP가 우선 적용된다.
④ eUCP가 적용되는 신용장의 경우, eUCP와 UCP가 적용되어 상충될 때에는 eUCP가 우선 적용된다.

## 04

다음 (가)에 들어갈 용어는?

> 발라사(B. Balassa)가 분류한 경제통합의 유형 중 (가) 은 회원국 간에 무역장벽을 철폐하고, 비회원국에 대해서는 회원국들이 공통의 무역정책인 대외공동관세를 실시하며, 회원국 간에 상품뿐만 아니라 노동과 자본 등 생산요소의 자유로운 이동까지 보장한다.

① 관세동맹(customs union)
② 공동시장(common market)
③ 경제동맹(economic union)
④ 완전경제통합(complete economic integration)

## 05

무역이론에 대한 설명으로 옳지 않은 것은?

① 하벌러(G. Haberler)는 기회비용이라는 개념을 사용하여 무역의 발생원인을 설명하였다.
② 헥셔(E. Heckscher) - 올린(B. Ohlin)정리의 제1명제는 요소가격균등화정리이고, 제2명제는 요소부존정리이다.
③ 아담 스미스(A. Smith)의 절대우위론은 노동만을 유일한 생산요소로 간주하여, 재화의 가치가 투입되는 노동의 양으로 결정된다는 노동가치설에 기초를 두고 있다.
④ 리카도(D. Ricardo)의 비교우위론은 한 국가가 두 재화의 생산에 모두 절대우위에 있더라도 양국이 서로 다른 재화에 비교우위가 있다면 무역이 발생한다는 것이다.

## 06

Incoterms® 2020에 대한 내용으로 옳은 것만을 모두 고르면?

> ㄱ. FOB조건에서 매도인은 목적항까지 물품을 운송하는 데 필요한 계약을 체결하고 운임을 부담하여야 한다.
> ㄴ. CIP조건에서 매도인은 ICC(A) 약관으로 보험계약을 체결할 의무가 있다. 그리고 보험금액은 매매계약에 약정된 대금의 최소 110%이어야 하며, 보험금을 지급할 통화는 매매계약에서 정한 통화와 같아야 한다.
> ㄷ. DAP조건에서 매도인이 지정목적지에서 양하에 관한 비용을 지출한 경우 달리 합의하지 않는 한, 그 비용을 매수인에게 상환 요구할 수 없다.
> ㄹ. DDP조건에서 매수인은 물품의 수출통관 및 수입통관을 수행하고, 수출관세 및 수입관세를 모두 부담하여야 한다.

① ㄱ, ㄷ　　② ㄱ, ㄹ
③ ㄴ, ㄷ　　④ ㄴ, ㄹ

**07** □□□

**「국제물품매매계약에 관한 국제연합 협약」(CISG)에서 매도인의 계약위반에 따른 매수인의 권리구제에 대한 설명으로 옳지 않은 것은?**

① 매수인은 인도가 완전하게 또는 계약에 적합하게 이루어지지 아니한 것이 본질적 계약위반으로 되는 경우에 한하여 계약 전체를 해제할 수 있다.

② 매수인이 계약위반에 대한 구제를 구하는 경우에, 법원 또는 중재판정부는 매도인에게 유예기간을 부여할 수 있다.

③ 매도인이 계약에서 정한 것보다 다량의 물품을 인도한 경우에, 매수인은 초과분을 수령하거나 이를 거절할 수 있다.

④ 매수인이 손해배상을 청구하는 권리는 다른 구제를 구하는 권리를 행사함으로써 상실되지 아니한다.

**08** □□□

**포터(M. E. Porter)의 가치활동의 배치 - 조정 모델에 따른 국제경영전략에 대한 설명으로 옳은 것만을 모두 고르면?**

ㄱ. 개별국가 중심 전략의 경우, 가치활동의 배치는 지역적으로 집중시키면서 가치활동의 조정수준은 낮다.
ㄴ. 고도의 해외직접투자 전략의 경우, 가치활동의 배치는 지역적으로 분산시키면서 가치활동의 조정수준도 높다.
ㄷ. 수출 중심 전략의 경우, 가치활동의 배치는 지역적으로 분산시키면서 가치활동의 조정수준은 낮다.
ㄹ. 순수한 세계적 전략의 경우, 가치활동의 배치는 지역적으로 집중시키면서 가치활동의 조정수준도 높다.

① ㄱ, ㄷ
② ㄱ, ㄹ
③ ㄴ, ㄷ
④ ㄴ, ㄹ

**09** □□□ **탄력관세의 종류에 대한 설명으로 옳지 않은 것은?**

① 상계관세는 수출국이 특정 수출산업에 보조금을 지급하여 수출물품의 가격경쟁력을 높일 경우, 수입국이 그 수입물품에 대한 보조금액에 해당하는 만큼 추가로 부과하는 관세이다.
② 국제협력관세는 관세에 관한 조약에 따른 편익을 받지 아니하는 나라의 생산물로서 우리나라에 수입되는 물품에 대하여 이미 체결된 외국과의 조약에 따른 편익의 한도에서 관세에 관한 편익을 부여할 수 있는 관세이다.
③ 할당관세는 특정물품이 정부가 정한 일정수량까지 수입될 때에는 저율의 관세를 부과하고, 일정수량을 초과하여 수입될 때에는 고율로 부과하는 관세이다.
④ 계절관세는 농산물 등과 같이 계절에 따라 가격 차이가 많이 나는 물품의 경우, 계절에 따라 해당 물품의 국내외 가격차에 상당하는 비율의 범위 내에서 기본세율보다 높게 부과하거나 낮게 부과하는 관세이다.

**10** □□□ **신용장통일규칙(UCP 600)에서 양도가능신용장(transferable L/C)에 대한 내용으로 옳은 것만을 모두 고르면?**

ㄱ. 제1수익자로부터 신용장을 양도받은 제2수익자가 다시 제3자에게 신용장을 양도하는 것은 가능하다.
ㄴ. 양도된 신용장은 신용장 조건을 정확하게 반영하여야 하지만 보험 부보의 비율은 증가될 수 있다.
ㄷ. 개설의뢰인의 명의를 제1수익자의 명의로 대체하여 신용장을 양도한 경우, 제2수익자가 작성한 송장을 제1수익자의 송장으로 대체할 수 없다.
ㄹ. 신용장이 둘 이상의 제2수익자에게 분할양도된 경우, 조건변경을 거절한 제2수익자에게는 원신용장의 조건이 적용되고, 조건변경을 수락한 제2수익자에게는 변경된 조건이 적용된다.

① ㄱ, ㄷ
② ㄱ, ㄹ
③ ㄴ, ㄷ
④ ㄴ, ㄹ

**11** □□□

**해상보험에 대한 내용으로 옳은 것은?**

① ICC(B)와 ICC(C)는 보험자가 면책위험을 제외한 모든 위험을 담보한다고 규정하는 포괄담보방식에 해당한다.
② 공동해손이 성립하기 위해서는 이례적인 희생이나 비용이 아닌 통상적인 희생이나 비용이 있어야 한다.
③ 특별비용은 피보험목적물의 안전이나 보존을 위하여 피보험자에 의하여 또는 피보험자를 위하여 지출된 비용으로서 공동해손비용과 구조비 이외의 것을 말한다.
④ 손해방지비용에는 피보험자 또는 그의 대리인이 합리적으로 지급한 비용뿐만 아니라 제3자가 지출한 비용도 포함된다.

**12** □□□

**다음 (가)~(다)에 들어갈 환율의 종류에 대한 용어를 순서대로 바르게 연결한 것은?**

> [(가)]은 자국통화가 개입되지 않은 외국통화 간의 환율을 말한다. [(나)]은 자국통화와 한 외국통화 간의 환율을 의미하며, [(다)]은 [(나)]과 [(가)]에서 산출된 자국통화와 제3국 통화 간의 환율을 말한다.

| | ㉠ | ㉡ | ㉢ |
|---|---|---|---|
| ① | 교차환율 | 재정환율 | 기준환율 |
| ② | 재정환율 | 기준환율 | 교차환율 |
| ③ | 교차환율 | 기준환율 | 재정환율 |
| ④ | 재정환율 | 교차환율 | 기준환율 |

**13** □□□

**세계무역기구(WTO)의 주요 원칙에 대한 설명으로 옳지 않은 것은?**

① 최혜국대우 원칙은 특정 회원국에게 부여하는 최상의 혜택을 다른 모든 회원국에게도 차별없이 동등하게 부여해야 한다는 것이다.
② 내국민대우 원칙은 어떤 상품이 한 국가에 수입되었을 때 그 상품은 당해 수입국 내에서 생산되는 동종의 상품과 동등한 조건으로 취급되어야 한다는 것이다.
③ 시장접근보장 원칙은 외국에서 국내로 공급되는 재화나 용역에 대하여 관세 등 조세를 제외하고 일체의 제한을 두지 말아야 한다는 것이다.
④ 투명성 원칙은 덤핑과 보조금 등의 불공정 무역행위의 규제를 강화하면서 반덤핑관세와 상계관세를 부과할 수 있다는 것이다.

## 14
□□□

**추심에 관한 통일규칙(URC522)의 내용으로 옳지 않은 것은?**

① 추심이 장래확정일 지급조건의 환어음을 포함하는 경우에 추심지시서에 상업서류(commercial document)가 D/P조건과 D/A조건 중 어느 조건으로 지급인에게 인도되어야 하는지를 명시하여야 하지만, 그런 명시가 없는 경우에는 D/P조건으로 인도되어야 한다.

② 추심의뢰은행(remitting bank)은 추심의뢰인의 지시를 이행하기 위해 추심의뢰인이 지정한 은행을 추심은행으로 이용할 수 있다.

③ 추심의뢰은행이 제시은행(presenting bank)을 특정하지 않은 경우에는 추심은행이 제시은행을 선택할 수 있다.

④ 추심지시서에 거절증서(protest) 작성에 관한 지시가 없는 경우, 추심에 관여하는 은행은 추후 분쟁에 대비하여 거절증서를 작성하여야 한다.

## 15
□□□

**다음 (가)에 들어갈 용어는?**

| |
|---|
| 현대무역이론 중 (가) 은 동종산업 간에 발생하는 무역을 다양한 수요구조에 따른 제품차별화와 규모의 경제 개념을 이용하여 설명하고 있다. 소비자들은 차별화된 제품의 다양성과 생산에서 규모의 경제로 인하여 이익을 얻게 된다. |

① 대표적수요이론(representative demand theory)

② 제품수명주기이론(product life cycle theory)

③ 산업내무역이론(intra - industry trade theory)

④ 기술격차이론(technology gap theory)

**16** □□□

**선하증권의 종류에 대한 설명으로 옳은 것만을 모두 고르면?**

> ㄱ. Stale B/L은 선하증권의 제시가 지연되어 효력을 상실한 선하증권으로, 신용장통일규칙(UCP 600)에서 선적일로부터 21일이 경과한 선하증권을 말한다.
> ㄴ. Long Form B/L은 필수 기재사항은 모두 기재되어 있으나, 절차의 간소화를 위하여 선하증권의 이면약관이 생략된 선하증권을 말한다.
> ㄷ. Charter Party B/L은 선주와 용선계약을 체결한 용선자가 용선한 선박을 이용하여 제3자의 화물을 운송할 때 발행하는 선하증권을 말한다.
> ㄹ. House B/L은 운송할 화물이 한 컨테이너를 채울 수 없는 소량인 경우, 운송주선인이 동일한 목적지로 가는 화물을 혼재하여 운송할 때 운송인이 운송주선인에게 발행하는 선하증권을 말한다.

① ㄱ, ㄷ
② ㄱ, ㄹ
③ ㄴ, ㄷ
④ ㄴ, ㄹ

**17** □□□

**신용장통일규칙(UCP 600)에서 확인은행(confirming bank)의 의무에 대한 내용으로 옳은 것은?**

① 확인은행은 신용장이 매입(negotiation)의 방법으로 이용가능한 경우, 상환청구(recourse)가 가능한 조건으로 매입하여야 한다.
② 확인은행은 신용장을 개설하는 시점부터 취소 불가능한 결제(honour) 또는 매입의 의무를 부담한다.
③ 확인은행은 일치하는 제시(complying presentation)에 대해 결제 또는 매입을 한 다른 지정은행에게 신용장 대금을 상환할 의무를 지지 않는다.
④ 개설은행으로부터 신용장의 확인을 요청받은 은행이 이를 이행할 준비가 되지 않은 경우에 그 은행은 지체 없이 개설은행에게 그 사실을 알려 주어야 하고, 신용장에 대한 확인 없이 통지만을 할 수 있다.

**18** □□□

**해외시장 진입방식에서 루트(F. R. Root)의 점진적 학습과정모형에 대한 설명으로 옳지 않은 것은?**

① 기업이 해외시장 진입방식을 결정할 때 기업 내부요인과 외부요인 두 가지를 고려하여 결정한다.
② 기업은 시간이 지남에 따라 현지시장의 마케팅활동에 대한 통제를 보다 강화하면서 점진적으로 진입방식을 변화시킨다.
③ 기업의 해외시장 진입방식을 동태적으로 설명하고 있다는 것에 의의가 있다.
④ 국제기업이 해외시장에 진입하는 적합한 시기와 방법에 대한 기준을 제시하고 있다.

**19** □□□ **다국적기업에 대한 설명으로 옳은 것만을 모두 고르면?**

ㄱ. 릴리엔탈(D. E. Lilienthal)은 2개국 이상의 국가에서 생산활동을 전개하면서 경영자가 세계적인 차원에서 연구개발, 생산 및 판매에 대한 의사결정을 하는 기업을 다국적기업으로 정의하였다.
ㄴ. 아하로니(Y. Aharoni)는 세계시장을 하나의 시스템으로 보고 각국의 경영전략을 유기적으로 조정하는 기업을 다국적기업이라고 하였다.
ㄷ. 버논(R. Vernon)은 포춘(fortune)이 선정하는 세계 500대 기업에 연 2회 이상 포함되어 있으며, 6개국 이상에서 현지 생산활동 및 판매활동을 하는 기업을 다국적기업으로 정의하였다.
ㄹ. 커처(D. P. Kircher)는 다국적기업을 구조적 다국적성, 성과적 다국적성, 형태적 다국적성의 세 가지 유형으로 분류하였다.

① ㄱ, ㄷ　② ㄱ, ㄹ
③ ㄴ, ㄷ　④ ㄴ, ㄹ

**20** □□□ **챠크라바티(B. S. Chakravarthy)와 펄뮤터(H. V. Perlmutter)의 EPRG 모델에 대한 설명으로 옳지 않은 것은?**

① 본국시장중심(ethnocentric)에서는 해외활동과 관련된 의사결정이 본사를 중심으로 이루어진다.
② 현지시장중심(polycentric)에서는 기업활동이 주로 현지국시장의 수요를 충당하기 위한 목적으로 수행되며, 의사결정이 현지 자회사 위주로 이루어진다.
③ 지역시장중심(regioncentric)에서는 현지국에 소재한 자회사가 현지의 사정에 적합한 경영을 위해 본사의 간섭 없이 독자적인 마케팅 목표와 계획을 세우고, 이러한 활동이 본국의 본사 책임하에 국제사업을 추진하는 형태로 이루어진다.
④ 세계시장중심(geocentric)에서는 전 세계를 하나의 단일 시장으로 하여 생산비가 가장 저렴한 곳에서 생산하고, 전 세계를 대상으로 판매하는 등 경영활동이 세계적인 관점에서 이루어진다.

**21** □□□

**다음 (가)~(다)에 들어갈 해상보험 용어를 순서대로 바르게 연결한 것은?**

> 피보험자가 피보험목적물에 대한 손해를 추정전손으로 처리하도록 잔존물에 대한 일체의 권리를 보험자에게 양도하는 것을 [ (가) ](이)라고 하며, 피보험자는 이를 결정한 경우 보험자에게 [ (나) ]를 하여야 한다. 만약 피보험자가 [ (나) ]를 하지 않을 경우, 그 손해는 [ (다) ]로 처리된다.

| | (가) | (나) | (다) |
|---|---|---|---|
| ① | abandonment | notice | partial loss |
| ② | subrogation | acceptance | actual total loss |
| ③ | abandonment | notice | actual total loss |
| ④ | subrogation | acceptance | partial loss |

**22** □□□

**기업국제화의 공통적 결정요인에 대한 설명으로 옳지 않은 것은?**

① 카부스길(S. T. Cavusgil)과 네빈(J. R. Nevin)은 제품에 대한 경험, 마케팅 필요조건, 제품의 유통구조, 무역장벽을 중요시하였다.

② 빌키(W. J. Bilkey)는 기업특유의 비교우위, 경영관리자의 기업목표 달성의지, 예상되는 수출의 기업목표 기여도, 수출에 대한 조직참여 정도를 중요시하였다.

③ 데이비드슨(W. H. Davidson)과 해리건(R. Harrigan)은 제품 및 시장의 특성, 시장진출 순서 및 시기를 중요시하였다.

④ 요한슨(J. Johanson)과 비더샤임-폴(F. Wiedersheim-Paul)은 사회적·문화적·심리적 거리감과 현지시장의 규모를 중요시하였다.

**23** □□□

**다음 (가)에 들어갈 용어는?**

> 바틀렛(C. A. Bartlett)과 고샬(S. Ghoshal)의 국제경영전략 유형 중 [ (가) ]을 추구하는 기업은 생산, 마케팅, 연구개발 활동 등을 가장 유리한 소수의 국가에 집중적으로 배치하고, 경험곡선효과의 기초가 되는 규모의 경제로부터 최대의 이익을 얻기 위해 제품과 과정을 세계적으로 표준화하는 것에 중점을 둔다.

① 국제적전략(international strategy)
② 국가별전략(multidomestic strategy)
③ 글로벌전략(global strategy)
④ 초국적전략(transnational strategy)

**24** □□□ **「국제물품매매계약에 관한 국제연합 협약」(CISG)에서 청약과 승낙에 대한 내용으로 옳지 않은 것은?**

① 서신에 의한 청약인 경우, 청약자가 서신에서 지정한 승낙기간은 청약이 피청약자에게 도달한 시점으로부터 기산한다.

② 청약은 거절의 의사표시가 청약자에게 도달한 때에는 효력을 상실한다.

③ 승낙을 의도하고 있으나, 부가, 제한 그 밖의 변경을 포함하는 청약에 대한 응답은 청약에 대한 거절이자 새로운 청약이 된다.

④ 연착된 승낙이더라도 청약자가 지체 없이 피청약자에게 승낙으로서 유효하다는 취지의 통지를 발송한 경우, 승낙으로서 효력을 가진다.

**25** □□□ **「외국 중재판정의 승인 및 집행에 관한 협약」(뉴욕협약)의 내용으로 옳지 않은 것은?**

① "중재판정"이란 개개의 사건을 위하여 선정된 중재인이 내린 판정뿐만 아니라 당사자가 회부한 상설 중재기관이 내린 판정도 포함한다.

② 중재에 회부하지 아니한 사항에 관한 결정이 중재판정에 포함된 경우, 중재에 회부한 사항에 관한 결정이 중재에 회부하지 아니한 사항과 분리될 수 있더라도 중재에 회부한 사항에 관한 결정 부분의 판정은 승인 및 집행될 수 없다.

③ "서면에 의한 합의"란 당사자 간에 서명되었거나 교환된 서신이나 전보에 포함되어 있는 계약서상의 중재조항 또는 중재합의를 포함한다.

④ 이 협약이 적용되는 중재판정의 승인 또는 집행에 대해서는 국내 중재판정의 승인 또는 집행에 대하여 부과하는 것보다 실질적으로 더 엄격한 조건이나 더 높은 비용을 부과하여서는 아니 된다.

CHAPTER 3

# 2023년도 국가직(관세직) 7급 해설

## 01

답 ②

1인 이상의 특정한 자에게 통지된 계약체결의 제의는 그것이 충분히 확정적이고 또한 승낙이 있을 경우에 구속된다고 하는 청약자의 의사를 표시하고 있는 경우에는 청약으로 된다(CISG 제14조).

## 02

답 ④

화주가 컨테이너 또는 트레일러를 대여 받았을 경우 규정된 시간(Free Time) 내에 반환을 못할 경우 벌과금으로 지불해야 하는 비용을 지체료(Detention Charge)라고 한다.

## 03

답 ③

수입국이 수출국의 보조금만큼 관세를 부과하는 것을 상계관세(Countervailing Duties)라고 한다.

## 04

답 ②

관세의 부과로 국내소비자의 실질소득이 감소되고 국내생산자의 소득이 증가되어 소득이 재분배되는 효과를 재분배효과(redistribution effect)라 한다. 이것은 관세부과로 인한 소비자잉여는 감소하고, 생산자잉여는 증가하는 효과라고도 할 수 있다.

## 05

답 ④

고객이 현지 은행에서 금융서비스를 받고자 할 때, 자신의 거래은행에 요청하여 그 거래은행이 현지 은행 앞으로 고객의 채무이행을 보증한다는 내용으로 개설하는 신용장을 보증신용장(Standby Credit)이라고 한다.

**선지분석**

① 인수신용장(Acceptance Credit)에 대한 설명이다.
② 동시개설신용장(Back to Back Credit)에 대한 설명이다.
③ 회전신용장(Revolving Credit)에 대한 설명이다.

## 06

답 ②

ICC(C) 조건에서는 갑판유실(washing overboard)을 담보하지 않지만, ICC(B)에서는 이 위험을 담보한다.

**선지분석**

① 해상위험(marine risk)에는 1) 해상고유의 위험, 2) 화재, 3) 강도, 4) 투하, 5) 선장 및 선원의 악행이 있다. 좌초(stranding)와 침몰(sinking)은 해상 고유의 위험(Perils of the Seas)에 포함되지만, 투하(jettison)은 포함되지 않는다.
③ 물적손해보상액과 손해방지비용의 합계가 보험금액을 초과하더라도, 피보험자는 손해방지비용 전액을 보상받을 수 있다. 우리나라 상법 제680조(손해방지 의무)에서도 '보험계약자와 피보험자는 손해의 방지와 경감을 위하여 노력하여야 한다. 그러나 이를 위하여 필요 또는 유익하였던 비용과 보상액이 보험금액을 초과한 경우라도 보험자가 이를 부담한다.'고 규정하고 있다.
④ 추정전손이 발생한 경우 피보험자는 보험자에게 '위부'를 하고 전손보험금을 청구할 수 있다.

## 07
답 ②
리카도의 비교우위론은 노동력(생산요소)의 국가 간 이동이 불가능하다고 가정하였다. 단, 산업 간 이동은 가능하다고 가정하였다.

## 08
답 ①
고지마 이론은 일본의 경제학자 고지마 간메이가 1970년대에 제시한 해외직접투자 이론이다. 이 이론은 선진국이 자국 내 비교열위 산업을 해외로 이전하면, 개도국은 그 산업에 대해 비교우위를 가질 수 있으므로, 양국 모두에게 이익이 되는 투자가 이루어진다는 이론이다. 비교열위 산업의 해외 이전이 무역을 대체하는 것이 아니라 촉진하게 된다고 말한다. 고지마는 해외직접투자의 형태를 일본형과 미국형으로 구분하는데, 일본형 투자는 무역촉진형 투자이지만, 미국형 투자는 무역대체형 투자라고 말한다.

**선지분석**

② 절충이론에 대한 설명이다.
③ 국제제품수명주기이론에 대한 설명이다.
④ 내부화 이론에 대한 설명이다.

## 09
답 ③
만약 신용장이 “in duplicate(2통)”, “in two folds(2부)” 또는 “in two copies(2통)”와 같은 용어를 사용하여 복수의 서류 제시를 요구하였다고 해도, 이 조건은 서류 자체에 달리 표시하고 있지 않는 한, 적어도 원본 한 통을 제시하면 되고, 나머지는 사본을 제시하면 족하다(UCP 600 제17조).

## 10
답 ③
리스트의 유치산업보호론이 유치산업을 지정하여 보호 및 육성하자고 주장한 것은 맞다. 그러나 유치산업보호론의 보호정책 수단은 관세장벽(tariff barriers)을 주된 수단으로 한다. 수입물품에 고율의 관세를 부과하여 국내 유치산업을 경쟁으로부터 보호하는 것이 핵심이다.

## 11
답 ④
시장 침투 가격 정책(market penetration pricing policy)에 대한 설명이다. 이 가격 정책은 낮은 가격을 책정함으로써 시장 개발의 속도를 높이고 시장점유율을 높여 장기적으로 시장을 지배하려는 가격 설정방식이다.

## 12
답 ④
마이클 포터의 다이아몬드 모형에 따른 국가 경쟁 우위의 요인은 요소조건, 수요조건, 연관산업의 경쟁력, 기업의 전략·구조·경쟁자이다. 이 중 수요조건은 ‘국내 수요’를 말하는 것으로 국내 소비자의 수준, 수요의 성숙도가 높은 국내시장의 규모, 세계보다 빠른 내수 수요 등이 기업의 경쟁력을 향상시킨다.

## 13
답 ③
환율이 오르면, 외환으로 갚아야 하는 외채 상환 부담은 커진다.

**14**

답 ①

(가) 제품환매(Product Buy-back)란 수출자가 플랜트, 장비 등의 기계설비를 수출하고 수출대금의 전부 또는 일부를 제공한 기계설비에서 생산되는 제품으로 회수하는 거래형태이다.

(나) 대응구매(Counter Purchase)란 연계무역의 대표적인 형태로서, 수출자가 수출계약과 함께 일정 기간 안에 수입국의 상품을 구매하겠다는 별개의 구매계약을 체결하여 대금을 상호지급하는 거래형태이다.

**15**

답 ①

단독투자를 하는 경우 현지 법인에 대한 통합적인 관리는 용이할 수 있다. 그러나 현지국에서 정보를 활용하거나 상황대처를 할 때는 단독투자보다는 합작투자가 더 유리하다.

**16**

답 ②

매도인은 위험이 매수인에게 이전하는 때에 존재한 어떠한 불일치에 대하여 계약 및 이 협약에 따른 책임을 진다. 이는 물품의 불일치가 그 이후에 드러난 경우에도 동일하다(CISG 제36조, 일치성의 결정시점).

**17**

답 ③

Open Account(O/A) 방식은 국제 간 결제에 있어 외상판매 방식인 것이므로, 수출상은 그 대금결제를 오직 수입상의 신용에만 의존하게 되므로 대금회수 불능의 위험이 높다. 수출자는 수출채권의 매각을 통해 수출대금을 조기에 현금화할 수도 있다.

**선지분석**

ㄱ. 수출자의 채권은 수출자가 수출물품 선적을 완료하고 해외의 수입자에게 선적사실을 통지함과 동시에 발생한다.

ㄹ. 수출환어음 매입이나 거래은행에 의한 어음매입 의뢰는 Open Account 방식에서는 통상 사용되지 않는다.

**18**

답 ④

중복보험의 경우, 피보험자가 보험금을 초과 수령하여 부당이득이 발생할 가능성이 있다. 이 경우 각 보험자는 '비례분담의 원칙'에 따라 보험금액의 비율에 따라 손해를 분담하게 된다.

**19**

답 ①

ㄴ. 일반화물요율(general cargo rate)은 품목분류 요율이나 특정품목 할인요율을 적용을 받지 않는 모든 화물의 운송에 적용되는 요율을 말한다.

ㄹ. 입체지불수수료(disbursement fee)는 항공수송 이전에 출발지에서 발생한 착지불 기타 요금으로 도착지에서 수하인이 지불해야 하는 수수료를 모두 합친 금액이다.

**20**

답 ④

주문자상표 부착방식(OEM)은 생산 제휴에 해당한다. 세컨드 소싱(Second sourcing)이란 기존의 주공급자(Main supplier)에 더해, 같은 품목을 공급할 수 있는 대체 공급자(Second supplier)를 확보해 놓는 조달 전략을 말한다. 세컨드 소싱은 조달 전략이지만 두 기업 간의 조달 제휴는 아니다.

## 21

답 ③

C-규칙들은 비용 분기점과 위험 분기점이 일치하지 않는다. 위험 분기점 이전과 비용 분기점 이후에는 위험부담자와 비용부담자가 일치하지만, 그 중간 단계에서는 위험부담자와 비용부담자가 일치하지 않는다. 그러므로 C-규칙의 경우 위험부담자와 비용부담자가 일치하지 않는다고 단정적으로 말해서는 안 된다.

## 22

답 ①

홀(E. T. Hall)은 상이한 문화 배경에서 각 문화에 속하는 구성원이 상이하게 반응한다고 전제하고, 각국의 문화를 의사소통방식에 따라 고배경 문화(고맥락 문화, high-context culture)와 저배경 문화(저맥락 문화, low-context culture)로 구분하였다. 고맥락 또는 고배경 문화에서는 경쟁입찰이 흔하지 않다. 고맥락 문화권에서는 신뢰를 기반으로 한 장기 거래 관계가 중요하므로 매번 입찰을 통해 새로운 파트너를 찾기보다는 기존 관계를 유지하려는 경향이 강하기 때문이다.

## 23

답 ②

'생활문화 환경이나 관습 등으로 인해 자국시장과 비슷한 욕구나 효용을 다른 제품으로부터 얻을 경우' 제품은 현지 소비자의 생활문화 및 효용에 맞춰 조정하고, 광고는 자국 시장과 비슷하므로 표준화가 가능하다.

## 24

답 ④

ㄱ. 개품운송계약은 주로 정기선(liner)을 이용하고, 용선운송계약은 주로 부정기선(tramper)을 이용한다.

ㄷ. '일정 기간 또는 특정 항해에 선복의 전부 또는 일부를 제공하기로 한 계약'은 용선운송계약이다. 특히 일정 기간별로 계약하면 정기용선계약, 특정 항해를 기준으로 계약하면 항해용선계약이라고 한다.

## 25

답 ②

외환 시장에서 가장 큰 비중을 차지하는 거래는 은행 간 거래이다.

| | |
|---|---|
| 은행 간 거래 (Interbank Market) | 외환 시장의 핵심으로, 전체 외환 거래의 절대적 비중을 차지한다(90% 이상). |
| 대고객 거래 (Retail Market) | 은행과 일반기업, 개인, 기관 사이의 거래로, 소규모로 거래되며 외환 시장의 일부분만 차지한다. |

CHAPTER 4

# 2024년도 국가직(관세직) 7급 해설

## 01

답 ④

아담스미스가 국제분업론, 자유경쟁론, 소비자이익론을 주장하면서 자유무역정책을 강조하였다. 그러나 중농주의는 자유무역이론이므로, 아담스미스는 중농주의를 비판하지는 않았다.

## 02

답 ②

경상수지 항목 안에는 상품수지, 서비스수지, 본원소득수지, 이전소득수지가 있다. 해외근로자가 수취하는 급료 및 임금은 '본원소득수지' 항목에 기재된다.

## 03

답 ③

eUCP는 Supplement to the Uniform Customs and Practice for Documentary Credits for Electronic Presentation(전자제시를 위한 화환신용장에 관한 통일규칙 및 관례의 보충판)으로서, UCP를 전자문서에 적용하기 위해 제정한 보완 규칙이다. eUCP가 적용되는 신용장이라 하더라도, 수익자가 종이서류만 제시하거나 신용장 자체가 종이서류만 허용하는 경우에는 eUCP가 우선 적용되지는 않는다. eUCP는 전자문서의 제시가 있을 때만 적용된다.

## 04

답 ②

회원국 간에 무역장벽을 철폐하고, 비회원국에 대해서 대외공동관세를 실시하고, 회원국 간 생산요소의 자유로운 이동까지 보장하는 경제통합단계는 공동시장(common market)이다.

## 05

답 ②

헥셔(E. Heckscher) - 올린(B. Ohlin)정리의 제1명제는 요소부존정리(요소부존이론)이고, 제2명제는 요소가격균등화정리(요소가격균등화이론, 스톨퍼 - 사무엘슨 정리)이다.

## 06

답 ③

ㄱ. '매도인은 목적항까지 물품을 운송하는 데 필요한 계약을 체결하고 운임을 부담'는 조건은 CFR이다.

ㄹ. DDP조건에서 '매도인'은 물품의 수출통관 및 수입통관을 수행하고, 수출관세 및 수입관세를 모두 부담하여야 한다.

## 07

답 ②

매수인이 계약위반에 대한 구제를 구할 때에는, 법원 또는 중재판정부는 매도인에게 어떠한 유예기간도 적용하여서는 아니된다(CISG 제45조).

## 08

답 ④

포터는 기업의 국제화 전략을 가치사슬의 활동을 어디에 배치(배분)하고, 어떻게 조정(통합)하느냐에 따라 다음과 같이 4가지 전략 유형으로 나누었다.

| 전략 유형 | 가치활동 배치 | 조정 수준 |
|---|---|---|
| 개별국가 전략<br>(다국적 전략) | 분산(각국별) | 낮음 |
| 고도 해외직접투자 전략<br>(글로벌 전략) | 집중(중앙통제) | 높음 |
| 수출 중심 전략 | 본국 집중+해외 유통 | 낮음 |
| 순수한 세계적 전략 | 집중 | 높음 |

ㄴ. 고도의 해외직접투자 전략의 경우, 가치활동의 배치는 지역적으로 분산시키면서 가치활동의 조정수준도 높다. 여러 국가에 가치활동을 분산하지만, 본사 중심으로 강하게 조정되는 글로벌 통합 전략이다.

ㄹ. 순수한 세계적 전략의 경우, 가치활동의 배치는 지역적으로 집중시키면서 가치활동의 조정수준도 높다. 대표적인 글로벌 표준화 전략으로, 전 세계 시장을 하나의 단위로 보고 중앙 집중형 배치와 높은 조정을 특징으로 한다.

**선지분석**

ㄱ. 개별국가 중심 전략은 가치 활동을 지역적으로 분산시키는 전략이다. 즉 각 나라에 맞춰 현지화하기 때문에 배치는 '분산'되고, 조정수준은 낮다.

ㄷ. 수출 중심 전략은 가치활동(특히 생산)을 본국에 집중시키고, 해외에서는 마케팅이나 유통만 수행하는 구조이다. 그러므로 배치는 '집중'되고, 조정수준은 낮다.

## 09

답 ②

'관세에 관한 조약에 따른 편익을 받지 아니하는 나라의 생산물로서 우리나라에 수입되는 물품에 대하여 이미 체결된 외국과의 조약에 따른 편익의 한도에서 관세에 관한 편익을 부여할 수 있는 관세'는 편익관세이다.

## 10

답 ④

ㄱ. 양도가능신용장(Transferable Credit)이란 신용장의 원수익자가 신용장 금액의 전부 또는 일부를 제3자(제2수익자)에게 양도할 수 있는 권한을 부여한 신용장을 말한다. 1회에 한하여 양도가 가능하며, 분할선적이 금지되어 있지 않는 한 최초의 수익자는 다수의 2차 수익자에게 분할양도(partial transfer) 할 수 있다. 그러나 제2수익자가 재양도하는 것은 불가능하다.

ㄷ. 제1수익자는 신용장에 명시된 금액을 초과하지 않는 범위 내에서 제2수익자의 송장과 환어음을 대체할 권리를 가진다. 그리고 대체되었을 때 제1수익자는 그의 송장과 제2수익자 송장간의 차액이 있다면 차액에 대하여 환어음을 발행할 수 있다.

## 11

답 ③

**선지분석**

① ICC(B)와 ICC(C)는 담보하는 특정 위험만 열거하는 열거주의 방식(Named Perils)이다. ICC(A)가 면책 위험을 제외한 모든 위험을 담보하는 포괄담보 방식이다.

② 공동해손은 반드시 1) 비상 상황에서, 2) 공동의 안전을 위해, 3) 고의적이고 합리적인 희생 또는 비용이 발생한 경우라는 모든 조건을 만족해야 한다. '통상적인 희생이나 비용'은 공동해손이 성립되지 않는 경우이다.

④ 손해방지비용(sue and labour charge)은 피보험위험이 발생하였을 경우 이로 인한 보험의 목적의 손해를 방지 또는 경감하기 위해서 피보험자 또는 그의 사용인 및 대리인이 지출한 비용이다. 제3자가 지출한 비용은 포함되지 않는다.

## 12

답 ③

USD를 기준으로 본다면, 재정환율은 미화 이외의 통화 대 원화의 환율을 말하며, 크로스환율은 미화와 미화 이외의 통화와의 환율을 말한다. 재정환율은 교차환율(크로스환율)을 기준환율로 재정하여 산출한다. 즉, 교차환율은 자국통화가 개입되지 않은 외국통화 간의 환율이다. 기준환율은 자국통화와 한 외국통화 간의 환율이다. 재정환율은 기준환율과 교차환율에서 산출된 자국통화와 제3국 통화 간의 환율이다.

## 13

답 ④

투명성의 원칙이란 각국의 행정·사법기관의 의사결정이나 법령의 적용, 제도의 운용이 합리적이며 예측 가능하여야 하고, 결정에 관한 이유가 고지되어야 하며, 그러한 결정의 기초가 되는 모든 법령 및 자료가 공개되어야 한다는 원칙이다.

## 14

답 ④

추심지시서에는 인수거절 또는 지급거절의 경우에 있어서의 거절증서(또는 이에 갈음하는 기타 법적절차)에 관한 별도의 지시를 명기하여야 한다. 그러한 별도의 지시가 없는 경우에는 추심에 관여하는 은행은 지급거절 또는 인수거절에 대하여 서류의 거절증서를 작성하도록 하거나 (또는 이에 갈음하는 법적절차가 취해지도록 할) 아무런 의무를 지지 아니한다. 그러한 거절증서 또는 기타 법적 절차와 관련하여 은행에게 발생하는 모든 수수료 및/또는 비용은 추심지시서를 송부한 당사자의 부담으로 한다(URC 제24조).

## 15

답 ③

그루벨(H. Grubel), 로이드(P. J. Lloyd)에 의해 제기된 산업내 무역(intra - industry trade)이론은 서로 다른 산업 간에 이루어지는 산업간 무역과는 달리 동종 산업에서의 제품차별화, 규모의 경제에 의해 무역이 발생한다는 이론이다.

## 16

답 ①

ㄴ. Short Form B/L은 필수 기재사항은 모두 기재되어 있으나, 절차의 간소화를 위하여 선하증권의 이면약관이 생략된 선하증권을 말한다.

ㄹ. Master B/L은 운송할 화물이 한 컨테이너를 채울 수 없는 소량인 경우, 운송주선인이 동일한 목적지로 가는 화물을 혼재하여 운송할 때 운송인이 운송주선인에게 발행하는 선하증권을 말한다.

**17** 답 ④

**선지분석**

① 확인은행은 최종적인 지급 책임을 가지므로, 수입상에게 구상권(상환청구권)을 행사할 수 없다.
② 확인은행은 그 은행이 신용장에 확인을 추가한 때에 취소불능으로 지급·인수하거나 매입하여야 한다. '개설하는 시점부터'가 아니라 '신용장에 확인을 추가한 때(as of the time it adds its confirmation to the credit)'이다.
③ 확인은행은 일치하는 제시에 대하여 결제 또는 매입을 하고 서류를 확인은행에 송부한 지정은행에 신용장대금을 상환하여야 한다.

**18** 답 ④

루트의 점진적 학습과정 모형은 기업이 해외시장에 진입할 때 지식과 경험이 축적되면 진입방식을 어떻게 바꿔 나가는지에 대해 동태적인 설명을 한다. 그러나 해외시장에 진입하는 적합한 시기와 방법에 대한 기준을 제시하지는 못한다.

**19** 답 ①

ㄴ. 세계시장을 하나의 시스템으로 보고 각국의 경영전략을 유기적으로 조정하는 기업을 다국적기업이라고 정의한 학자는 마이클 포터(M. Porter)이다.
ㄹ. 다국적기업을 구조적 다국적성, 성과적 다국적성, 형태적 다국적성의 세 가지 유형으로 분류한 학자는 아하로니(Y. Aharoni)이다.

**20** 답 ③

지역시장중심(regioncentric)이란 몇 개국을 하나의 지역 단위로 묶어 관리하고, 각 지역은 지역본부를 중심으로 자율성과 협력 구조를 유지하는 형태이다. 현지국에 소재한 자회사가 본사의 간섭 없이 독자적인 마케팅 목표와 계획을 세운다면 이것은 현지시장중심(polycentric)에 가깝다.

**21** 답 ①

피보험자가 피보험목적물에 대한 손해를 추정전손으로 처리하도록 잔존물에 대한 일체의 권리를 보험자에게 양도하는 것을 위부(abandonment)라고 하며, 피보험자는 이를 결정한 경우 보험자에게 통지(notice, 위부의 의사표시)를 하여야 한다. 만약 피보험자가 통지를 하지 않을 경우, 그 손해는 분손(partial loss)으로 처리된다.

**22** 답 ①

카부스길(S. T. Cavusgil)과 네빈(J. R. Nevin)이 기업국제화의 결정요인으로 중요시한 것은 경영자의 국제적 지향성(managerial international orientation)이다. 이들은 기업이 해외시장에 진출하거나 국제화 전략을 결정할 때, 단순한 경제적 요인 뿐만이 아니라 경영자의 태도와 시각이 핵심적인 영향을 미친다고 보았다.

## 23

답 ③

**선지분석**

① 국제적 전략(international strategy): 본사의 우수한 역량을 해외에 이전하는 전략(통제는 본사가 하며, 현지 적응 적음)

② 국가별 전략(multidomestic strategy): 각국 시장에 맞게 현지화된 제품과 전략으로 대응함(현지 자회사에 자율권이 많음)

④ 초국적 전략(transnational strategy): 통합과 적응을 동시에 추구함(글로벌 효율성과 현지 민감성을 모두 중시)

## 24

답 ①

전보 또는 서신에서 청약자가 지정한 승낙의 기간은 전보가 발신을 위하여 교부된 때로부터, 또는 서신에 표시된 일자로부터, 또는 그러한 일자가 표시되지 아니한 경우에는 봉투에 표시된 일자로부터 기산된다. 전화, 텔렉스 또는 기타의 동시적 통신수단에 의하여 청약자가 지정한 승낙의 기간은 청약이 피청약자에게 도달한 때로부터 기산된다(CISG 제20조, 승낙기간의 해석).

## 25

답 ②

중재에 회부하지 아니한 사항에 관한 결정이 중재판정에 포함된 경우, 협약의 승인 및 집행이 요구되는 국가의 관할 당국에 의해 거부될 수 있다. if the decisions on matters submitted to arbitration can be separated from those not so submitted, that part of the award which contains decisions on matters submitted to arbitration may be recognized and enforced. 다만, 중재에 회부한 사항에 관한 결정이 중재에 회부하지 아니한 사항과 분리될 수 있는 경우, 중재에 회부된 부분에 대한 판정은 승인 및 집행될 수 있다(뉴욕협약 제5조).

**선지분석**

① The term "arbitral awards" shall include not only awards made by arbitrators appointed for each case (ad hoc arbitration) but also those made by permanent arbitral bodies to which the parties have submitted. "중재판정"이란 개개의 사건을 위하여 선정된 중재인이 내린 판정뿐만 아니라 당사자가 회부한 상설 중재기관이 내린 판정도 포함한다(뉴욕협약 제1조).

③ The term "agreement in writing" shall include an arbitral clause in a contract or an arbitration agreement, signed by the parties or contained in an exchange of letters or telegrams. "서면에 의한 합의"란 당사자 간에 서명되었거나 교환된 서신이나 전보에 포함되어 있는 계약서상의 중재조항 또는 중재합의를 포함한다(뉴욕협약 제2조).

④ There shall not be imposed substantially more onerous conditions or higher fees or charges on the recognition or enforcement of arbitral awards to which this Convention applies than are imposed on the recognition or enforcement of domestic arbitral awards. 이 협약이 적용되는 중재판정의 승인 또는 집행에 대해서는 국내 중재판정의 승인 또는 집행에 대하여 부과하는 것보다 실질적으로 더 엄격한 조건이나 더 높은 비용을 부과하여서는 아니 된다(뉴욕협약 제3조).

MEMO

MEMO

해커스공무원

# 이명호 무역학

## 이론 + 기출문제

2권 기출문제

**개정 4판 1쇄 발행 2025년 5월 20일**

| | |
|---|---|
| **지은이** | 이명호 편저 |
| **펴낸곳** | 해커스패스 |
| **펴낸이** | 해커스공무원 출판팀 |
| **주소** | 서울특별시 강남구 강남대로 428 해커스공무원 |
| **고객센터** | 1588-4055 |
| **교재 관련 문의** | gosi@hackerspass.com<br>해커스공무원 사이트(gosi.Hackers.com) 교재 Q&A 게시판<br>카카오톡 플러스 친구 [해커스공무원 노량진캠퍼스] |
| **학원 강의 및 동영상강의** | gosi.Hackers.com |
| **ISBN** | 2권: 979-11-7244-997-1 (14320)<br>세트: 979-11-7244-995-7 (14320) |
| **Serial Number** | 04-01-01 |